JN072699

序論

DHG会報、96号、2012年、3月号
（Vierteljahres schrift von DHG, Nr.96, 2012. Mai.） p.9

Sommergras, Nr.100, März, 2013
p.18

Hamburger Haiku Verlag
p.12

「ハイク・カレンダー 2013」（ハンブルク俳句出版社）に掲載された「我が家の郵便受けに……」の句 p.12

「ハイク・カレンダー 2013」に掲載された「ザワワ ザワワ……」の句 p.12

Sabine Sommerkamp
17 Ansichten des Berges Fuji
Bilder und Tanka

ザビーネ・ゾマーカンプ
富士 17 景　絵と短歌

Aus dem Deutschen ins Japanische übersetzt von Kenji Takeda
日本語への翻訳：竹田賢治
p.10, p.87〈第2章〉

1月 新年を祝う宴 p.132

2月 暖を取る農民

3月 畑を耕す、葡萄の枝の剪定 p.136

4月 婚約の指輪

5月 5月祭、森へでかける

6月 草を刈る p.117

7月 穀物の収穫と羊の毛を刈る p.121

8月 鷹狩り

9月 ぶどうの収穫

10月　畑を耕す、種を撒く
p.127

11月　豚にどんぐりを落とす
p.133

12月　イノシシ狩り　p.133

『ベリー公の時祷書』ビブリオアート・ポストカードシリーズ（Bibliopoly Co.Ltd）による

コラム1

バート・ホンブルクの月
──日独俳句大会
（各代表。左から、クルツ、金子、沢木、内田、稲畑、ブアーシャーパー、荒木の各氏）　p.101

第4章

クリスマス・ツリー
p.179, p.332〈第8章〉

アトヴェントのリース
（写真提供はザビーネ・ゾマーカンプさん）
p.180,　p.332〈第8章〉

第5章

ウイーン、ヒーツィンガー墓地・
ミツコの墓の前で。1991年。
p.204

NÖ BILDUNGS-
UND HEIMATWERK

Einladung
zum 221. Autorenabend

Marmorsaal des NÖ Landhauses

BEGEGNUNG IM HAIKU

EINLADUNG

PROGRAMM:

Begrüßung: Mag. Johannes TWAROCH,
Leiter der Arbeitsgemeinschaft LITERATUR

Prof. Kenji TAKEDA,
Kobe-Gakuin Universität, JAPAN

Einführung: Friedrich Heller

Die anwesenden Haiku-Dichter stellen ihre Publikationen und Proben ihrer Werke vor.

Frau Cho Arakawa
spielt japanische Musik auf der Koto.

当日のプログラム　p.213

第8章

麦畑に芥子の花
（写真：R.W.Heinrich, Leise fällt ein Blatt. 1990. S.95）
p.300

ぶどうの収穫
（写真の提供はザビーネ・ゾマーカンプさん）
p.324

Das deutsche Haiku und die Gedichte zu den vier Jahreszeiten

ドイツ俳句と季節の詩

竹田賢治

Kenji Takeda
(Verfasswer)

明石書店

はじめに
Vorwort

本書は著者の 30 年間の研究を 1 冊にまとめたものです。
タイトルの「ドイツ俳句」とは、正確に書けば「ドイツ語俳句」、すなわち、ドイツ語圏の国々、ドイツ、オーストリア、スイスの人々の俳句です。本書では彼らのできるだけ新しい俳句を紹介してみました。これらの作品に「季節の詩」を付け加えることで、いわば「ドイツ俳句歳時記」を試みました。ドイツ語圏には「俳句歳時記」のような本はないからです。ただし、このような試みがドイツ語圏の国々に受け入れられるかどうかはわかりません。日本側からのひとつの提案です。
俳句は世界中の国々でつくられ、それぞれ独自の発展をとげていて、かならずしも季語が必要ではないことも承知のうえです。

本書で使った文章のおおかたは、勤務先の神戸学院大学の研究雑誌に発表したもので、文章も固く、古いものも多いので、読みづらいかも知れません。また、やたらとドイツ語が出てきますが、これはドイツ語俳句の作者にも読んでもらいたいからです。日本の読者の皆様はドイツ語の部分は読みとばしてください。ただし、引用した俳句を 5−7−5 に翻訳しましたので、それをお読みいただければ少しは読み甲斐があるかも知れません。また、「季節の詩」の多くは日本でもよく知られた作品ですから、原文と日本語訳を照らしあわせてくだされば、多少は楽しんでいただけるのではないかと思います。

序論はドイツ俳句とはどういうものかを短くまとめたものです。第 1 章と第 2 章ではその歴史を、第 3 章ではいくつかのドイツ俳句の具体例を引用して「ドイツ俳句歳時記」を試みました。第 4 章では日本で未だ紹介されていないドイツ俳句を100句選び、できるだけ日本語の俳句に翻訳してみました。ドイツ語の5−7−5を意訳して、日本語の5−7−5に仕立てたものです。第5章はオーストリアの俳句を独立して取り上げました。そもそもドイツ俳句が生まれた国はオーストリアだからです。さすがは、かつてのハプスブルク帝国だと思います。第6章ではドイツ連歌のことを書きました。ドイツ語圏ではまず川柳が、次に俳句、そして連歌がつくられるようになりました。第7章では独訳された現代日本の俳句を紹介しました。最近まで日本の俳句といえば、もっぱら芭蕉、蕪村、一茶などの古典俳句しかドイツ語圏には知られていないからです。残念ながら、ドイツ語俳句の作者たちのほとんどは、日本語ができないのでなおさらです。一息入れていただくために、章の合間に三つのコラムを挟みました。最後に著者の独断で季節のことば、あるいは季語を選んでみました。

以上が本書の内容です。まず序論を読んでいただき、あとは興のおもむくままに読んでいただければ幸いです。

目　次 (Inhalt)

序論（Einführung）
――ドイツの俳句事情（日・独）

ドイツの俳句事情

明治以降、日本の俳句は翻訳と紹介の時代を経た後に、ドイツ語圏の一般の人々に知られるようになる。それは、1950年代初頭から次々と出版された俳句や短歌の翻訳詞華集による。マンフレート・ハウスマン『愛と死と満月の夜』（1951）、グンデルト『東洋の抒情詩』（1952）、ゲロルフ・クーデンホーフ＝カレルギー（EUの礎を築いたリヒャルト、青山栄次郎の弟）『満月と虫の声』（1955）、ウーレンブローク『俳句、日本の三行詩』（1960）、ハウスマンと高安国世『千鳥の呼び声』（1961）、ヤーン『散りゆく花』（1968）、ディートリヒ・クルーシェ『俳句――抒情詩の諸条件』（1970）などが挙げられる。

こうした流れの中から、やがて、ドイツ語による創作俳句が生まれた。

（1句目）

Schau mitten im Ei klein und gelb eine Sonne – wie kam sie hinein ?	ごらん 小さく黄色に太陽が ― 太陽はどのように卵の中に入ったのだろう？

Imma von Bodmershof, 1895-1982, *Haiku*, 1962

（インマ・ボードマースホーフ）

春なれや卵の中に陽の光　　（竹田、試訳）

この句はドイツ語俳句の古典と言ってもよい作品である。1行目に母音が5つ、2行目に7つ、3行目に5つ、これが日本の俳句の5−7−5に相当する。季節の詞（季語）は卵で、これは復活祭の卵を意味する。すなわち、季節は春である。2行目のダッシュは「切れ字」に相当する。単なる写生句のように見えるが、季節感もあり、2行目の「切れ」によってひとつの休止が生まれ、あらためて、3行目が読者を生命誕生の思索へと導く。

（2句目）

An diesem Hügel	風の丘
die Gräber fremder Krieger –	眠る戦士よ
Herbstblumen im Wind.	草の花　　　　（竹田、試訳）

Richard W. Heinrich, 1911-2005, *Leise fällt ein Blatt*, p.148

（リヒァルト．W．ハインリヒ）

ハインリヒさんと竹田。1992年
（mit Herrn Heinrich. Foto von Takeda）

5−7−5の母音で構成されており、2行目には「切れ」もある。3行目の「秋の花」（Herbstblumen）は1行目、2行目との「取り合わせ」も良く、「草の花」（日本では秋の季語）と訳してみた。「夏草や兵（つわもの）どもが夢の跡」（芭蕉）を思わせる句である。

（3句目）

Auf dem weißen Blatt	白い紙の上に
–verschmiert– der Motte Leben	跡を残した　蛾の命
ein Silberstreifen	銀の縞

白き紙蛾の残したる銀の縞　　　　（竹田、試訳）

Margret Buerschaper, 1937-2016（マルグレート・ブアーシャーパー）

初代 DHG 会長　M・ブアーシャーパーさん（2012 年、竹田撮影）
（Die Ehrenpräsidentin von DHG, Margret Buerschaper）
（Foto von Takeda）

この作品の眼目は、2 行目のふたつのダッシュではさまれた「跡を残した」にあって、これは「命のはかなさ」を暗示しているように思われる。作者は 1988 年にドイツ・ハイク協会（Deutsche Haiku-Gesellschaft、以下、DHG と略す）を設立し、2003 年まで会長を務め、ドイツ語俳句界のいわば肝っ玉母さん的人物で、DHG の名誉会長であったが、2016 年に惜しくも亡くなった。DHG の季刊誌（「夏草」*Sommergras*）は、2021 年現在で通巻 134 号、会員数は 270 名である。（口絵参照）

（4 句目）

Wohin des Weges,	風に行方定めぬ
fahle Blätter im Winde ?	枯葉
Dir voraus, dir nach !	お前の先になり後ろになり

前うしろ行方（ゆくえ）定めぬ落葉かな　　（坂西八郎 俳訳）

Friedrich Heller, 1932-2020（フリードリヒ・ヘラー）

1990 年・国民文化祭・愛媛　F. ヘラーさんと（竹田撮影）
（The 5th National Cultural Festival・Ehime '90, 1990. mit Herrn Heller. Foto von Takeda）

オーストリア俳句界を取りまとめた詩人の作品である。この句は第5回国民文化祭愛媛（1990年）の国際俳句大会でグラン・プリを獲得した。「お前」は自分も含めた人間全体と作者は言っている。人間と自然につながりのある句ではないだろうか。

（5句目）

Aus dunklen Tiefe	暗きより
zur Sonne aufgebrochen :	陽に向かうもの
eine Seerose	睡蓮花　　　（竹田、試訳）

Sabine Sommerkamp, 1952-　, Im Herzen des Gartens, p.22

（ザビーネ・ゾマーカンプ）

ザビーネ・ゾマーカンプさんと竹田。2012年
(mit Frau Dr. Sommerkamp, 2012. Foto von Takeda)

心のなかから生まれる内面的なものを感じさせる句である。彼女は1984年に「イマジズムとビート・ジェネレーションに与えた俳句の影響──英米抒情詩の研究」という論文でハンブルク大学から博士号を取得した。俳句のメルヘン『お日さまさがし』（*Die Sonnensuche*, 1990, Christophorus）も出版している。現在はラトビア国の名誉領事として活躍している。メルヘンということばが出てきたので、ドイツでも「子ども俳句」がつくられている、ということをここで指摘しておきたい。

ゾマーカンプ女史は『富士17景──絵と短歌』（*17 Ansichten des Berges Fuji – Bilder und Tanka*, iudicium Verlag, 2021、全ての日本語訳は竹田が担当）（口絵参照）を出版している。

以上は旧世代の作品ばかりで、どの句も5-7-5のシラブルを踏み、季節の詞も使われ、「切れ」もある。次に、新しい俳句を紹介しておこう。

（6句目）

In mein Briafkastl hat a klane Meisn a Nest Schreib ma liaba net.	我が家の郵便受けに 小さなカケスが巣をつくりました だから手紙を書かないほうがいいですよ

Gerhard Habarta（ゲルハルト・ハバルタ）

ウィーン方言で書かれたこの作品は、ハンブルク俳句出版社（Hamburger Haiku Verlag）が主催した第1回インターネット俳句コンテスト（2003年。選者はエッケハルト・マイ、Ekkehard May 元フランクフルト大学教授）で第1位を獲得した。「朝顔に釣瓶取られてもらひ水」（千代尼）を踏まえているという。（口絵参照）

（7句目）

Das Rascheln – scheln – scheln im reifen Getreidefeld der Wind machts – ts – ts	ザワワ　ザワワ 麦の畑に 風シュルル　　（竹田、試訳）

Johannes Ahne（ヨハネス・アーネ）

この作品は声に出して読んで、はじめておもしろさがわかる詩である。（口絵参照）

（1行目）ダス　ラッシェルン　シェルン　シェルン

（2行目）イム　ライフェン　ゲトライデフェルト

（3行目）デア　ヴィント　マハツ　ツー　ツー

日本人は5-7調に詩歌のリズムを感じるが、西欧諸国ではことばの強弱や長短の中に詩を感じる。この作品は5-7-5によらず、自由な韻律をもった作品になっている。わずか3行の短詩では韻を踏むことは難しいが、この作品では3行全体にリズム感がある。

最近の句は2句しか紹介できなかったが、口絵の写真や図版からドイツ語俳句が独自な展開を見せていることを読みとっていただければ幸いである。とはいえ、実作者はまだわずか（1,000人ほど）しかいない。日本のような俳人がいるわけでもない。俳句は気軽につくることができる。いい句には余韻もある。短いだけに、多義的で、読み解くのがむずかしい作品も多い。

最後に比較文学者ディートリヒ・クルーシェの次のことばを引用してこの章を終えたい。ドイツにおける俳句の受容と発展だけではなく、広く異文化受容の本質にも通じる一文だと思う―

「文化史を概観する限り、一つの文化は他の文化から摂取を行い、学ぶと同時に、他の文化との間に境界をも設けるものである。なぜなら、摂取とは変化させることであり、取り入れて固有のものにすることであり、他の物に変えることでもあるのだから」

（ディートリッヒ・クルーシェ〈ミュンヘン大学元教授〉、「ドイツにおける日本俳句」『比較文学研究』43号　東大比較文学会、1983年、小沢万記 訳による）

【参考文献】

・竹田賢治「ドイツの俳句事情」浜本隆・高橋憲 編『現代ドイツを知るための67章』（明石書店、2020、pp.354–361）

・星野慎一『俳句の国際性――なぜ俳句は世界的に知られるようになったか』（博文館新社、1995）

・渡辺勝『比較俳句論――日本とドイツ』（角川書店、1997）

・東 聖子・藤原マリコ編『国際歳時記における比較研究――浮遊する四季のことば』（笠間書院、2012）

（＊本文に引用した作品はすべてこの書によった）

Über die Haiku-Dichtung in Deutschland (aus dem Manuskript für DHG, Nr.100)

Kenji Takeda (Japan)
(übesetzt von Monika Marutschke)

Wenn in Japan davon die Rede ist, dass „auch in Deutschland Haiku gedichtet werden", stellen sich unweigerlich folgende Fragen:

1. was passiert mit der 5–7–5– Silbenabfolge?
2. gibt es Jahreszeitenwörter?
3. was wird aus dem Rhythmus bzw. Reim?

1.
Grundsätzlich besteht ein Haiku aus drei Zeilen: die erste hat fünf Silben, die zweite sieben und die dritte wieder fünf. Das nennt man–kurz gesagt–die 5–7–5– Struktur.
2.
Deutsche Haiku-Dichter kennen durchaus die sogenannten Jahreszeitenwörter (kigo bzw. saijiki). Allerdings ist noch kein Buch auf Deutsch erschienen, das die japanischen „Jahreszeitenwörter für Haiku" auflistet. In einem Haiku-Gedicht sollte ein Wort erscheinen, das auf die Jahreszeit anspielt.
3.
In diesem nur aus drei Zeilen bestehenden Kurzgedicht gibt es keinen Reim. Doch der Rhythmus über die gesamten drei Zeilen des Gedichtes macht den Charme aus. Japaner spüren die Metrik der fünf und sieben Silben, Menschen in der westlichen Welt sind eher für die Abfolge betonter und unbetonter Silben im Gedicht empfänglich.
Dazu werde ich im Folgenden noch Beispiele anführen.

Ab 1868 waren japanische Haiku ins Deutsche übersetzt und vorgestellt worden, und so wurden diese schließlich im deutschen Sprachbereich allgemein bekannt. Besonders einflussreich waren die Anfang der 1950er Jahre nach und nach herausgegebenen Haiku-und Kurzgedichte-Sammlungen. Ich nenne eine Auswahl:

- Liebe, Tod und Vollmond-Nächte (Manfred Hausmann, 1951)

- Lyrik des Ostens (Wilhelm Gundert, 1952)
- Vollmond und Zikadenklänge (Gerolf Coudenhove, 1955)
- Haiku–Japanische Dreizeiler (Jan Ulenbrook, 1960)
- Ruf der Regenpfeifer (M. Hausmann / Kuniyo Takayasu , 1961)
- Fallende Blüten. Japanische Haiku–Gedichte (Erwin Jahn, 1968)
- Japanische Gedichte (Dietrich Krusche, 1970).

In diesem Umfeld also entwickelte sich das deutsche Haiku. An dieser Stelle möchte ich einige Beispiele nennen.

Beispiel 1

Schau mitten im Ei
klein und gelb eine Sonne –
wie kam sie hinein?

(Imma von Bodmershof, 1895-1982, gedichtet 1962)

Dieses deutsche Haiku ist sozusagen ein Klassiker. Es hält sich an das Silbenschema 5–7–5 und nennt als Jahreszeitenwort das Ei, das mit Ostern (dem Fest der Auferstehung Christi) assoziiert wird. Das heißt, es steht für den Frühling. Der Gedankenstrich am Ende der zweiten Zeile fungiert wie die im Japanischen als Interpunktion dienende Silben „kireji" (keri, kana, ya etc.) Durch dieses Innehalten am Ende der zweiten Zeile bekommt die bloße Beschreibung getreu der Natur in der dritten Zeile eine philosophische Nachdenklichkeit.

Beispiel 2

An diesem Hügel
die Gräber fremder Krieger –
Herbstblumen im Wind.

(Richard W. Heinrich, 1911-2005, Leise fällt ein Blatt, S.148)

Auch dieses Haiku hält sich an die 5–7–5 Silben-Regelung und hat einen Gedankenstrich am Ende der zweiten Zeile. Die ersten beiden Zeilen sind gekonnt zusammengestellt, die Herbstblumen fungieren als Jahreszeitenwort. Es erinnert zudem an das Gedicht von Bashō:

Sommergras
ist alles, was geblieben ist
von Traum des Kriegers. (–übersetzt von D. Krusche)

Beispiel 3

Auf dem weißen Blatt
- verschmiert–der Motte Leben
ein Silberstreifen. (Margret Buerschaper, 1937-2016)

Hier steht in der zweiten Zeile das Wort „verschmiert" zwischen zwei Gedankenstrichen, und lässt sich dadurch im Zusammenhang mit der „Flüchtigkeit des vergänglichen Lebens allgemein" sehen. Margret Buerschaper hat 1988 die Deutsche Haiku-Gesellschaft (im Folgenden: DHG) gegründet und gilt als richtungsweisende anerkannte Autorität in der deutschen Haiku-Welt. Sie war als Vorsitzende der DHG geachtet,ist aber leider 2016 verstorben.

Die Zeitschrift der DHG mit Namen „Sommergras" erscheint 2021 in ihrer134. Ausgabe–die Gesellschaft hat derzeit 270 Mitglieder.

Beispiel 4

Wohin des Weges,
fahle Blätter im Winde?
Dir voraus, dir nach!

(Friedrich Heller, 1932-2020,; Herausgeber von: "Das Haiku in Österreich". Anthologie, 1992).

Dieses Gedicht errang 1990 den Preis der Sektion ausländischer Haiku beim fünften Kulturfest Japans in Ehime. Der Verfasser legte dar, dass mit „dir" alle Menschen einschließlich des eigenen Ichs gemeint seien. Insofern könnte dieser Vers die Verbindung von Mensch und Natur symbolisieren.

Beispiel 5

Aus dunkler Tiefe
zur Sonne aufgebrochen:
eine Seerose

(Sabine Sommerkamp,1952- ; Im Herzen des Gartens, S. 22)

Ein Haiku voller Innerlichkeit. Sommerkamp schrieb ihre Doktorarbeit an der Universität Hamburg mit dem Titel „Der Einfluss des Haiku auf Imagismus und Jüngere Moderne. Studien zur englishen und amerikanischen Lyrik."(1984) und publizierte 1990 eine märchenhafte Haiku-Erzählung unter dem Titel „Die Sonnensuche" im Christophorus-Verlag. Derzeit ist sie als Honorarkonsulin von Lettland aktiv. Da das Wort „Märchen" gefallen ist, möchte ich darauf hinweisen, dass auch in Deutschland Haiku von Kindern gemacht werden.
Sommerkamp hat ein Tanka-Buch, *„17 Ansichten des Berges Fuji-Bilder und Tanka."* iudicium Verlag, 2021. publiziert. Das ganze Buch ist von Kenji Takeda ins Japanisch übersetzt worden.

Die bislang angeführten Beispiele sind allesamt im traditionellen Stil von einer nicht mehr ganz jungen Dichtergeneration verfasst worden. Sie enthalten die 5-7-5 Silbenabfolge, ein Jahreszeitwort und den Absatz in Form eines Gedankenstrichs.
Im Folgenden möchte ich neuere Haiku zitieren.

Beispiel 6

In mein Briafkastl
hat a klane Meisn a Nest
Schreib ma liaba net.

(Gerhard Habarta).

Harbata schreibt es im Wiener Dialekt, und es errang den ersten Preis im ersten Deutschen Internet-Haiku-Wettbewerb, durchgeführt vom Hamburger Haiku-Verlag. Preisrichter war Ekkehard May, ehemaliger Professor an der Universität zu Frankfurt/Main.
Es knüpft an das berühmte Haiku von der Trichterwinde an:

Von der Morgenwinde	(asagaoni
ward ich des Zieheimers beraubt	tsurube torarete
erbetteltes Wasser	morai-mizu)

(Chiyoni)

Beispiel 7

Das Rascheln–scheln–scheln
im reifen Getreidefeld
der Wind machts–ts–ts

(Johannes Ahne)

Die Faszination dieses Haiku ist spürbar, wenn es laut verlesen wird. Unabhängig von den Silben findet es seinen eigenen Rhythmus.

Hier habe ich nur zwei der modernen Haiku vorstellen können. An ihnen kann man jedoch schon sehen, dass sich glücklicherweise die deutschen Haiku selbständig entwickeln. Allerdings gibt es noch sehr wenige Künstler dieser Art („haijin") in Deutschland. Man kann es nicht mit der Situation in Japan vergleichen.

Haiku lassen sich heiter und locker dichten. Und ein gutes Haiku erzeugt einen Nachhall.

Zum Schluss möchte ich noch den vergleichenden Literaturwissenschaftler Dietrich Krusche mit folgendem Zitat zu Worte kommen lassen–ein Zitat, in dem meines Erachtens auch die ganze Entwicklung und Aufnahmefähigkeit des Haiku in Deutschland umfasst ist:

„So weit wir Kulturgeschichte überblicken, übernimmt, lernt eine Kultur von der anderen–und grenzt sich zugleich von ihr ab. Denn übernehmen heißt immer auch: variieren, einpassen ins Eigene, verändern. "

(Dietrich Krusche, Literatur und Fremde, S. 104. iudicium-verlag 1985)

Literaturverzeichnis:

・Hoshino Shin ichi: Internationaliät des Haiku–Warum ist das Haiku überall in der Welt bekannt geworden? Hakubunkan Verlag, Tōkyō, 1995
（星野慎一『俳句の国際性――なぜ俳句は世界に愛されるようになったのか』博文館新社、1995）

・Watanabe Masaru: Haiku im Vergleich–Japan und Deutschland, Verlag Kadokawa Shoten, Tōkyō 1997
（渡辺 勝『比較俳句論――日本とドイツ』角川書店、1997）

・Azuma Shoko und Fujiwara Mariko (hrsg.): Comparative Studies on Season Words

(Kigo) and Poetic Almanacs (Saijiki) in International Haiku. Kasama Shoin, Tōkyō 2012
(東 聖子・藤原マリコ 編『国際歳時記における比較研究――浮遊する四季のことば』笠間書院、2012)

（＊ Alle zitieren Gedichte stammen aus diesem Werk）（口絵参照）

第1章

ドイツ俳句概観

異文化間の総合──ドイツにおける日本の俳句

aus der Vorlesung von Professor Dr. Dietrich Krusche. 1984.

この章ではドイツにおける日本の俳句の受容史を述べる。ドイツ語俳句の作品については、第3、4、5章で述べたい。

はじめに

本稿は、ミュンヘン大学の「外国語としてのドイツ語科」(Institut für Deutsch als Fremdsprache)の1984年夏学期において、「ドイツにおける日本の俳句」というテーマのもとにおこなわれたディートリヒ・クルーシェ教授の講義を要約したものである。

クルーシェ教授は日本の大学(岡山大学)でも教鞭をとられ(1966-69)、名著『俳句』(*Haiku. Japanische Gedichte. Bedingungen einer lyrischen Gattung.* Edition Erdmann. 1970. / Deutscher Taschenbuch Verlag, 1994.)等、多くの著作を出版されている。

そこでクルーシェ教授の略歴を記しておこう。

ディートリヒ・クルーシェ(Dietrich Krusche)

1935年、ポーランドに生まる。スリランカと岡山大学でドイツ語を教授。1982年から1997年までミュンヘン大学で異文化間の解釈学の教授を歴任。

(主な著書)

- 『俳句──日本の詩』(*Haiku. Japanische Gedichte. Bedingungen einer lyrischen Gattung.* Edition Erdmann.1970. / Deutscher Taschenbuch Verlag, 1994ff. 15版、2015)
- 『日本──具体的異質』(*Japan, Konkrete Fremde*. S. Hirzel Verlag. Stuttgart. 1983)
- 『文学と異文化』(*Literatur und Fremde*, München : iudicium-Verlag, (1985-93)

・『読書という体験と読者との対話』（*Leseerfahrung und Lesergespräch*, München : iudicium-Verlag,（1995）
・『テキストに記されたもの』（*Zeigen im Text*, Würzburg : Verlag Könighausen & Neumann, 2001）
・『ニッツァと私』（物語）（*Nizza und ich*, München : iudicium-Verlag,（2012）
・『対等の立場で．対話と現実』（*von gleich zu gleich*. Dialog und Wirklichkeit, München : iudicium-Verlag,（2018）
・『故郷を失った者』（物語）（*Hergelaufen*. Erzählung, München : iudicium-Verlag, 2019）

Dietrich Krusche,
geboren 1935 in Polen, war Lektor für Deutsch an der University of Sri Lanka sowie an der University of Okayama / Japan. Von 1982 bis 1997 war er Professor für interkulturelle Hermeneutik an der Universität München.
Publikationen (Auswahl) :
Haiku. Japanische Gedichte, dtv Verlag, 1994 ff, 15. Auflage 2015
Literatur und Fremde, München : iudicium-Verlag, 1985/1993
Leseerfahrung und Lesergespräch, München : iudicium-Verlag, 1995
Zeigen im Text, Würzburg : Verlag Könighausen & Neumann, 2001
Nizza und ich. Erzählung, München : iudicium-Verlag, 2012
von gleich zu gleich. Dialog und Wirklichkeit, München : iudicium-Verlag, 2018
Hergelaufen. Erzählung, iudicium-Verlag, 2019

日本以外でも数多くの外国の大学で教壇に立たれた教授は、そこでの体験からドイツ文化を外から観ること、とくに、それを非ヨーロッパ文化圏から考察するという、従来のドイツ語・ドイツ文学研究とは異なる幅広く柔軟な学問的視野に立っておられるようである。この講義もそのような立場からおこなわれたことは、後の序論からも読みとっていただけると思う。

さて、クルーシェ教授はすでに1982年の教授資格取得講演において、「ドイツにおける日本の俳句」というテーマで今回の講義内容の骨子ともいえる講演をおこなっておられる。それは日本の『比較文学研究』誌[1]で翻訳・紹介され、また、ドイツ国内でも研究雑誌[2]に掲載され、さらに教授自身の単行本[3]にも収められた。これらの研究成果がある上にあえて拙稿を思いたったのは、この講義には上の講演にかなりの肉づけがなされていると思われるからである。本稿ではこの補足された部分を中心にして紹介をしてみたい。講義はおよそ400名の学生と聴講者を対象に12回にわたっておこなわれ、随時、学生との質疑応答を交えながらすすめられた。ただ、どれほどまでに筆者が本講義を理解できているか、はなはだ心もとないところであるが、ドイツにおける俳句受容の一端なりともここから汲みとっていただければ幸いである。参考までに、配付された参考文献一覧を後に掲げておいた。

最後に拙稿の発表をお許し下さったクルーシェ教授、ならびに、録音テープからの文字おこしを手伝って頂いた日本文化・文学研究者モニカ・マルチュケ（Monika Marutschke）夫人に心より感謝したい。

1．序論

なぜこのようなテーマを「外国語としてのドイツ語科」においてとりあげるのか、なぜそれを比較文学研究者や日本学研究者にゆだねないのか、ということを説明しておこう。

その理由の第一は、どのようにして日本の俳句がドイツに入ってきたのか、そして、俳句がドイツにおいてどのような活動をしているかという問題が、本学科（「外国語としてのドイツ語科」）と大いに関係があると思われるからである。本学科の目的のひとつは、ドイツ語・ドイツ文学およびドイツ文化を他の文化圏に伝えることである。しかし、それらが他の文化にどのように摂取され、いかにそれらの文化と綜合されているかを見定めることはむずかしい。それは我々がみずからの文化を価値あるものとして、もっぱらそれを伝えることに重きを置き、我々自身を文化の受け手としてではなく、与える者と見ているからではないか。もしも、我々がこれとは逆の立場に立つならば、異文化間の綜合についてもっと多くのことが学べるのではないだろうか。この講義で試みようとしていることは、まさにそのことである。とは言うものの、外国の文化を学ぶ際の誤解は避け難い。したがって、ドイツにおける俳句がはたして「本物」であるかどうかということはここでは問題とされない。**本講義で紹介するのは、俳句受容の過程である。**

ドイツ文学の中に異なる文化の要素を見つけ出すには、資料とテキストが必要である。これを手がかりとしてのみ異文化間の綜合の細部を把握することができる。例えば、カフカと中国文学の関係をこの講義で取り扱うこともできようし、あるいは、19 世紀のドイツ哲学がいかにインド哲学・仏教・禅に反応したかを考察することも可能である。しかし、それには膨大な資料が必要であり、考察の焦点を定めることが困難である。俳句の場合はこのような問題は生じない。異文化間の綜合を俯瞰することができる多くの良いテキストがあるからである。また、**非ヨーロッパ文化圏の文学ジャンルの中で、俳句ほど多くのドイツ語の文献をもつものは他にはなく、さらに、ジャンルとしての俳句は世界中にひろく知られてもいる。**このような成果を収めることができた**俳句の特質はいったいどこにあるのだろうか。**

この講義では**ドイツの短詩**も取り上げるが、ドイツにおける俳句はドイツの短詩の中でもきわだった存在である。**俳句とドイツの短詩との比較**も試みてみよう。

最後に、個人的な体験を述べさせていただけるならば、私（クルーシェ）がはじめて俳句と出会ったのはごく若い頃であった。それは、マンフレート・ハウスマンによる日本の詩の翻訳書『愛、死、満月の夜』（1951）（Manfred Hausmann, *Liebe, Tod und Vollmondnächte*. S, Fischer Verlag, 1951.）によってである。その序文の中に次のような俳句がでていた —

Von der Winde
des Zieheimers beraubt
geschenktes Wasser.[4)]

朝顔に釣瓶とられてもらひ水

千代尼

最初はこの詩の意味が全く理解できず、このような詩が出版されたことを腹立たしくさえ思った。しかし、この句が徐々にではあるがわかるようになると、その理解のプロセスに夢中になった。そして、このような詩が広く理解されるような文化とはどのような文化なのか、ということにも興味をもった。

2．日本の俳句

2-1．形式と問題点

我々に指摘することができるのは、外から観た日本の俳句の形式と問題点である。その価値や美的観点からの判断、あるいは、俳句において何が最も重要であるのかを述べることはむずかしい。俳句について、ヨーロッパ人の立場から特に目につく点は次のようなことだろう。

1）俳句は 5−7−5 のシラブルの三つの部分から成り立っている。

2）俳句は人間の文化の外にある**自然**を対象とする。一つの**季節**がたとえ暗示的であっても表現されねばならない。

3）俳句は 1 回限りのでき事とその状況に関係する。この出来事、状況は現在のこととして表現される。

4）俳句は具体的かつ明瞭で、**事物との直接的な対話**をめざすものであり、思想的な省察、悟性的認識、哲学的叡知を表現することを避けようとする。

5）**俳句の意味は読者みずからがさぐらねばならない**。従って、作品への読者の参加の度合いがきわめて大きい。

俳句が具体的であること、多くのイメージを読者に呼びおこす詩であることを有名な俳句で観てみよう —

Diesen Weg geht niemand an diesem Herbstabend.[5]	この道やゆく人なしに秋の暮 芭蕉

語り手がたとえこの詩の表面にあらわれていなくとも、彼はそこにいる。語り手はこの詩の中でひとりの虚構の人物をつくりだしている。詩の中の「わたし」、つまり作者はテキストから見てとることができる。しかし、我々は詩の語り手を「見る」ということには慣れていない。言語とのかかわりにおいて、日本人は我々よりもこのような可視性に優れている。詩学的な観点からみるとこれは興味のあることである。「ゆく人なしに」と語るその人が同時に「この道」（訳注「俳諧の道」も含む）をゆく人、すなわち、「わたし」なのである。「わたし」がその道を誰もゆかない道だと知り、我が道だと悟る。それは「わたし」の唯一の道であり、秋の夕暮れの中をひとすじに通っている道である。この道がどのようなものなのかを認識し、それを進まねばならないと覚悟することが、ひとつの運命的な体験となる。

何の注釈もなく俳句を読むことは、原義からそれた主観的な解釈におちいる危険性があることを常に自覚していなければならない。しかし、我々が試みようとしていることは、ドイツにおける俳句の影響を考えることである。ドイツ語によるドイツ俳句は、誤解から生まれた実り多い成果と言える。

次に、**俳句の詩学上の特徴**を述べてみよう。

1) 動きのあるアクセントとリズム、すなわち、**抑揚**（**Hebung**：強音綴と**Senkung**：弱音綴の交替）がない。

2) **押韻**（**Reim**）がない。

3) ことばの遊びと**多義性**が重視される。

4) **切れ字**の存在。

俳句詩人は、言語によって彼らの世界にあるすべての事物を表現し得ると考える。したがって、そこには言語にたいする懐疑というものが存在しない。人間は自分をとりまく世界の中に組み込まれ、事物が人間の感情をも吸収し反映できるとされる。ヨーロッパの詩、とくに**表現主義**においてもこのような考え方が存在した。しかし、俳句と比較するとそれらの詩はより構成的で、技巧的である。ここで興味深い論文から引用してみる―

「しかも風雅におけるもの、造化（ぞうか）にしたがひて四時（しいじ）を友とす。見る処花にあらずといふ事なし。おもふ所月にあらずといふ事なし。像(かたち)花にあらざる時は夷狄(いてき)にひとし。心花にあらざる時は鳥獣に類す。夷狄を出(いで)、鳥獣を離れて、造化にしたがひ、造化にかへれ　となり」（芭蕉、『笈の小文』より）

〈訳注〉

Und wer (den Geist des) *fuga* (Haikai) liebt, folgt den Gesetzen der Natur und wird zum Freund der vier Jahreszeiten. Was immer er sieht, Blumen müssen es sein. Was immer er glaubt, der Mond muß es sein. Wenn in seinem Gestalten die Blume nicht ist, ist er wie ein Barbar. Wenn in seinem Fühlen die nicht Blume ist, ist er wie ein Tier. Trenne dich vom Barbarischen, scheide dich vom Tier, folge den Gesetzen der Natur, kehre zu ihr zurück.

（übersetzt von Horst Hammitzsch. aus ‚*SINO-JAPONICA*', Leipzig 1956, S.78 f）

「『造化にしたがう』（den Naturgesetzen folgen）ことが、俳句詩人の基盤として強調される。芭蕉の詩の基盤には**儒教と禅**の思想が存在する。すなわち、人間は宇宙（das kosmische Leben）の中に、万有（das All）の中に、自然の推移の中に包まれており、それらの一部をなし、それらと対立するものではなく、それらと一つの統一体をつくっているのである。万有の根源は**空**（**die Leere**）であり、**無**（**das Nichts**）である。すべてはこの無から生まれ、無にもどってゆく。万有を直観的に把握して、事物とひとつになるためには人間は心を無念無想にして自然の推移に身をまかせねばならないのである。」[6)]

すなわち、俳句の世界では事物とその意味、観照と意識、物質と精神、要するにあらゆる**二元論的な分裂がない**。そこでは善悪の対立すらなく、世界はあるがままに体験される。このことが、他の民族の詩が世界認識や教訓的なもの、あるいは宗教的なもののためにも使われることと比較して、**世界の詩の中で特にきわだった俳句の特徴である**。俳句は単なる詩でも芸術でもなく、世界を具体的な形にしたものである。そういう意味で俳句はひとつの**普遍詩**（**Universalpoesie**）であるといえる。

このような詩が日本では古今にわたって無数につくられてきたのである。

ここから次のような疑問が生じるだろう。すなわち、俳句は使い古されはしないのか、また、独創性の余地が果たしてあるのか、という疑問である。これに対しては、次のように答えることができる。独創性がいかに細やかなヴァリエーションの中で実現されているか、また、日本人がそれに気づき、それを評価し鑑賞することにどれほど敏感であるか、ということに我々はおどろかされるのである。

では、そのようなことが可能な**日本の社会**とはいったいどのような構造をもった社会であるのか。これもまた、我々の興味をひく問題である。

2-2. 歴史と連衆

講義では、中世の連歌から江戸時代の俳諧を経て、発句の成立にいたる俳句の歴史が概観された。その参考文献は後の一覧表（Bibliographie I, II）に挙げられている。

また、俳諧の一例としては『猿蓑』の中から『鳶の羽も』の巻が紹介され、その参考文献として次の研究書が高く評価された —

Earl Miner, *Japanese Linked Poetry*. Princeton University Press. 1979.

（アール・マイナー『日本の連歌』プリンストン大学出版、1979）

俳諧の規則は非常に複雑であり、それにのっとって句を連らねる詩人（連衆）の技術は高度である。ドイツにおいては**詩を共同でつくるという伝統はない。なぜなら、詩とはそもそも詩人の個性と思想から生まれるものだからである**。しかし、俳諧における言葉の遊びにたいするよろこびは、詩というものが本来もっている共通の要素、すなわち、遊びの要素に通じるものがある。言葉によって、人は他のいかなる媒体をもってしてもできないような複雑な遊びが可能なのである。

それにしても、俳諧におけるような連想の働きをなんの社会的背景の知識もなしに、他の文化圏の中で理解することはきわめて困難なことである。したがって、我々が興味をもつのは、このような文学形態が生まれ、それが社会の上層にとどまることなく、より広い階層にまで芸術的な発展をとげた社会はどのような社会かということである。それを二つの点に焦点をしぼって述べると次のようになるだろう —

1）安定した社会

16 世紀の戦乱がおさまり、17 世紀に入ると徳川家康（1542-1616）が将軍となり、天皇家の権力は弱まった。1868 年にいたるまで日本は江戸に本拠地をおく徳川家の支配下にあった。この時代の日本は比較的平穏で安定した社会であった。従来の封建制度は崩壊することなくますます強化された。貴族の他には四つの社会的階級が存在した。武士、農民、職人、商人である。その社会的秩序づけは厳格で、ヨーロッパの中世社会に似ている。そこでの生活や交通もこと細かに規制されていた。このような社会にあっては、生活をとりまくさまざまな事物はきわめて**一義的な意味**しか持たなくなる。どの階級のひとびとも、また、どの個人も**季節に規定された型どおりの体験**をもつような社会においてのみ、事物とその状況を引用するだけで意図するところを伝えることができるような**俳諧**（**俳句**）という詩のジャンルが生まれたのである。この時代に**茶道と生け花**という二つの芸術も花ひらいた。

2）　西欧世界との断絶

外からの影響がまったくない場合、このような安定した社会は 250 年以上も存続できた。外の世界と接触することは常に動揺をもたらす。なぜなら、異質なものは固有なものに相対性を示して見せるからである。この時代の日本では、出島がわずかに外国との接触の窓口であった。

3．ドイツにおける俳句の初期の移植

19 世紀末のフランスのジャポニスムが日本の美術の中に発見したことは、言語芸術が絵画と混淆しているということであった。すなわち、**屏風**（Wandschirm-Malereien）、**掛け軸**（Hängebilder）、**木版画**（Holzschitte）が**絵と言葉の親近性**を示してみせた。フランスではこのジャポニスムが印象主義と結びついた。ドガ（Degas）、ゴーギャン（Gauguin）、マネ（Manet）、マティス（Matisse）、モネ（Monet）、トゥールーズ・ロートレック（Toulouse-Lautrec）、ファン・ゴッホ（van Gogh）といった画家達が日本美術に刺激された。作

家ではゾラ（Zola）、フロベール（Flaubert）、ドーデ（Daudet）などが日本美術から影響を受けた。これについては、イングリート・シュスターの書物から引用しておこう ―

「作家にとってと同様に、画家にとっても、見物人あるいは読者の『目を開く』こと、彼らを引きこむことが重要であった。見物人あるいは読者は、直接絵画や言葉に反応し、画家あるいは作家が捕らえた特別な個性的な瞬間を自発的に追体験することになる。（中略）そして、画家が輪郭や平面を解体して絵筆による点の構造に変えたように、作家は言語における伝統的な文構造を破壊したのである。つまり、文は短縮され、動詞は省略され、読者は意味深長な、連想にあふれた名詞と対決することになった。詳細で委曲をつくした描写を行なうかわりに、芸術家たちは一つの「印象」（Impression）を伝えたのである」[7)]

（原文）

Malern wie Schriftstellern ging es darum, dem Betrachter oder Leser《die Augen zu öffnen》, ihn zu involvieren. Er sollte unmittelbar auf Bild und Wort reagieren, den spezifischen, charakteristischen Augenblick, den der Maler oder Autor eingefangenen hatte, spotan nacherleben. (...)

Und wie die Maler Konturen und Flächen in Pinselfleckgefüge auflösten, zerbrachen die Schriftsteller das Traditionelle Satzgefüge der Sprache ; Sätze wurden gekürzt, das Verb wurde entbehrlich ; der Leser wurde mit bedeutungsvollen, assoziationsreichen Hauptwörtern konfrontiert. Anstatt eine ausführliche und umständliche Beschreibung zu geben, vermittelte der Künstler eine《Impression》.

「小さな絵のような詩」（Bildchenlyrik）という概念は、俳句が受容される前からヨーロッパに知られていた。それは、フランス語による二つの短歌の翻訳書によってである ―

Léon de Ronsy, *Anthologie japonaise. poésies anciennes et modernes*, Paris 1871.

（レオン・ド・ロニー〈1837-1914〉、『古今和歌集』。パリ、1871）

Judith Gautier, *Poèmes de la libellule*. Paris 1884.

（ジュディット・ゴーチエ（1846-1917）、『蜻蛉集』。パリ、1884）

〈訳注〉『蜻蛉集』について—

貫之をはじめとする古典和歌88首の翻訳。山本芳翠、挿絵。本書は2007年に復刻版が出ている。（東京、Edition Synapse）

また、次の論考がある—

高橋邦太郎、「『蜻蛉集』考」（『共立女子大学紀要』第12輯、昭和41〈1966〉年）

印象主義としての詩—そのようなものとして、**俳句はフランスからドイツにやってきた**。この段階で決定的な役割を果たしたのはアルノー・ホルツ（Arno Holz, 1863-1929）である。彼はパリ滞在中にゾラに影響され、印象主義とジャポニスムが混淆した当時のスタイルを採り入れた。彼の詩集『ファンターズス』（1898）から引用してみる—

Im Thiergarten, auf einer Bank, sitz ich und rauche;
und freue mich über die schöne Vormittagssonne.

Vor mir, glitzernd, der Kanal:
den Himmel spiegelnd, beide Ufer leise schaukelnd.

Ueber die Brücke, langsam Schritt, reitet ein Leutnant.

Unter ihm,
zwischen den dunklen, schwimmenden Kastanienkronen,
pfropfenzieherartig ins Wasser gedreht,
— den Kragen siegellackrot —
sein Spiegelbild.

Ein Kukuk
ruft.

8)

（aus : Arno Holz, *Phantasus*, Reclam, S.24. 1978）

Im Thiergarten, auf einer Bank, sitz ich und rauche;
und freue mich über die schöne Vormittagssonne.
Vor mir, glitzernd, der Kanal;

den Himmel spiegelnd, beide Ufer leise schaukelnd.
Über die Brücke, langsam Schritt, reitet ein Leutnant.
Unter ihm,
zwischen den dunklen, schwimmenden Kastanienkronen,
pfrofenzieherartig ins Wasser gedreht,
–den Kragen siegellackrot–
sein Spiegelbild.
Ein Kukuk
ruft.

日本語訳

ティーアガルテン（ベルリン）のベンチに腰を下ろし煙草を吸って
私は美しい午前の日差しを楽しんでいる。
眼の前には運河が光り、
水面（みなも）には空が映って、両岸が波に揺れている。
そこへ、橋の上をゆっくりと少尉が馬を走らせて来る。
彼の足下の橋の下に映った
暗い、波打っているマロニエの木の天辺（てっぺん）の間に
コルクの栓抜きのような形になって水の中に捩じ込まれた
― 赤い封蠟（ろう）のような襟 ―
水に映った少尉の姿
一羽のカッコーが
啼く

ホルツがここでめざしていることは、「小さな絵のような詩」である。「絵」では「見る」ことが優先される。作者は心の内部の叙述にきわめて控え目であり、叙述は見たものを忠実に描くことに限定されている。ひとつの瞬間、水面に映る像、動きなどを鋭く切り取ってきたような描写、これらは俳句を思わせる。また、簡潔な文構造、とくに、分詞の使用が目につく。日本の俳句においても、事物の意味は事物そのものによって理解される。ゲーテも何かを語っている詩を嫌った ―

「かたちづくれ　芸術家よ　語るなかれ
　ふともらす息吹すら　詩（うた）なれかし」

（松本道介 訳『ゲーテ全集』第1巻、潮出版、1979、p.249.）

（原文）

Bilde, Künstler ! Rede nicht !
Nur ein Hauch sei dein Gedicht

（*Goethes Werke*, Bd.1. S.325. Hambuger Ausgabe. 1969）

このような動向の中で、やがてドイツでもW. ショット、R. ランゲ、K. フローレンツによる俳句の翻訳が見られるようになる（文献目録、Bibliographie I ; 1, 2, 3）。そして、1890年から1925年の間には俳句の模倣や翻案もあらわれた。ダウテンダイ（Max Dauthendai）、エルンスト（Paul Ernst）、モンベルト（Alfred Mombert）、リルケ（Rainer Maria Rilke）、ブライ（Franz Blei）、ゴル（Ivan Goll）といった作家たちである。

〔上記の個々の作品については、本稿の最初に触れたクルーシェ教授の論文『ドイツにおける日本の俳句』を参照されたい。ここでは、リルケと俳句との関係についてのみまとめてみた〕

リルケと俳句との出会いについては、ヘルマン・メイヤーのすぐれた論文（文献目録、Bibliographie II; 13）があるので、それを参考にしながら述べてみたい。

リルケはクーシューの『アジアの賢人と詩人』（Paul-Louis Couchoud, *Sage et Poètes d'Asie*. 1916）やフランスの文芸雑誌NRFをつうじて、俳句を1920年10月以降に知るようになった。これは、彼の死の6年前のことであり、この期間はリルケの創作にとって重要な時期である。彼は自分のめざしているものを俳句の中に発見して、多いに心をうごかされた。それは、経験世界の事物をその深い意味において直接的に叙述し、その際、言葉はその中で**事物**そのものが現れるように使われねばならない、ということであった。俳句と比較すれば、西欧の詩はすべて雄弁である。つまり、**事物に語らせずに、事物について語るものである。**俳句においては、言語のもつ論証的、解説的なあらゆる要素がきびしく排除される。そこでの言葉のつながりは、事物の根源的な秩序をもたらし、それがすでに芸術的なものとなっている。詩の媒体としての言語の、規格にはまった使い方に当時のリルケは不満を感じていた。彼が目指していたことは、言語の奥底にあるもの、核としての言語、茎の上で摘みとられるのではなく**言葉の種子**として把握されるような言語であった。

純粋な詩とはどのようなものなのか。事物そのものの把握に関して、言語芸術は何をなし得るか。この点で、日本の詩と西欧の芸術観が触れ合った。日本の俳句がドイツに入ってきた時、事物の本質にせまろうとしていたリルケは、みずからの詩にたいする考え方を今一度吟味してみるために、俳句というジャンルを利用した。リルケには彼自身が**ハイカイ**と名づけた三篇の詩の他に、自分の墓碑銘とするように遺言した次のような三行詩がある —

Rose, oh reiner Widerspruch, Lust,
Niemandes Schlaf zu sein unter soviel
Lidern.[9)]

薔薇よ、なんという矛盾の花、
こんなに沢山の瞼(まぶた)を重ねながら、
その下で、われを忘れ、身を任せているのは、
およそ人の世の眠りなどではないということは！

（田木 繁『リルケへの対決』南江堂、1972、p.21.）

日本人や日本文学研究者が、俳句の規範から見てこの詩を本当の俳句と見るかどうかは疑わしいところである、とメイヤーは述べた上で次のように言っている —

「西欧の立場からは次のように言える。リルケの墓碑銘は、翻訳によって彼が知った俳句の形式と法則に十分にかなっている。それどころか、彼の目の前にあらわれたフランス語による俳句を模倣した詩よりも」[10)]

この詩の具象性は薔薇の花びらが瞼と表現されているところにある。「眠り」とは本来、生きていること、「目覚める」ことのあり得る意識的なものを包含している。しかし、この詩が墓碑銘であることから、それは「およそ人の世の眠りなどではない」主体のない「眠り」である。さらに、「瞼」（Lider, リーダー）を同じ音の「歌」（Lieder, リーダー）と置き替えてみたらどうだろう。詩人の跡に残されたものは「歌と詩の花輪」だという連想へと我々は誘われる。では、なぜ主体のないことが「歓び」なのか。デカルト以来、主体性は苦悩の体験と結びついている。神秘主義とロマン主義は、意識を捨てて、事物と、神とひとつになることに憧れた。このようなことがこの詩の背景にあるのではないか。薔薇はここでは「純粋なる矛盾」の象徴となっている。それはひとつの尖鋭化した意識の状態を表している。意識と直観という「純粋なる矛盾」が、究極的には一つのものとなる。

リルケは俳句における語りの直接性というものを、ヨーロッパ的芸術の省察の中に採り入れた。それはひとつの影響の結果であり、ひとつの綜合であった。

4．翻訳上の問題点

西欧の言語による日本の俳句の総括的なアンソロジーとして、ブライスの4巻からなる『俳句』（R. H. Blyth, *Haiku*. 1949）がある。本書では俳句は四季別に収められ、ローマ字で原文もそえられている。さらに、西欧の人々の理解のために注と説明も付けられている。これはとても価値のある業績である。

さて、翻訳上の問題を文体論（Stilistik）、意味論（Semantik）、文章論（Syntax）の観点から考えてみよう。

そこで先ず問題となるのは、17シラブルにすべきか、あるいはそれが可能かということである。日本語では文字数が唯一の量的な基準であって、音の長短や動きのある抑揚もない。翻訳を読む一般の読者はこの文字数の基準を感じとることはできないであろうから、必ずしもこの基準には従う必要はないのではないか。

原文にある押韻や言葉の遊び、文化的な背景を持った暗示を翻訳することができるか、翻訳された俳句が散文のようになることは避けられるか。このような問題にたいして翻訳者たちは、**精選された古風で優雅な言葉や装飾的な言葉を使ったり、原文にはない意味深長な言葉を付け加えた翻訳を試みている**。日本の俳句は17世紀には特に現実的、日常的、事物的なものになったが、ドイツ語による優雅な表現が果たしてそれに適しているだろうか。**我々が詩的なことを述べるときは常に内面的なもの、感情や思想を表現する**。しかし、感情は直接に表現されるのではなく、隠喩やイメージや比喩によって表現される。

詩の歴史においては、一種の**振子のような運動**（Pendelbewegung）が見られる。ある時代にはより多く外面的なものに向かい、ある時代には内面的なものが重視される。例えば、古典主義は形式、内容、理念、現象の均衡を保とうとした。ロマン主義や神秘主義では内面的な極へと動き、詩的リアリズムは具体的な方向に傾いた。印象主義は外面的なものを、表現主義は内面的な表現に重きを置いた。

俳句の受容もまたそのような振子の運動の極のひとつである。俳句では具体性的が重視され、その中にある内面的な要素は**読者自身で補う**ことが要請される。**俳句の翻訳者**は、具体性のむこうに作者の内的体験が浮かびあがるようなテキストを生み出さねばならない。しかし、原典の中にある事物が、果たして翻訳されたテキストの文脈の中でそれと同じ意味を荷えるとは限らない。それが問題である。

ここで、有名な俳句の翻訳例を見てみよう ―

古池や蛙とびこむ水の音　　　　芭蕉

a) Alter Teich in Ruh – Fröschlein hüpft vom Ufersaum. Und das Wasser tönt.[11]	静けさのなかの古い池 ― 小さな蛙が池の縁から跳ぶ。 そして　水音が響く。 （クーデンホーフ訳）

b) Ein uralter Weiher.
Vom Sprung eines Frosches
ein kleiner Laut.[12)]

古さびた池。
一匹の蛙の跳躍から
小さな音。　（ハウスマン訳）

c) Der alte Teich.
Ein Frosch springt hinein –
das Geräusch des Wasssers.[13)]

古い池。
一匹の蛙がとび込む —
水の雑音。　（クルーシェ訳）

三つの訳に見られる顕著な違いは「**水の音**」の訳である。a）の「響く」（tönen, テーネン）という語は文字どおり響きが良く、詩的で音楽的である。水はそもそも「響く」ものではないから。この語によってテキストはある種の美的な体験を表現している。「静けさ」、「池の縁」、「小さな蛙」という語は原文にはないが、細やかな描写となっている。b）の「蛙の跳躍から」はおもしろいが、**論理的にすぎる。読者が詩の意味を自分で補える余地がなくなってしまっている。**c）の訳はドイツ人にはおもしろくもなく、全く理解されないおそれのある訳である。文学的な素養のない読者にとってはあまりにもあっけらかんとしていて、この詩から何を読みとればよいのか途方に暮れるからだ。

閑かさや岩にしみ入る蝉の声　　芭蕉

Stille – der Zikadenlärm
dringt
ein in die Felsen.[14)]

静寂 — 蝉の声が
しみ入る
岩の中へ。　（クルーシェ訳）

「古池」の句で表現された静寂と音の対比がここでも見られる。しかも、その静寂が「蝉の声」の結果として生まれるのである。**切れ字**の「や」はドイツ語の感嘆の言葉よりも弱い。翻訳でそれを使っていないのは、この詩を技巧的なものにしないためである。少ない言葉による控え目な表現となっている。

一つのテキストを伝える場合には、様々に異なる主観（Intersubjektivität）の間に生じる**空位**（訳注：Leerstelle／動詞補足語によって満たされるべき部分）がどうしても生まれる。詩人ないしは訳者は、読者がその空位を適切に埋めてくれることを期待している。これによって**俳句の普遍性への道**もひらかれる。

5．ヨーロッパにおける短詩の伝統

19世紀になって俳句という異文化の文学ジャンルが、なぜヨーロッパで成果を収めることができたのか。なぜ、人々はみずからの固有の文化に自足できずに、異なった文学を求めたのか。ドイツ文学の歴史の中で、日本の俳句の受容を促し、可能にするような一定の文学的ジャンルがあるだろうか。もしも、そのような移行の過程を示すことができるならば、次のことが明らかになるであろう。すなわち、文学の歴史においては、ある種の「**欠損**」（Defizit）が支配的になるような時期が何度か訪れるということである。そこでは、人々は勿論、何か新しいものを生み出したいと願ってはいるのだが、それを形にできるような正当な手段を見い出せずにいる。このような時、人々は外からやってきたどのような「刺激」にも反応するのだろう。そのひとつの例がリルケの場合であった。彼は、生涯の晩年においてたまたま俳句と出会い、その中に彼自身が求めていたものがあることをすぐに感じとった。文学者とは刺激の受容に関してはたいてい垣根を設けない。彼らはそれを利用するのである。受容する作家は文献学的な細心さや信憑性、原典の意味にあまり頓着しない。

それでは、**前世紀末**に我々が興味をもった**俳句の特徴**はどのようなものであったか—

1）場面性（Szenenhaftigkeit）、具象性（Anschaulichkeit）

2）事物性（Dinghaftigkeit）、具体性（Konkretheit）、自然との親近性（Naturnähe）。

3）省察的な要素がなく、情緒的な要素が多いこと。

4）禅との関係。

そこで、ヨーロッパの短詩と俳句の関係をまず考えてみよう。

ヨーロッパにおける短詩の中で、俳句のように場面を具象的、具体的に表現したものがみつかるだろうか。**ヨーロッパの短詩の歴史**においては、三つの出発点がある。それは次のようなものが考えられる。

1）エピグラム（Epigramm）

2）箴言（Spruch）と格言（Sentenz）

3）歌謡（Lied）

5-1. エピグラム（Epigramm）

エピグラムは文字どおり訳せば、「碑銘」、墓石や石碑に書かれたもの、死者や英雄の姿を刻んだものである。これには**二行連詩**（Distichon）が用いられ、それが最小の詩節とされた。二行連詩はヘクサーメター（Hexameter, 6歩格）とペンターメター（Pentameter, 5歩格）から成り立っている。エピグラムは早くから、怒り、憎しみ、不快なものの表現にも、また、省察の表出にも使われるようになった。エピグラムの特徴である風刺的要素は、ようやくローマ時代になってあらわれる。その最も有名な詩人はカトゥルス（Catullus, Gaius Valerius, B.C.84-B.C.54）である。中世のドイツではエピグラムは見られず、ルネサンスと人文主義の時代になってようやく中部ヨーロッパに根をおろしたが、それらはラテン語で書かれている。

ドイツ語によるエピグラムの最初の隆盛期は**17世紀のバロックの時代**である。マルティーン・オーピッツ（Martin Opitz, 1579-1639）は『ドイツ詩学の書』（*Buch von der deutschen Poeterey*, 1624）の中で、エピグラムは常に風刺的要素をもっていなければならないが、シニカルであってはならないと述べている。彼の形式は二行連詩ではなく、アレクサンダー形式（Alexandriner. 弱強12音節詩句）である。

1654年にはフリードリッヒ・フォン・ローガウ（Friedrich von Logau, 1604-55）の『箴言詩』（*Sinngedichte*）が出版された —

Wie willst du weiße Lilie zu roten Rosen machen ?
Küss' eine weiße Galathee : sie wird erröthend lachen.[15)]

どうすれば君は白いユリを赤いバラにできるだろう？
色白のガラテアに接吻してごらん。彼女は顔を赤らめて笑うだろう。

このエピグラムは愛を凡庸に述べたものにすぎないが、事物性と具象性をはっきりと読み取ることができる。

アンゲルス・ジレージウス（Angelus Silesius, 1624-77）の『さすらいの天使』（*Der Cherubische Wandersmann*, 1657）の場合は、宗教的な内容を主としているが、この中にも具体的、具象的な要素を見出すことができる—

EIN CHRIST SO REICH ALS GOTT
Ich bin so reich als Gott, es kann kein Stäublein sein,
Das ich（Mensch, glaube mir）mit ihm nicht hab‘ gemein.[16)]

キリスト者は神の如く豊かなり
我は神の如く豊かなり。人よ信ずるがよい、
われ神と共有せざる塵一粒もなし。

ここで述べられている内容は神秘主義的な世界体験である。この詩で重要と思われるのは、「塵」という具体的な表現である。神秘主義においては、神と人間の一体感は抽象的に表現されていることがほとんどだからである。

いうまでもなく、これらのエピグラムは俳句と比較すると、多分に省察的で作者の意識があらわれてはいるが。

時代が下って、レッシング（Gotthold Ephraim Lessing, 1729-81）は『エピグラム論』（*Anmerkungen über das Epigramm*, 1771）の中で、エピグラムには風刺、イロニー、鋭さがなければならず、また、論争的でなければならないと言って、エピグラムを弓の矢に喩えている。俳句もまた弓道と比較される。弓道では、無意識に放った矢が的に当たるのであるが、レッシングの矢は意識によってコントロールされている。

〈訳注〉

オイレン・ヘリゲル、『日本の弓術』。柴田治三郎 訳、岩波文庫、1987年。

Eugen Herrigel, *Zen in der Kunst des Bogenschiessens.*
（Otto Wilhelm Barth Verlag, 1984.）

Der Blinde
Niemanden kann ich sehen, auch mich sieht niemand an;
Wieviele Blinde seh' ich armer, blinder Mann ?[17)]

盲（めしい）
私には誰も見えない。また、誰にも私は見えない。
このあわれな盲目の私に盲目の者達がどれほど見えようか

次にヘルダー（Johann Gottfried Herder, 1744-1803）は『ギリシア・エピグラム論』（*Anmerkungen zum griechischen Epigramm*, 1785）を書いている。彼によれば、エピグラムとは芸術、詩、人生、愛にかかわるものである。従って、そこにはエピグラムの機能の拡大を見ることができる。さらに、ゲーテとシラーに到ってエピグラムは大きなひろがりと深さを持つようになる。ドイツで最も知られたエピグラム集は『文芸年鑑』（*Musen-Almanach*）の1796年号に掲載されたゲーテ・シラー共同執筆の『クセーニエン』（*Xenien*）である。普遍的・哲学的叡知がイローニッシュに、かつ、効果的に述べられている。その中からシラーのものを引用してみよう —

Gewissenskrupel
Gerne dien' ich den Freunden, doch tu' ich es leider mit Neigung,
Und so wurmt es mir oft, daß ich nicht tugenthaft bin.[18)]

良心のとがめ

すすんで私は友に奉仕する。しかし、それは残念ながら自分の性癖からするのだ。だから、よく癪にさわることは、自分に徳がないということだ。

鍵となる言葉は「奉仕する」と「性癖」である。このエピグラムはカントの「義務と性癖」の倫理学を攻撃したものである。

ゲーテの『ヴェネツィアのエピグラム』(Epigramme–Venedig, 1790)は具象性への過渡期にあるものだ。それは二連のエピグラム(Doppelepigramm)から成っている—

Diese Gondel vergleich' ich der sanft einschaukelnden Wiege,
Und das Kästchen darauf scheint ein geräumiger Sarg.
Recht so ! Zwischen der Wieg' und dem Sarg wir schwanken und schweben
Auf dem großen Kanal sorglos durchs Leben dahin.[19)]

このゴンドラを　快く揺れる揺籃にたとえよう
上に乗った屋形は　巨大な柩(ひつぎ)のようだ。
まさに然り　揺籃から柩まで私たちは人生の大運河をば
揺られ揺られて　のんびりと流れて行く。

揺籃—柩—人生を隠喩的に同一性のもとに見ることは、古くからよく知られた技法である。しかし、ゲーテはこの詩で、具体的に目に入ってきたものを挿入している——「このゴンドラ」とは、今、ここでのひとつの情景をあらわしている。四行目で我々は「グラン・カナール」(大運河)に受け入れられる。人生に関する抽象的認識が述べられてはいるのだが、同時に我々はまた「グラン・カナール」でのゴンドラ乗りの情景も味わうことができる。

5-2. 箴言(Spruch)と格言(Sentenz)

箴言には長い伝統があり、古代にまで遡ることができる。„dicta catonis“ が最も有名なラテン語による箴言集で、それは二連のヘクサーメターで表現されており、エピグラムに似ている。ゲルマン民族にも古くから呪文（Zaubersprüche）、紀元前 8 世紀の『メルゼブルクの呪文（Die Merseburger Zaubersprüche）があり、これらは悪魔祓い、祈り、予言への移行を示している。

中世の詩の世界では、箴言は高度に発達した。それらは、長い詩行になる傾向をもった（例えば、Walther von der Vogelweide の詩）。しかし、短い箴言の中には比較的まれに具象性をもったものも見られる。12 世紀の読み人知らず（Unbekannter Verfasser）の詩から引用する —

Tif furt trvbe	深く濁った瀬と
und schone wiphurre –	美しい婦人とのアバンチュール —
sweme dar wirt ze gach,	あわててそこにとび込む者は
den geruit iz sa. [20]	すぐにそれを後悔する。

13 世紀以降、箴言はルネサンスのエピグラムに駆逐され、長らく姿を隠すが、19 世紀のビーダーマイヤーの時代になってようやく再び現れる。その中には異文化の影響が見られるものもある —

リュッケルトの『婆羅門の知恵』（Friedrich Rückert, *Die Weisheit des Brahmanen.*）やゲオルゲの『盟約の星』（Stefan George, *Stern des Bundes*. 1914）。

5-3. 歌謡（Lied）

短詩における具象性を見るためには、素朴な歌謡を調べることが有効である。よく知られた中世の歌謡「読み人知らず」から引用してみる —

Dû bist mîn, ich bin dîn :	あなたはわたしのもの、わたしはあなたのもの、
des solt dû gewis sîn.	これをあなたは疑ってはなりません。
dû bist beslozzen	あなたは閉じこめられています、
in mînem herzen ,	わたしの胸の中に。

verlorn ist daz slüzzellin:	鍵はなくなっています。
dû muost immer darinne sîn.[21]	だからあなたはいつまでもこの胸の中にとどまらねばなりません。

（フリッツ・マルティーニ著、高木実 他訳『ドイツ文学史』三修社、1979、pp.59-60）

この詩の隠喩法はとても具体的である。ヨーロッパの詩は思想的なものに傾きがちなために、さまざまなイメージを接合したり、混合する傾向がある。そのために個々の具象的な場面へ集中することは稀である。従って、この詩に見られるような具象性は例外的である。しかし、18、19 世紀になるとこのような要素は頻繁に見られるようになる。メーリケの詩から引用してみよう —

Septembermorgen	九月の朝
Im Nebel ruhet noch die Welt,	霧のなかに世界はやすらい
Noch träumen Wald und Wiesen:	森も牧場もまだ夢を見ている
Bald siehst du, wenn der Schleier fällt,	このヴェールがおちればやがて
Den blauen Himmel unverstellt,	空はどこまでも青く
Herbstkräftig die gedämpfte Welt	秋の力にみちたおだやかな世界が
In warmen Golde fließen.[22]	あたたかい金色につつまれて流れゆくだろう

ここで表現されているのは、霧が立ち込めた秋の朝から、やがて陽がさしはじめるまでのひとつの気分である。俳句の凝縮した具象性と比較すると、この詩では具象性よりもむしろイメージの方がより詳細に描かれている。

次に、ヘッベルの詩から —

Sommerbild

Ich sah des Sommers letzte Rose stehn,

Sie war, als ob sie bluten könne, rot;
Da sprach ich schauernd im Vorübergehn:
So weit im Leben ist zu nah am Tod !

Es regte sich kein Hauch am heißen Tag,
Nur leise strich ein weißer Schmetterling;
Doch ob auch kaum die Luft sein Flügelschlag
Bewegte, sie empfand es und verging ! [23)]

夏の絵すがた
夏の最後の　薔薇のすがたを私は見た。
それは　今にも血を流しそうに赤かった。
それで私は行きずりに　おののきながらこう言った —
「これほどまでに生き切っては　死がま近い！」と。

暑い昼間に　そよとの風もなかった。
白い一羽の蝶だけが　ひっそりと飛んで来た。
その羽ばたきが　空気を揺るがすというほどでもなかったのに
薔薇の花は　それを感じて散った。[24)]

「私は見た」— 作者はこの詩の中にいる。これはヨーロッパの詩に典型的なことであり、「血のように赤い薔薇」という比喩や呼びかけの言葉もまたそうである。第 2 節はどこか俳句を思わせるところがある。それは、微細な動きへの注視、その意味づけ、凝縮された表現の中に見ることができる。ここで明らかになったことは、ドイツの詩が事物について語ることをせずに、事物そのものを直接的に語るという方向に向かったことである。

5-4. コンクレート・ポエジー（Konkrete Poesie, 具体詩）

ここでひとつの詩形式を紹介してみよう。コンクレート・ポエジーは 20 世紀の前半に生まれたもので、俳句から直接の影響を受けたとは必ずしも言えないが、きわめて具象的な詩形式である。

ダダは第一次大戦中にチューリッヒの「キャバレー・ヴォルテール」に集う数人の作家達によって生まれた風刺的な文学運動である。彼らは戦争と技術化された世界にたいして抗議した。その主張するところは「創造的混沌へかえれ。言語の根にもどれ。根源的なものを発見せよ」ということであった。バル（Hugo Ball, 1886-1927）、ヒュルゼンベック（Richard Huelsenbeck, 1892-1974）、アルプ（Hans Arp, 1886-1966）、シュリタース（Kurt Schlitters, 1887-1948）がその中心的人物である。彼らがコンクレート・ポエジーの先駆者であった。

では、コンクレート・ポエジーとはどのようなものかを、シュミットの『具体詩』（Siegfried J. Schmidt, *Konkrete Dichtung.*）から引用してみる―

「現実の姿は多元化した社会の中で多面的なものとなった。このような状況の中では、芸術はもはや現実の姿を写し出すという課題を維持できなくなった。これを引き継いだのは**写真**である。写真はむしろ意識的に新たな現実を創造しはじめた。現実を再現するという古い使命から解放されて、写真は絵のような言語を生み出した。

（中略）右翼、左翼による両次大戦間の独裁制の過酷な体験が先ずあった。

政治的なプロパガンダの中で言語は乱用され、大戦後のマスコミによる言語の消耗、広告と大衆文学が必要であった。しかし、最後に必要だったものは言語の拘束力にたいする方法論的、哲学的な懐疑であった。模倣的な文学の偏見をふるい落とし、言語そのものが何ものにもさまたげられることなく、詩のテーマとなるために。」[25)]

このような状況のもとに、1950年初頭からコンクレート・ポエジーは発展した。従来の言語機能を使わずに、存在そのものへ突き進むこと、すなわち、固有の内面性、固有の感覚による体験、外界を固有の内面の中に再現しようとすること、これはおそらくヨーロッパ的な試みであろう。

コンクレート・ポエジーは次の**三つのタイプ**に区分できる。

1）視覚的なもの。これの特徴は図形的なことである。例えば、タイプライターによる記述。

2）音響的なもの。声に出して読んでみてそのウィットが理解される。類音（Assonaz）、同音異義語（Homophone）、方言による音響の効果をねらったものなど。

3）概念的なもの。

ここでコンクレート・ポエジーの例をいくつか見てみよう ―

```
  ApfelApfelApfelApfel
 ApfelApfelApfelApfelApfelA
felApfelApfelApfelApfelApfe
ApfelApfelApfelApfelApfelApf
pfelApfelApfelApfelApfelApfelA
ApfelApfelApfelApfelApfelApfe
pfelApfelApfelApfelApfelApfelA
ApfelApfelApfelApfelApfelApfe
pfelApfelApfelApfelApfelApfel
ApfelApfelApfelApfelApfelAp
elApfelApfelApfelWurmAp
 felApfelApfelApfelApfel
  pfelApfelApfelApfel
   felApfelApfelA
     pfelApfelA
```

[26] reinhard döhl、りんご

```
ordnung    ordnung
ordnung    ordnung
ordnung    ordnung
ordnung    ordnung
ordnung    ordnung
ordnung  unordn   g
ordnung    ordnung
ordnung    ordnung
ordnung    ordnung
ordnung    ordnung
ordnung    ordnung
```

[27] timm ulrichs、秩序の中の無秩序

```
ebbeebbeebbeebbeebbe
ebbeebbeebbeebbe     flut
ebbeebbeebbe     flutflut
ebbeebbe     flutflutflut
ebbe     flutflutflutflut
    flutflutflutflutflut
ebbe     flutflutflutflut
ebbeebbe     flutflutflut
ebbeebbeebbe     flutflut
ebbeebbeebbeebbe     flut
ebbeebbeebbeebbeebbe
ebbeebbeebbeebbe     flut
ebbeebbeebbe     flutflut
ebbeebbe     flutflutflut
ebbe     flutflutflutflut
    flutflutflutflutflut
ebbe     flutflutflutflut
ebbeebbe     flutflutflut
ebbeebbeebbe     flutflut
ebbeebbeebbeebbe     flut
ebbeebbeebbeebbeebbe
ebbeebbeebbeebbe     flut
ebbeebbeebbe     flutflut
ebbeebbe     flutflutflut
ebbe     flutflutflutflut
    flutflutflutflutflut
ebbe     flutflutflutflut
ebbeebbe     flutflutflut
ebbeebbeebbe     flutflut
ebbeebbeebbeebbe     flut
ebbeebbeebbeebbeebbe
ebbeebbeebbeebbe     flut
ebbeebbeebbe     flutflut
ebbeebbe     flutflutflut
ebbe     flutflutflutflut
    flutflutflutflutflut
ebbe     flutflutflutflut
ebbeebbe     flutflutflut
ebbeebbeebbe     flutflut
ebbeebbeebbeebbe     flut
ebbeebbeebbeebbeebbe
ebbeebbeebbeebbe     flut
ebbeebbeebbe     flutflut
ebbeebbe     flutflutflut
ebbe     flutflutflutflut
    flutflutflutflutflut
```

[28] timm ulrichs、干満

このようなテキストが果たして詩といえるかどうかはわからない。しか

し、これは、従来の文学に、ある種の表現上の「**欠乏**」（**Defizit**）があったことのひとつの現れではないだろうか。コンクレート・ポエジーはそれを克服しようとするひとつの試みであった。

6．ドイツ語の俳句

1920年代のドイツでは外国文学への関心は衰えた。外国のあらゆるものを拒否しようとするナショナリズムが胎頭したからである。しかし、第二次大戦中に日本がドイツの同盟国になると、日本への関心は再燃した。そして、1950年代に入ると**多くの重要な俳句の翻訳**が生まれ、俳句の受容はとりわけ実り豊かなものとなった。これについては、後に掲げた資料（参考文献、Bibliographie I）を参照されたい。これ以降、俳句はドイツで広く知られるようになり、ドイツ語による俳句が生まれた。

ドイツ俳句は大きく二つの傾向に分けることができる。すなわち、俳句を模倣したものと俳句を利用した新しい創造との二つである。

1）ボードマースホーフ（Imma von Bodmershof, 1895-1982）

オーストリアの女流詩人ボードマースホーフは、5−7−5のシラブルを厳格に守り、自然をテーマとしたすぐれた俳句をつくった。

Taunacht – die Quellen	雪どけの夜 — 泉
Selbst das Meer hör ich rauschen	海のざわめきが聞こえる
im Bach vor dem Haus.[29)]	家の前の小川に。

しかし、彼女には次のような俳句もある —

Ich schloß alles zu	私はすべてを閉じ
wollte schlafen. Doch der Traum	眠ろうとした。でも夢が
rief mich beim Namen.[30)]	私の名を呼んだ。

「誰かの名を呼ぶ」ということは、その人をその人自身にすること、つまり、その人に自己確認をさせることを意味する。この詩の「私」とは、さまざまな争いや苦悩から逃れることのできない「私」なのだろう。それを「夢」が思い出させたというのである。夢と現実、無意識と意識という問題は、心理学の領域での問題である。無意識から「正気にもどる」（das Zu–Bewußt–Sein–Kommen）というテーマはドイツ俳句の中で多く見られる。そこでは形而上学は影をひそめ、人間の無意識が問題とされる。1970 年代では、俳句は一種の内面的なものを綜合して、それを具象化するためにつくられた。つまり、それは意識と無意識の綜合ということであった。

これは、ゲオルク・ヤッペの俳句の中にも見ることができる。

2）ゲオルク・ヤッペ（Georg Jappe, 1936-　）

morgens beim Umrührn	朝　かきまわすと
löst sich das Mark und doch wie	骨髄が溶ける。だが、どれほど
hat dieser Traum mich gestärkt ! [31]	この夢が私を励ましてくれたことだろう！

昨夜の夢はおそらく、「骨の髄まで」作者の心を不安にさせるような悪夢だったのだろう。しかし、今、朝の食卓ではその緊張感がなくなっている。コーヒー・カップの中には黒いコーヒーに白いミルクが混ざり合っている。そこから「骨髄が溶ける」というイメージが作者の心に浮かんでくる。悪夢が心に重くのしかかるのではなく、予期に反して作者を励ましたのは、その夢が無意識なものを甘受したからである。「骨髄が溶ける」は意識と無意識の境界がなくなった心の突然の弛緩を表現している。

3）ブレヒト（Bertolt Brecht, 1898-1956）

ブレヒトはすすんで異文化から形式や素材を採り入れた。文献学的に彼の作品を調べてみてわかることは、受容の源となった形式やテーマが、作品の中ではほとんどその形跡をとどめていないということである。例えば、彼はアーサー・ウェレーの能の翻訳からヒントを得て、これとは全く趣を異にする教訓劇『イエスマン・ノーマン』を書き上げた。**異文化の移植**において我々の興味をひき、重要なのは、この変貌の跡である。

ブレヒトは20世紀の作家の中で、俳句の影響がもっとも明白に見られる作家である。

Der Rauch	けむり
Das kleine Haus unter Bäumen am See.	湖畔の木影に小さな家。
Vom Dach steigt Rauch.	屋根からけむりが立つ。
Fehlte er	もしもけむりがなかったなら
Wie trostlos dann wären	なんとさびしいことだろう
Haus, Bäume und See.[32)]	家も木立も湖も。

「なんとさびしいことだろう」という省察的要素が俳句的ではないにしても、ここには俳句の名残りが見られる。3行目からが1詩節になっていて、それが3行に分けて書かれている。しかも、詩全体が情景的、具体的、事物的で、季節も感じられる。これは、多分、秋の情景だろう。ここには、語り手、つまり、主体を表すような名詞も代名詞も見られないにもかかわらず、「わたし」の存在感はきわめて強い。詩人がそこに立っているのが見えてくるようだ。

Tannen	もみの木
In der Frühe	朝まだき
Sind die Tannen kupfern.	もみの木は銅のよう。
So sah ich sie	そんなふうに見えた
Vor einem halben Jahrhundert	50年前
Vor zwei Weltkriegen	二つの大戦前の
Mit jungen Augen.[(33)]	幼い目には。

最初に現在のことが述べられ、あとの部分は過去のことがらである。し

かし、最初の部分にも過去が混在している。その過去と現在をつないでいるのが「銅のよう」という言葉である。それは少年時代に感じたものの確認を意味している。この詩では主体の二つの層が融合している。そこに俳句における外界と内面の融和という要素が読みとれる。

Der Radwechsel	タイヤ交換
Ich sitze am Straßenrand	私は路傍の土手に坐って待つ
Der Fahrer wechselt das Rad.	運転手がタイヤを交換するのだ
Ich bin nicht gern, wo ich herkomme.	出発点には戻りたくない
Ich bin nicht gern, wo ich hinfahre.	目的地には着きたくない
Warum sehe ich den Radwechsel	それなのになぜタイヤ交換を見ているのか
Mit Ungeduld ? [34]	いらいらと

最初の2行はあとの4行と分離しているように見える。あとの4行には、我慢できないこと、不快さ、ひょっとすると、潜在的な抑鬱状態が表現されているのかも知れない。意識と知覚された感情との間に空白、すき間があるのだ。そのような感情がいったいどこから来るのかということ、また、その空白は我々読者が解釈し、埋めねばならない。この詩は、多分、1953年7月17日の労働者の蜂起と関係があるのだろう。ブレヒトは意識的にそれに関与しなかった。それにたいするブレヒトのアンビバレントな心情が、この詩の中に反映しているのかも知れない。しかし、このような背景を知らなくてもこの詩の解釈はできる。

4）ギュンター・アイヒ（Günther Eich, 1907-72）

ギュンター・アイヒは日本にも行ったことがあり、彼は省略した詩を書くようになり、それが俳句へと導いた。

Alter Dezember	老師走
Ein	一度の

unwiederbringlicher Schneefall, たった一度の降雪
vorgeschichtliche Gräber.[35] 先史時代の数多くの墓標

墓標が雪のはかなさを思わせる。1行目に「一度の」という一語しかないことが、2行目の「たった一度の」を強調している。なぜ、「先史時代」なのか。この言葉に我々は語りかけられ、反応する。

〈訳注〉

「雪が降ると林は墓地の景観を呈する。葉を落とした立木はさながら1本の墓標である。先史時代とはキリスト教流布以前の自然多神教の時代のことであろう。獣も鳥も草も木も神々であった。神々は複数であるから墓も複数である」

（窪田 薫 解釈）

Vorsicht 用心
Die Kastanien blühn. マロニエの花が咲く
Ich nehme es zur Kenntnis, それを知りながら
äußere mich aber nicht dazu.[36] 口には出さない

この詩ではその単純さにおどろかされる。「口には出さない」といいつつも、作者はそれをこの作品で「口に出している」。「マロニエ」の花が咲いたことをなぜ口に出さないのだろう。「用心」というタイトルさえ付けられているから、読者は作品の意味を考えるようになる。

5）ロルフ・ディーター・ブリンクマン（Rolf Dieter Brinkmann, 1940-75）

最後に難解なブリンクマンの詩を紹介しよう。生前には彼の詩はあまり認められなかった。新しい詩集を出版しようとしていた矢先に交通事故で命を失った。次に引用する詩はかなり長い詩の一節である。詩全体はまるで個々に独立した短詩から成り立っている。その中から抜き出してみる —

.... （中略） ....
An einem Samstag ; ある土曜日

frühen Nachmittag im Mai 1974 mit	1974年5月の午後間もなくのこと
einem Bus durch das Niemandsland	バスに乗って町はずれの
am Stadtrand gefahren.[37]	無人地帯を走っていた。
.... （以下、略）	....

作者が選んだ状況はまったく任意のもので、作者が読者に提供しているものは省察へと読者をさそう主観的な断片にすぎない。文章論上の規則も無視されている。テキスト全体から見ると、この任意性は具象的に配されているのだが、この詩の価値は、そこから読者がどのように想像力をはたらかせるかにかかっている。この任意性はどこか俳句に近いものをもっている。

*

以上に見てきたように、**異文化からの受容**で問題とされることは、それが自国の文化にいかに**創造的な作用**をもたらすかということである。それは、我々がそこから何を考えることができるか、ということによって吟味できる。俳句は我々にこう要請している—「ここから自分自身で何かをつくり出し給え。創造的に」と。

【参考文献一覧】（Bibliographie, D. クルーシェ教授による）

Ⅰ. ドイツ語俳句関係文献（年代順）

1. W. Schott : *Einiges zur japanischen Dicht–und Verskunst.*
   Abhandlungen der königlichen Akademie der Wissenschaften zu Berlin
   Aus dem Jahre 1878, Berlin 1879.
2. R. Lange : *Altjapanische Frühlingslieder*, Berlin 1884.
3. K. Florenz : *Dichtergrüße aus dem Osten. Japanische Dichtungen*, Leipzig 1894
4. K. Florenz : Bunte Blätter. Japanische Poesie, Tokyo 1897.
5. K. Florenz : *Geschichte der Japanischen Litteratur*, Leipzig 1906.
6. J. Kurth : *Japanische Lyrik aus vierzehn Jahrhunderten*, München 1909.
7. H. Bethge : *Japanische Frühling*, Leipzig 1919.
8. W. Gundert : *Die Japanische Literatur*, Wildepark–Potzdam 1929.
9. A. v. Rottauscher : *Ihr gelben Chrysanthemen. Japansiche Haiku*, Wien 1939.
10. P. Lüth : *Frühling, Schwerter, Frauen*, Berlin 1942.
11. H. L. Oeser : *Japan, Tradition und Gegenwart*, Stuttgart 1942.
12. W. Helwig : *Wortblätter im Wind*, Hamburg 1945.
13. M. Hausmann : *Liebe, Tod und Vollmondnächte*, Frankfur a. M. 1951.
14. G. Coudenhove : *Vollmond und Zikadenklänge*. Japanische Verse und Farben, Gütersloh 1955.
15. G. Debon : *Im Schnee die Fähre. Japanische Gedichte der neueren Zeit*. München 1956.
16. W. Gundert : *Lyrik des Ostens*, München 1957.
17. J. Uhlenbrok : *Haiku. Japanische Dreizeiler*. Wiesbaden 1960, Bremen 1963 (Neuauflage)
18. M. Hausmann / K. Takayasu : *Ruf der Regenpfeifer. Japanische Lyrik aus zwei Jahrtausenden*, München / Esslingen 1961.
19. G. Coedenhove : *Japanische Jahreszeiten*. Zürich 1963.
20. E. Jahn : *Fallende Blüten*. Zürich 1968.
21. D. Krusche : *Haiku, Bedingungen einer lyrischen Gattung*, Tübingen / Basel 1970 (4.Aufl. 1982)
22. W. von Bodmershof : Studie über das Haiku, in : I.von Bodmershof : *Sonnenuhr*. Haiku, Salzburg / Bad Goisern 1970, S. 63-76
23. J. Berndt : *Rotes Laub*, Leipzig 1972.
24. W. Helwig : *Klänge und Schatten*, Hamburg 1972.
25. F. Hassmann–Rohland : *Tanka und Haiku*, Hannover 1974.
26. E. Fussy : Die neuere deutsche Literatur und Ostasien (Diss., unveröff.), Graz 1974.

27. H. Sakanishi u. a. (hrsg) : *Anthologie der deutschen Haiku*, Sapporo 1979.
28. J. Jonas–Lichtenwallner : *Haiku*. Wien 1980.
29. C. H. Kurz : *Hoch schwebt im Laufe*. Haiku–Reihe Ⅰ *Unter dem Saumpfad*, Haiku–Reihe 2, Hann. München 1980.
30. H. Sakanishi (hrsg.) : *Issa*. Übersetzung mit Kommentar und Nachdichtug Deutscher Dichter und Japanischen Scherenschnitten, Nagano 1981 (Dort findet sich S.146 f. Eine Bibliographie der Sammlungen deustcher Haiku)
31. L. Steinfeld : *Der Weg zum Haiku*, Schöpferische Freude und seelische Befreiung durch Dreizeiler Gedichte. Düsseldorf 1981.

Ⅱ. 俳句研究・文献一覧（著者別）

1. G. H. Brower : *Haiku in Western Languages*, Metuchen, New York 1972 (S.116-122) ; German Language References).
2. W. Bodmershof : „Studie über das Haiku“, *Wort in der Zeit*, V, iv (1959), S.27-34.
3. L. Brüll : „‘Sein‘ und ‚Nichts‘ : zwei kunsttheoretische Bgriffe aus der Welt Des japanischen Kurzgedichtes“, *Potica*, Ⅱ (1968), S.79-87.
4. M. Busing : „Japanische Lyrik“, *GO* (Geist des Ostens) I, 1913-1914, S.438-616,
5. H. Hammitzsch : „Der Weg des Praktizierens (Shugyokyo), ein Kapitel des Kyoraisho-Ein Beitrag zur Poetik der Basho-Schule“, *Oriens Extremus* I/2 (Wiesbaden) 1954.
6. Ders. : „Das Sarumino, eine Haiku-Sammlung der Basho-Schule“, *NOAG* (=Mitteilungen und Nachrichten der Deutschen Gesellschaft für Natur und Völkerkunde Ostasiens, Hamburg) 77/88 (Hamburg) 1955.
7. Ders : „Das Sarashina–Kiko des Matsuo Basho“, *NOAG* 79/80 (Hamburg) 1956.
8. Ders. : „Wegebericht aus den Jahren U–Tatsu. Ein Reisetagebuch des Matsuo Basho“, *Shino–Japonica* (Leipzig : O. Harrasowitz) 1956.
9. Ders. : „Das Shirososhi, ein Kapitel aus dem Sansoshi des Hattori Doho, Eine Quellenschrift zur Poetik des haikai“, ZDMG (=Zs. d. Dt. Morgenländ. Gesell.) 107/2 (Wiesbaden) 1957.
10. Ders. : „Nozarashi-Kiko. Ein Reisetagebuch des Matsuo Basho“, *NOAG* 75 (Hamburg) 1954.
11. Ders. : „Matsuo Basho an seine Schüler (Soo no kabe gaki, Sookuketsu, Angya no okite)“, MOAG (=Mittteilungen und Nachrichten der Dt. Gesell, für Natur–Völkerkunde Ostasiens Tokyo) 44/3 (Tokyo) 1963/64.
12. Ders. : „Kashima–Kiko. Ein Reisetagebuch des Matsuo Basho“, *Nippon* II/2 (Berlin) 1936.
13. H. Meyer : „Rilkes Begegnung mit dem: Haiku“, *Euphorion* 74 (1980) S.134-168
14. W. Naumann : Hitorigoto : Eine Haikai–Schrift des Onitsura, Wiesbaden (O. Harrassowitz)

1963.
15. M. Novak : „Euphonie im Haiku", Archif Orientalini XXX ii (1962) S.192-210
16. M. Reck : *Masaoka Shiki und seine Haiku-Dichtung*, München (Salzer) 1968
17. J. V. Stummer : *„Das Haiku"*, *Vers, Reim, Storophe, Gedichte*. München (Otto) 1968.
18. J. Suone : „Japanische Dichtung, Haiku-Gedichte", Akzente VI 1959, S.488-501
19. H. Ueberschar : „Basho und sein Tagebuch Okuno Hosomichi", MOAG 29/a (Tokyo) 1935.
20. H. Zachert : „Die Haikudichtung von der Meijizeit bis zur Gegenwart", MDGNVO (=Mitteilungen der Deutschen Gesellschaft für Natur-und Völkerkunde Ostasiens) C (1937).

Ⅲ. ドイツ語俳句集（1939 年以降、著者別）

1. Cesaro, Ingo : *Der Goldfisch im Gras redet und redet*. Annäherungen an das traditionelle Haiku, München (Bachmaier) 1981.
2. Groißmeier, Michael : *Unter dem Chrysanthemenmond*, Dachau (Bayerland) 1975
3. Ders. : *Morgengang im Wald*, Tokyo 1980.
4. Ders. : *Schmetterlingsharfen und Laubgelispel*, München (Relief) 1977.
5. Ders. : *Mit Schneemannsaugen*, St. Michael (Bläschke) 1980.
6. Ders. : *Schnee auf der Zunge. Gedichte*, München (Schneekluth) 1983.
7. Ders. : *Haiku*. Deutsch-Japanisch-Englisch, illustriert v. Kuniaki Nakano, Pfulingen (Neske) 1982.
8. Ders. : *Sehnsucht nach Steinbrücken*, Wien (Europäischer Verl.) 1967.
9. Bodmershof, Imma : *Haiku*, München (Langen) 1962.
10. Dies. : „Haiku und Tanka", WZ (=Wort in der Zeit) V, iv, (April 1959), S.26f.
11. Dies. : *Sonnenuhr*, Salzburg / Bad Goiern 1970.
12. Dies. : *Im fremden Garten*, 99 Haiku, Zürich (Arche) 1980 (im Anhang : Wilhelm Bodmershof : „Studie über das Haiku" S.55-71).
13. Jackle Erwin : *Eineckgedichte*, Zürich, Stuttgart (Classen) 1974.
14. Jappe, Georg ; *Ich war guter Dinge, aber ihr Anblick hat mich sehr versachlicht*, Köln (Du Mont Schauberg) 1976..
15. Joest,W. : *Papierschwalben*, Laufen (Selbstverlag) 1974.
16. Ders : *Teeblätter*, Laufen (Selbstverlag) 1976.
17. Jonas-Lichtwallner, Johanna : *Haiku* (Augartenverlag) 1980.
18. Junghans, M.: *Lampion am Brückenbogen*, Köln (Ellenberg) 1975.
19. Kasdorff, Hans : *Augenblick und Ewigkeit*, Pöln (Privatdruck) 1975 (neu : Bouvier 1986)
20. Kleinschmidt, K.: *Der schmale Weg*. 200 dreizeilige Gedichte. Haikus, Linz (Kulturamt

der Stadt) 1953.
21. Ders. : *Tau auf Gräsern. Dreizeilige Gedichte. Haiku*, Wien, Innsbruck, Wiesbaden. (Rohrer) 1960.
22. Klinge, Günther : *Wiesen im Herbstwind*, Nagoya (Baifusha) 1973.『秋風の牧場』（風媒社、1973）、H. ツハート 序文、柳田知常 あとがき。
23. Ders. : *Rehe in der Nacht*. Tokyo (Kadokawa Shoten) 1975.『闇夜の鹿』（角川書店、1975）、H. ツハート 序文、柳田知常 あとがき。
24. Ders. : *Den Regen lieben*. Tokyo (Kadokawa Shoten) 1978.『雨いとし』（角川書店、1978）、H. ツハート 序文、訳
25. Ders. : *Der Zukunft vertrauen. Ein Jahreszyklus in deutschen Haiku*. Sigmaringen (Thorbecke) 1981. mit Ein Essay von Volker Michels.
26. Koc, Robert Josef : *Haiku vom Traunsee,* Wien (Selbstverl) 1979
27. Ders .: *Was das Land der Kirschblüten nicht lehrte*, Wien (Selbstverl) 1979
28. Köllersberger, Susanne : *Lichtschatten*, Linz (Kulturamt der Stadt) 1965.
29. Potyka–Ritter, Lina : *Elsassesschi Haiku*, Freiburg i. B. (Privatdruck) 1965.
30. Rohde, Friedrich: *Wenn es der Wind will*, Duisburg (Gilles und Francke) 1975.
31. Rottauscher, Anna : *Ihr gelben Chrysanthemen. Japanische Haiku*, Wien (Scheuermann) 1939.
32. Schünemann, Karl : *Haiku*, Berlin 1963.
33. Stilett, Hans : *Hellgrüne Poeme,* Darmstadt (Bläschke) 1976.
34. Ders : *Dunkel-grüne Poeme*, Darmstadt (Bläschke) 1974.
35. Torggler, Siegfried : *So hingegeben sein !* Linz (Oberösterreichische Landesverlag) 1969.

［注］この章は次の拙論を基にしている ―

「異文化間の綜合。ドイツにおける日本の俳句」―ディートリッヒ・クルーシェ教授の講義より ―（神戸学院大学『教養部紀要』第 26 号、1989 年 3 月）

Interkulturelle Synthesen. Das japanische Haiku in Deutschland–aus der Vorlesung von Professor Dr. Dietrich Krusche –

1) ディートリッヒ・クルーシェ（小沢万記 訳）「ドイツにおける日本俳句」『比較文学研究』第 43 号、pp.108-121.（東大比較文学会、1983）
2) Dietrich Krusche, *Das japanische Haiku in Deutschland*. in: Jahrbuch Deutsch als Fremdsprache 1985. S.69-82. (Max Hueber)
3) Ders., *Literatur und Fremde*. S.104-117. (indicum verlag 1985)
4) Manfred Hausmann, *Liebe,Tod und Vollmondnächte. Japanische Gedichte*. S.5. (Arche

1980)

5) Dietrich Krusche, *Haiku. Bedingungen einer lyrischen Gattung*. S.98. (Erdmann 1970)

6) Lydia Brüll, 'SEIN' UND 'NICHTS'–Zwei Kunsttheoretische Begriffe aus der Welt des japanischen Kurzgedichtes. in: *POETICA*, 2. Band, 1968, S.84-85.

7) Ingrid Schuster, *China und Japan in der deutschen Literatur 1890-1925*. S.10-11. (Francke, 1977).
イングリート・シュスター『1890年から1925年におけるドイツ文学にあらわれた中国と日本』。訳は注1)の小沢万記による。

8) Arno Holz, *Phantasus*. (Reclam) S.24.

9) Rainer Maria Rilke, Werke in sechs Bänden. Bd.II, S.185. (Fischer 1987)

10) Herman Meyer, Rilkes Begegnung mit dem Haiku. in: *EUPHORION*, 74 Band, 1.Heft. 1980. S.165.

11) Gerolf Coudenhove, *Japanische Jahreszeiten*. S.90. (Manesse 1963)

12) Manfred Hausmann, op. cit., S.45.

13) Dietrich Krusche, op. cit., S.48.

14) Loc. cit., S.70.

15) 内山貞三郎『バロック時代の先駆者たち』p.192(三修社、1973)による。

16) Angelus Silesius, *Der Cherubische Wandersmann*, Diogenes, S.36, 1979

17) Lessing, Sinngedichte (Lessings Werke, Bd.5, Bibliothek Deutscher Klassiker. Aufbau–Verlag. 1975, S.44)

18) *Goethes, Werke*, Bd.1, S.221. (Christian Wegner 1969)

19) Loc.cit., S.176. 訳は高辻知義氏による—『ゲーテ全集』第1巻、p.159.(潮出版社、1979)

20) Werner Höver / Eva Kiepe (Hg.), *Epochen der deutschen Lyrik*. Von den Anfängen bis 1300. S.45. (dtv 1982)

21) Loc. cit., S.50.

22) Eduard Mörike, *Gedichte*, (Reclam) S.65. 訳:森 孝明『メーリケ詩集』p.86.(三修社、1993)

23) Friedrich Hebbel, Hebbels Werke in drei Bänden, Bd.3, S.65. (BDK 1980)

24) 片山敏彦 訳『世界名詩集大成　ドイツⅠ』p.409.(平凡社、1959)

25) S. J. Schmidt (hrsg.), *konkrete dichtung*. S.9f (1972)

26) eugen gomringer, (hrsg.) *konkrete poesie*, (reklam, 1972) reinhard döhl, りんご. (S.38)

27) Ders., in: Loc. cit. timm ulrichs、秩序の中の無秩序. (S.144)

28) Ders., in: Loc. cit., timm ulrichs, 干満. (S.141)

29) Imma von Bodmershof, *Sonnenuhr*, S.11. (Stifterbibliothek 1970)

30) Dies., *Haiku*. S.114. (Langen–Müller 1962)

31) Georg Jappe, *Haikubuch*. S.62. (Horst Nibbe 1981)

32) Bertolt Brecht, *Gesammelte Werke*, Bd.10, S.1012. (Suhrkamp 1967)

33) Loc. cit., S.1012.

34) Loc. cit., S.1009.

訳は次の書による：神品芳夫『詩と自然──ドイツ詩史考』p.154.（小沢書店、1983）

35) Günther Eich, *Gesammelte Werke*, Bd.1, S.199. (Suhrkamp 1973) 日本語訳と解釈：坂西八郎、H・フッズィ、窪田 薫、山陰白鳥（編）『ヨーロッパ俳句選集』p.106.（デーリィマン社、1979）

36) 同上、p.186.

Günther Eich, op. cit., S.166.

37) R. D. Brinkmann, *Westwärts* 1 § 2, S.48. (rowohlt, 1975)

第2章

ドイツ語俳句・小史

Eine kleine Geschichte des deutschsprachigen Haiku.

この章は内容的に第1章の「ドイツ俳句概観」に続くものである。

はじめに

東西両ドイツが再統一された2日後の1990年10月5日から7日にかけて、フランクフルトの国際書籍見本市会場とその郊外のバート・ホンブルクで日独俳句大会が催された。

本大会の提案者は荒木忠男（1932-2000）（フランクフルト総領事、ケルン日本文化会館館長）である。日本側は三つの代表的な俳句協会から沢木欣一（1919-2001）（俳人協会）、金子兜太（1919-2018）（現代俳句協会）、稲畑汀子（1931-2022）（日本伝統俳句協会）、各会長とそれぞれの協会に所属する会員が約20名ずつ、そして、数名のドイツ俳句研究者からなる総勢約60名が参加した。日本側を取りまとめたのは内田園生国際俳句協会会長（1939-2016）である。一方、ドイツ側からは設立されて間もないドイツ俳句協会（Die Deutsche Haiku–Gesellschaft、以下、DHGと略）。

（会長はマルグレート・ブアーシァーパー、Margret Buerschaper 1939-2016）の会員を中心に約40名の俳句愛好者が参加し、日独双方で100名を超える国際的な俳句大会となった。本大会の報告は、上記の荒木、内田両氏をはじめとして、さまざまな俳句雑誌に発表された。[1)]

（この大会については**コラム1**『バート・ホンブルクの月』で紹介する）

奇しくも同年10月23日には近代俳句の故郷、松山で国際俳句大会が催された。本大会は愛媛県主催の第5回国民文化祭の一環をになったもので、世界各国から英語、ドイツ語、フランス語、イタリア語、中国語による俳句が募集された。参加国は延べ 80 か国、応募者は 4,209 名、応募句数は 6,936 句にのぼった。ドイツ語部門の応募者は 15 か国 446 名、応募句数は 1,425 で、英語部門の 44 か国 913 名、2,114 句につぐ数であった[2)]。

またこれらの大会に先立って、日航財団主催による「世界こどもハイクコンテスト '90」には、26 か国から 6 万句の応募があり、入選句は『地球歳時記 '90』（学生社）として出版された。

このように、今や俳句は大人と子供を問わず世界中で作られている。一方では、日本の俳人達の海外吟行も盛んであり、その折の作品が俳句結社の雑誌をにぎわわせている昨今である。

さらに、1992 年秋の日本独文学会においてドイツ語俳句のシンポジウムがおこなわれた。学会でドイツ語俳句が論じられたのははじめてのことであり、これは一つの象徴的な出来事と言える。なぜなら、ドイツ語俳句がドイツ詩のひとつとして認められ、ようやく学問的に注目されるようになったと思われるからである。もっとも、外国語の俳句を真正面から学会で取り上げるということは、俳句という詩形を生んだ日本ならではのことかも知れない。ドイツ本国では、未だこのジャンルにたいしては懐疑的な見方がないわけではない[3)]。しかし、これまで日本の独文学会で顧みられることがなかったドイツ語俳句が、研究対象への第一歩を踏み出したことは確かである。

1．ドイツ語俳句と日本の出会い

では、ドイツ語圏の国々でも俳句の創作がおこなわれていることを日本のドイツ文学研究界が知ったのは、はたしていつ頃のことであっただろうか。俳句がかの国々に翻訳され紹介されていることは、戦前はフローレンツやグンデルトなどの著書によって、戦後はハウスマン、クーデンホーフ、ウーレンブローク、ヤーン、クルーシェなどの翻訳書によって知られていた[4)]。しかし、俳句の実作が試みられていることを我々が知ったのはそう遠い昔のことではない。我が国にドイツ語俳句の存在を知らしめたのは、ドイツ叙情詩の研究家星野慎一博士（1909-98）であろう。博士がオーストリアの女性作家インマ・フォン・ボードマースホーフの処女句集『ハイク』を紹介されたのは昭和38（1963）年のことであった[5)]。

その後10年を経て、日本でドイツ人の句集がはじめて出版された。著者はミュンヘンに住むギュンター・クリンゲ氏（Günther Klinge, 1900-2009）である。彼は1973年に処女句集『秋風の牧場』（*Wiesen im Herbstwind*、風媒社）を、第2句集『闇夜の鹿』（*Rehe in der Nacht*、角川書店）を1975年に、1978年には第3句集『雨いとし』（*Den Regen lieben*、角川書店）を出版した。その後、クリンゲ氏は1990年までに3冊の句集を日本でおおやけにしている—

『朝の森に』*Morgengang im Wald*（緑地社、1980）

『イカルスの夢』*Ikarusträume*（永田書房、1986）

『石庭に佇つ』*Steingartenstille*（永田書房、1990）

これらの著書が日本の有名な、しかも、俳句と関係が深い出版社から出されたことは、ドイツ語俳句の存在を知る上でおおきな意味があったと思われる。また、窪田薫氏（当時東海大学助教授。1924-99）は1978年と1979年に『世界俳句選集』（俳諧寺芭蕉舎発行）の中で多くのドイツ語俳句を翻訳紹介した。

2．ドイツ語俳句とは

ドイツ語俳句というこの耳慣れない言葉を聞くと、たいていの人はおどろく。

①ドイツでも俳句が作られているのか？

②どのようにして作っているのか？　5-7-5のリズムは？　韻は踏むのか？

③季語はどうするのか？

これは、最も素朴なしかも要を得た、もっともな疑問である。では、それは何故だろうか。

おそらくそれは、俳句という詩が日本独特の詩形式と考えられるからであろう。俳句はなによりも、日本という社会的にも、また、自然環境という点でも、固有の風土に根ざした詩であって、社会環境や自然環境が異なる外国で日本のような俳句を作ることは不可能なことではないか、と誰しも思うからである。

俳句はまた、ひと言で言えば**省略の文学**である。俳句は俳諧の連歌から発展したことからもわかるように、気心の知れた仲間うちでつくられた「**座の文学**」である。省略しても作者の意図したところが充分に伝わるのは、本来、日本の言葉や社会そのものが、いわば気心の知れた座に根ざしているからではないか。季語にしても、これはあくまで約束事であって、花は春、月は秋などと決められているのは、万葉、古今以来の詩歌の伝統のいわば「座」から生まれたものである。このような歴史的な経緯をもつ俳句は特殊に日本的なものであって、外国で俳句がつくられるということに、疑問の眼がむけられるのは無理からぬことだろう。

ここで、上の①〜③の疑問に対しては、次のように答えることができる。

①俳句を作るという点では、ドイツ語圏の国々は後進国である。ヨーロッパの国々で最初に俳句がつくられたのはフランスで、日露戦争（1905年）の頃にはハイカイ派と称する一派が俳句の実作を試みている[6)]。これは、19世紀のロンドン、パリ、ウィーンの万国博覧会を発端として、浮世絵を中心とした日本の美術品がヨーロッパに紹介され、それによってヨーロッパに流行したいわゆるジャポニスムの中心となったのが、ほかならぬフランスだったからである。

また、英米文学の世界では、20世紀はじめにエズラ・パウンドを中心とするイマジズムの詩人達が俳句から大きな影響を受け、さらには、アメリカのいわゆるビート・ジェネレーションの作家達は俳句の中に禅の要素を認め、俳句と禅がかれらの生活と詩の指針となった[7)]。

後に触れるが、ドイツ語俳句の総括的な窓口となっている**ドイツ俳句協会**が設立されたのは、ようやく1988年のことである。それに比べて、アメリカやカナダではすでに複数の俳句協会があり、多くの俳句雑誌が出版されている[8)]。

また、学校の作文の授業では俳句がさかんに取り入れられてもいる[9)]。

②どのようにして作っているのか。5−7−5のリズムは？　韻は踏むのか。

日本の近代俳句の歴史では、有季定型から無季無定型、自由律俳句などの流派が生まれたように、英語俳句でもすでに自由な形式の俳句も試みられている。ドイツ語俳句では、3行からなる5シラブル-7シラブル-5シラブルという形式がおおむね守られている。

ここで、5-7-5のドイツ語俳句の実例をひとつ引用しておこう —

Wohin des Weges,	風に行方定めぬ
fahle Blätter im Winde ?	枯れ葉
Dir voraus, dir nach !	お前の先になり後になり

前うしろ行方(ゆくえ)定めぬ落ち葉かな　　（俳訳：坂西八郎）

Friedrich Heller（フリードリヒ・ヘラー）

これは、上に触れた松山の国際俳句大会のドイツ語俳句部門でグラン・プリを獲得した句である。作者はウィーン近郊に住む郷土作家で、作者によれば、句の中の「お前」というのは恋人や自分も含めた人間全体を指しているという[10]。自然と人間の無常感を象徴した句である。

韻については、ドイツ語俳句は**無韻の詩**である。

③季語について

上にも述べたように、季語は日本の風土と詩歌の伝統の中から長い年月をかけて自然に生まれてきたもので、これを風土が異なる外国語の俳句に援用することには無理がある。しかし、ドイツ語俳句ではようやく季語への関心が高まってきている。

3．日本の俳句の翻訳と研究

ドイツ語俳句はどのようにしてつくられるようになったのか。

俳句の実作には、手本となる日本の俳句の翻訳が必要であることは言うまでもない。ヨーロッパの言語ではじめて俳句を翻訳し、紹介したのは、明治政府が招聘したいわゆる御雇外国人で、イギリス人のアストン（W. G. Aston）やチェンバレン（B. H. Chamberlain）だった[11]。しかし、彼らにそう遅れをとらずに、ドイツではカール・フローレンツ（Karl Florenz,

1865-1939）が日本詩歌の訳詩集『東洋からの詩人の挨拶』（*Dichtergrüße aus dem Osten*. 1894）の中で三句の俳句を紹介し、また、『日本文学史』（*Geschichte der japanischen Litteratur*. 1906）では俳諧および近代にいたる俳句の歴史の概観を試みている。フローレンツは、明治20年に、当時ベルリンに留学していた森鷗外にも出会っている[12)]。明治22（1889）年に東大の教授として来日し（昭和16年まで）、後に日本で最初のドイツ文学科を創設、滞日年数は25年を超えた。大正3（1914）年にドイツに帰国し、今度はハンブルク大学に日本学科を創設した日独両国の文化交流にとって偉大な架け橋となった人物である。

第二次大戦前では、フローレンツとともに忘れてならないのは、ヴィルヘルム・グンデルト（Wilhelm Gundert, 1880-1971）である。グンデルトは神学者の家系に生まれ、ヘルマン・ヘッセは彼の従兄弟である。祖父が長らくインドで布教した関係で、ヘッセと同じく東洋に関心を持ち、明治39（1906）年に自由宣教師として内村鑑三を頼って来日したが、布教するうちに日本文化を研究するようになった。後にフローレンツの後任としてハンブルク大学日本学の教授、総長となった。その著『日本の文学』（*Die Japanische Literatur*. 1929）には俳句および季語への言及がある[13)]。

その他、Otto Hauser（*Japanische Dichtung*, 1904 、芭蕉の句3句）、Julius Kurth（*Japanische Lyrik aus vierzehn Jahrhunderten*, 1909）、Anna von Rottauscher（*Ihr gelben Chrysanthemen*, 1939）、Paul Lüth（*Frühling, Schwerter und Frauen*, 1942）などの名が挙げられる。

そして、「日独枢軸国間の提携を経験したドイツでは、戦後になるとそれまでの出版物とははっきりと異なる日本紹介が始まる。魅力的な言葉による翻訳と翻案が現れる」。[14)]

その主なものを次に掲げてみよう —

ハウスマン（Manfred Hausmann, *Liebe, Tod und Vollmondnächte*.『愛、死、満月の夜』「俳句と短歌」1951）、グンデルト（Wilhelm Gundert, *Lyrik des Ostens*.『東洋の詩』「俳句と短歌」1952）、クーデンホーフ（Gerolf Coudenhove, *Vollmond und Zikaden-klänge*.『満月と蝉の声』1955、俳句のみ。*Japanische Jahreszeiten*.『日本の四季』、「俳句と短歌」

1963)、ウーレンブローク（Jan Ulenbrook, *Haiku Japanische Dreizeiler.*『俳句　日本の三行詩』1960)、ヤーン（Erwin Jahn, *Fallende Blüten.*『散りゆく花』、俳句のみ、1968)、クルーシェ（Dietrich Krusche, *Haiku, Bedingungen einer lyrischen Gattung.*『俳句　叙情詩の諸条件』1970)。

これらの著書の特徴は、学術書としてではなく、より一般的な読者を対象とした読み物として出版されたことであり、しかも、俳句についての詳しい解説が付いているということである。ひとつの外国文学が他の国に受け容れられるには、一般読者の獲得が何よりも重要である。

これらの一般的な書物と平行して、その基礎となった俳文学に関する専門的な研究を見逃すことはできない。ドイツ語圏の国々でのその第一人者が、ホルスト・ハミッチュ教授（Horst Hammitzsch, 1909-91）である。ここで、教授の俳文学に関する研究業績だけを紹介しておこう—

『鹿島詣』(1936)、『野ざらし紀行』(1953)、『芭蕉の四つの俳文、蓑虫の跋・芭蕉を移す詞・柴門の辞・許六を送る詞』(1954)、『修業教、去来抄の一章』(1954)、『猿蓑』(1955)、『笈の小文』(1956)、『更級紀行』(1956)、『白冊子』(1957)、『和漢連句と漢和連句』(1958)、『わび、さびの研究』(1959)、『立花北枝の山中問答』(1960)、『芭蕉の弟子に与ふる書、祖翁壁書・祖翁口訣・行脚掟』(1963)

ハミッチュ教授の他に、ドイツで俳文学研究に貢献した学者としては、ヘルベルト・ツハート（H. Zachert, 1908-79）、ヴォルフラム・ナウマン（W. Naumann, 1931-2021)、ドムブラディー（G. S. Dombrady, 1924-2006）教授の名が挙げられる。ドムブラディー教授の、一茶の『おらが春』(1983）と『父の終焉日記』(1985)、芭蕉の『奥の細道』(1985）の翻訳は高い評価を受けている[15)]。

最近ではエッケハルト・マイ（Ekkehard May, 元・フランクフルト教授）の卓越した業績を挙げておかねばならない—

出版社はいずれも、Dieterrich'sche Verlagsbuchhandlung.

Shômon I（蕉門Ⅰ, *Das Tor der Klause zur Bananenstaude.* 2000）

Shômon II（蕉門Ⅱ, *Haiku von Bashôs Meisterschülern*, 2002）

Chûkô（中興, *Die neue Blüte, Shomôn III*, 2006）

Matsuo Bashô, HAIBUN（俳文, 2015）

4．ドイツ語俳句の誕生

ドイツ語圏で俳句がどのようにしてつくられるようになったか、ということをはじめて明らかにしたのは、オーストリアのヘルベルト・フッズィー（Herbert Hussy, 1950- ）で、彼は1974年に『ドイツ近代叙情詩と東アジア』（*Die neuere deutsche Lyrik un Ostasien.*）という博士論文をグラーツ大学に提出した。そして、彼の協力を得て、ドイツ語圏ではもとより、世界でもはじめて、ドイツ語俳句のアンソロジーが日本で出版された。題して『ヨーロッパ俳句選集』（1979, デーリィマン社）。出版の中心となったのは、日本におけるドイツ語俳句研究の先駆者、坂西八郎（当時、室蘭工業大学助教授、後に信州大学教授。1931-2005）である。

本書によれば、ドイツ語俳句の歴史はおおよそ5つの時代に区分されているが、ここではその一部を採りあげてみる。

①ドイツ語俳句的要素の出現（1890-1900年代）

ドイツ語圏の国々ではじめて俳句の影響が認められる詩がつくられるようになったのは、1900年前後だとされる。そこには、上に触れたジャポニスムと同様に、印象派の絵画の影響があった。比較文学研究者イングリート・シュスターは当時の模様を次のように述べているが、これはとても示唆に富んだ指摘である —

「画家が輪郭や平面を解体して絵筆による点の構造に変えたように、作家は言語における伝統的な文構造を破壊したのである。つまり、**文は短縮**され、**動詞は省略**され、読者は意味深長な、連想にあふれた**名詞**と対決することになった。詳細で委曲をつくした描写を行なうかわりに、芸術家たちは一つの『**印象**』を伝えたのである」[16)]

（原文）

Und so wie die Maler Konturen und Flächen in Pinselfleckgefüge auflösten, zerbrachen die Schriftsteller das traditionelle Saztgefüge der Sprache : Sätze wurden verkürzt, das Verb wurde entbehrich ; der Leser wurde mit bedeutungsvollen, assoziationsreichen Hauptwörtern konfrontiert. Anstatt eine ausführliche und umständliche Beschreibung zu geben, vermittelte der Künstler eine << Impression>>.

aus : Ingrid Schuster, *China und Japan in der deutschen Literatur 1890-1925.*

Franke Verlag, 1977. p.11.

『ヨーロパ俳句選集』にはこの段階の作家が数人挙げられているが、その中の一人としてマックス・ダウテンダイ（Max Dauthendey, 1867-1918）の名だけを挙げておく。世界旅行家の彼は、1906 年には日本にも 1 か月ほど立ち寄り、その時の印象を『琵琶湖八景』（*Die acht Gesichter am Biwasee*, 1911）という小説に仕立てた。

②ハイカイ派の人々（1920 年代）

先にも触れたが、ヨーロッパで本格的な俳句の実作が行われたのはフランスで、彼らはハイカイ派と呼ばれた。1920 年には著名なフランスの文芸雑誌『新フランス評論』（N. R. F. Nouvelle Revue Française）にハイカイ特集号が出た。リルケがたまたまこの雑誌を読み、彼自身三つのハイカイと称する短詩をつくっている。そのうち二つがフランス語で、一つがドイツ語によるものである ―

Kleine Motten taumeln schauernd quer aus dem Buchs;
sie sterben heute Abend und werden nie wissen,
daß es nicht Frühling war. R. M. Rilke

小さな蛾の群が身ぶるいしつつツゲの木から斜めによろめき飛び立つ。
彼らは今夜死ぬだろう、そして決して知らないだろう、
まだ春でなかったことを。 （高安国世 訳）

なんとも長い俳句である。リルケは「ハイカイ」と名付けているが、日本のリルケ研究家は総じてこの詩の中に俳句的な要素を認めることは難しいと言っている[17)]。あえて言うならば、芭蕉の「やがて死ぬけしきは見

えず蟬の声」と同じ趣向の句ではないかと思われる。事実、芭蕉のこの句はリルケが特に気に入っていた句である[18)]。リルケが俳句に心をひかれた点は、簡潔な表現、印象的な描写、連想の広がりなどであった。

③ドイツ語俳句の自立（1950年以降）

第二次大戦後、すぐれた俳句の翻訳や解説によって、ようやく本格的なドイツ語俳句がつくられるようになる。ドイツ語圏ではじめて本格的な句集を出したのはオーストリアの女性作家、インマ・フォン・ボードマースホーフ（Imma von Bodmershof, 1895-1982）である。彼女の処女句集『俳句』（*Haiku*）が世に出たのは1962（昭和37）年である。これを日本に紹介したのは、ドイツ叙情詩の研究家星野慎一博士であった。彼女と星野博士の仲介の労をとったのは、先に挙げた俳句の翻訳書『散りゆく花』を出版したヤーン教授（1890-1964）である。星野教授によるボードマースホーフの『俳句』の紹介がそもそも我が国の独文学会、ひいては、日本がドイツ語俳句の存在を知った始まりではないかと思われる。その後、ボードマースホーフは1970年に第2句集『日時計』（*Sonnenuhr*）を、1980年に第3句集『見知らぬ庭で』（*Im fremden Garten*）を出版した。彼女と俳句との出会いは、先の翻訳のところで挙げたロートタウシャーの『黄菊』（1939）をとおしてであった。その時の模様を彼女は次のように述懐している—

「1947年、戦後の物不足で贈り物をするのもままならなかった頃、ひとりの友人がクリスマスに、自分でつくった指くらいのローソクと『黄菊』（*Ihr gelben Chrysanthemen*）というかわいい本をプレゼントしてくれました。それはアンナ・フォン・ロートタウシャーが日本語から翻訳したものでした。その中の最初の俳句を読んだ時、まるで自分の中に稲妻が走ったように感じました。それは、長年私が探し求めていた形式だったからです。それらの俳句は、なにか新しいもの、未知のものといったふうではなく、忘れていたもの、ながらく無意識の中に眠っていたものが、突然甦ってきたようで、心が解き放たれたような気持がしたものでした。……」[19)]

第2句集『日時計』の序文では俳句の本質について次のように書かれている—

「この極東の芸術、いっさいの非本質的なものを排除する、暗示の芸術、一つの完全な世界を一滴の露のような小さな形の中に捉える芸術が私の心を放さなくなった。17文字3行の形式は、ドイツ語でも可能であるにちがいなかった。この芸術形式を駆使して本質的なものを摑もうと努力してみた。しかし、直接的に摑もうとしても、本質的なものは失われてしまうのだった。俳句の生命と言うべき表現されないものの価値が消えてしまうのである。俳句は人間の二重性ともいうべきものとかかわりをもっている。一つは現実的なもの、もう一つは人間を人間らしくするものである。ところが、後者の方は、はっきりと言い切ってしまうと失われてしまうのである。真の俳句では、私たちの身辺にある人生の機微や、ごく些細なものにまで浸透しているあらゆるものが感じとられるように要求される。そういう俳句は「作られる」ものではなく、ある種の心構えとある種のめぐまれた瞬間からおのずと生まれてくるものなのである」[20]（*Sonnenuhr*, p.7-8）。

ここから読みとれることは、俳句が「本質的なものだけを、わずか17文字の中に暗示する形式で、俳句は作るものではなく、生まれてくるものだ」、ということだろう。このような俳句を彼女はまた、「ヨーロッパにはない別の詩、ヨーロッパ人が気づかずにきた別の世界の詩」[21]とも言っている。

では、「ヨーロッパにはない詩」とはどのような詩なのか。ヤーン教授の俳句訳詩集『散りゆく花』の序文の中にそれにたいするひとつの見解を読みとることができる—

「俳句の世界では、人間は自然から分離していない。例えば、一輪の芍薬の花でさえ、人間に劣らない気品を持っていると言えるかも知れない。俳句の世界では、万物の霊長としての人間などは、問題にならない。いわんや、プロメテウス的感情や自分を神の似姿と意識すること（Imago-Dei-Bewußtsein）などは、全く問題外のことである。人間は自然の中に没入している。というよりは、むしろ、季節のリズムに参加し、人間を取り巻く自然の一部となっている」[22]

プロメテウスはギリシア神話に登場し、ゲーテの詩にも見えるように、人間の立場から神に対して強烈な自我を主張する存在であり、また、人間を「神の似姿」と見る背景にはキリスト教思想がある。ギリシア文明とキリスト教がヨーロッパ文化の源流となっていることは周知のことであるが、そこには、ともに人間を中心とした思想が根底にある。ヨーロッパの詩ではこのような人間中心の考え方がなくなることはありえず、人間が自然の一部になってしまうことはなかった。西欧では自然と人間が対峙し、東洋では人間と自然が融和している、と言われる。その違いをきわめて明瞭に反映しているのが俳句なのだ、というのがヤーン教授の見解である。そして、ヨーロッパにはないこのような詩、しかも、わずか17文字からなる詩、全てを言い尽すのではなく、**暗示にとどめる詩**がヨーロッパの人々には新鮮に見えたのだろう。

ボードマースホーフの実作にあたってみよう —

Schau mitten im Ei	ごらん卵の真ん中を
klein und gelb eine Sonne –	小さく黄色に太陽が —
wie kam sie hinein ? [23]	太陽はどのように卵の中に入ったのだろう？

Imma von Bodmershof（ボードマースホーフ）

一見すると、卵の黄身を太陽に見立てた、単なる機知をねらった無季の句のように見える。しかし、ドイツの俳句研究家であり、俳句作者でもあるザビーネ・ゾマーカンプ女史によれば、この句の季語は「太陽」になるという。しだいに輝きを増してくる太陽と生命のきざしは、伝統的な春のイメージであると言う[24]。生命を象徴する卵の中に復活した太陽を見たおどろきが表現されている。

2行目のダッシュ（—）は日本の「切れ字」に相当する。多くの俳句が二つの部分から成り立っているということに、ヨーロッパの人々は比較的早くから気がついていた。英米文学の世界では、エズラ・パウンドが俳句の「切れ」からひとつの詩論を編み出した。それは「**重置法**（スーパーポジション）」と名付けられ、ひとつのイメージに別のイメージを重ね合わせることにより、複雑な内容と深い意味を詩に持たせるという詩法である。ヨーロッパの言語には「や」とか「かな」のような「切れ字」に相当するものはないから、それはこの句のようにダッシュやまたコロンで表される。このダッシュやコロンをはさんで、二つの異なるイメージが対置される。ここで、読者の思考がいったんとぎれ（いわゆる「間」が生まれる）、読者はあらためて俳句の意味を考えることになる。これは日本の「取り合わせ」の手法にあたる。

上の句に即して言えば、2行目のおどろきは、3行目の生命誕生の問いへと想念の輪が広がってゆく。ゲルマン人は復活祭に卵を供えた。いわゆる復活祭の卵である。現在でも、ドイツの家庭では、復活祭には木の枝に色づけした卵をつるしたり、親が庭に卵を隠して子供達にそれを探させて、よみがえった陽光を楽しむ。このような背景を知れば、この句は季節感にあふれた句であることが理解される。

ゾマーカンプ女史をはじめとして、その後、ブアーシァーパー会長も季語の選定を試みている[25)]。

ちなみに、日本側では『虚子歳時記』のドイツ語訳が完成された―

＊ウェルナー・シャウマン、加藤慶二 編訳。
hrsg. von: Werner Schaumann, Keiji Kato.
Singen von Blüte und Vogel,『花鳥諷詠』永田書房、2004。
新版 : *Takahama Kyoshis Jahreszeitenwörterbuch*.（iudicium, OAG. 2018）

季語の選定には、他に次のようなことがひとつの試みとして考えられる。日本の季題や季語が和歌から採り入れられてきたように、ドイツ語圏の国々でも、**人々によく知られた詩句から季節をあらわす言葉を選んでみる**ということである。それを俳句の中に読み込む努力を重ねれば、長い年月のうちには上にも述べたようにひとつの約束事として定着するのではないかと思われる。**これについては、第８章で述べる。**

5．日本俳句の海外での受容と変容の歴史

ドイツ語俳句の実作が行われるまでには日本の俳句の海外での受容と変

容の長い歴史があることは言うまでもない。先に述べたことと重複する部分もあるが、以下にそのあらましを述べてみよう。

世紀末から今世紀はじめのジャポニスムを発端として、日本美術とともに日本の詩歌もまたヨーロッパに紹介された。それに寄与したのは、主として日本文化の愛好家、学者、あるいは旅行者たちであった。やがて俳句の受容は、遠くはフランスのハイカイ派による俳句の試作となってあらわれ、イギリスではエズラ・パウンドをはじめとするイマジズムの詩論確立の契機となり、近くは1960年代のアメリカのビート・ジェネレーションの作品に大きな影響を及ぼした。これらのことは、すでに内外の多くの人々が雑誌や研究書の中で発表している。しかし、他のヨーロッパ諸国と同様にほぼ百年の歴史を持つドイツ語圏の国々における俳句の紹介と研究は、それに比べて立ち遅れているように思われる。その理由には二つのことが考えられる。①一つには、リルケやブレヒトなどがごくわずかの俳句に似た短詩を作ったことを除けば、名の知れた詩人が俳句を詩作したことはなく、従って、英語圏のように俳句が詩の歴史に大きな影響を及ぼしたことはなかったこと。②次には、ドイツ俳句協会が設立されたのはようやく1988年であることからも見てとれるように、アメリカやカナダにおけるように、詩人や研究者以外の一般の人々の俳句への参加が遅れたことが挙げられるであろう。

こうした状況下にあって、ドイツ語俳句の存在を日本で初めて総括的に紹介した書として、また、ドイツ語圏の国々ではドイツ語俳句の最初のアンソロジーとして、『ヨーロッパ俳句選集』（編著者は坂西八郎、H. フッズィ、窪田 薫、山陰白鳥）（デーリィマン社、1979年）は高く評価される。本書は、そもそも日本の俳句がドイツ語圏の国々に紹介された世紀末から現代に到るドイツ語俳句の歴史並びに詩人、俳句愛好者の作品が載せられており、単なる研究書を超えて後世に残る貴重な資料となった。本書は、ヘルベルト・フッズィ、ドイツ語俳句史を総括した博士論文『ドイツ近代叙情詩と東アジア』（1974年にグラーツ大学に提出）を基として、ドイツ語の原句を窪田薫と山陰白鳥（俳人）が日本語の俳句に仕立てた。収められた句数は全部で250句、作者の数は68人にのぼる。ドイツ語俳句のアンソロジーが編まれたのは日本では勿論のこと、世界でもはじめての試みであった。第一部では、編者の一人フッズィ氏が上記博士論文をふまえたドイツ語俳句の歴史を概観するエッセーを書き、第二部では春夏秋冬に配された俳句が1ページに1句ずつ載せられ、随所に作者の経歴や原句にたいする作者自身のコメント、原句と照応する日本の俳句も引用されている。本書の出現によってドイツ語俳句がはじめてわれわれの研究対象となった。つまり、本書は単なる研究書の域を超えて、ドイツ語俳句研究のための貴重な資料となった。本選集が出版されてすでに40年が過ぎたが、これまでと同様に今後もまたこの分野の研究は本書を抜きにしては考えられないであろう。「まえがき」のなかで、編者の一人坂西八郎氏は次のように述べている —

「かねてよりわたしは、日本学の学者ゲロルフ・クーデンホーフ・カレルギー博士から、弟子のH. フッズィ氏とドイツ語俳句研究に関するコンタクトをもつようにとのご依頼をいただいていた。たまたま1977年5月にオーストリアのグラーツ近郊で、わたしの属する民謡研究グループの国際会議があり、これに参加した機会にグラーツのフッズィ氏宅でお会いすることができた。帰国して構想をねり、かつ書簡による意見の交換をへて、本書刊行が実現することになった」

そして、この選集の意図するところは上記のクーデンホーフ・カレルギー博士（Gerolf Coudenhove-Kalergi, 1896-1978）の序文がよく伝えている —

「俳句はすでに久しく日本の国境を越え世界に知られている。けれども20世紀の後半、若干の助走的試作ののちドイツ文学のなかに一つのあたらしい詩形式、すなわち、『ドイツ語の』俳句が発生したという事実を知る人はまだ少ないであろう。ここにドイツ俳句のはじめての選集が編纂されることになった。この詩形式は、もともと日本の俳句を模範として発生したものであるが、これがしだいにドイツ語圏に移って定着したありさまを編者はよくわからせてくれる。しかも、そのありさまは、むかしギリシア・ローマの詩がドイツ語の世界に移植された経過とある共通性をもっている。

ドイツ俳句は、日本俳句をもっぱら模範とするという状況から解放されて、今日かなり自立したものとなった。俳句がドイツ語のなかで将来にわたり一層磨かれて育てられてゆくであろうことは確かである。宇宙の瞬間的なうつろいの印象を最短の形式・17シラブルでとらえようという志向こそ、まさにわれわれの生きる現代の精神に即しているといえるのではないか。

以上のことすべてを編者は本句集において指摘している。これはドイツ語圏と日本のきわめて異なった二つの文化圏の接触のために尽した重要な功績である」

本書の編著者の一人である坂西教授はその後、『*ISSA*』（信濃毎日新聞社、1981）や『*TREIBEIS*』（『流氷』）（Seibunsha, 1986）によってドイツ語圏の国々に俳句実作の刺激を与えたこともここに付記しておかねばならないであろう。また、ドイツ語俳句の歴史を初めて学究的に総括した書としては、加藤慶二『ドイツ・ハイク小史』（永田書房、1986、新版は1996）が挙げられる。

この他にまとまったものとしては以下の書が挙げられる —

・星野慎一『俳句の国際性──なぜ俳句は世界的に愛されるようになったのか』（博文館新社、1996）、（星野：1909-98）

・渡辺 勝『比較俳句論──日本とドイツ』（角川書店、1997）（渡辺：1932-2013）

・東聖子・藤原マリ子編『国際歳時記における比較研究』（笠間書院、2012）

ところで、上記の『ヨーロッパ俳句選集』が出版されてすでに40年以上の年月が流れ、その間には、ドイツ俳句協会も設立される程にドイツ語俳句界は飛躍的な発展を遂げた。ドイツでも俳句を作る人々が増え、一般の書店では入手できないような小さな句集や自費出版の句集がおびただしく出版されている。日本国内でそれらの句集や作品集を網羅的に集めることはきわめて困難であり、従って、現在のドイツ語俳句界の全貌をとらえることは殆ど不可能な状況となっている。それには、本国の作家や研究者との協力が不可欠である。幸いにも筆者は1991年の夏、神戸学院大学の特別海外留学の許可を得て、ドイツ俳句協会で研究する機会に恵まれ、会長のブアーシャーパー女史から現代ドイツ語俳句に関する貴重な情報や資料を入手することができた。その主なものは次の二つである。

①一つは、1991年の6月22日にケルン日本文化会館で催された「日独俳句・連句シンポジウム」[26]におけるブアーシャーパー女史の講演『1945年以降のドイツ語俳句』（Die Haiku-Dichtung im deutschsprachigen Raum nach 1945）の原稿である。このシンポジウムは、上述のホンブルクとフランクフルトにおける日独俳句大会の成果を受けて、再び荒木館長が催されたものである。

②いま一つは、坂西教授とブアーシャーパー女史との間で当時進められていた『ドイツ語俳句アンソロジー』（本書の第４章）に女史が寄せた序文「1970年以降のドイツ語俳句の発展」（Entwicklung der Haiku–Dichtung in Deutschland seit 1970）である。そこには、現代ドイツ語俳句界の状況、すなわち、主要な作家達と俳句に対する彼らの取り組み方、俳句理論が紹介されている。以下では、これら二つの論考と、この章の最後の注に挙げた三つの拙論をまとめて、ドイツ語俳句の歴史を概観してみたい。

5-1. 第二次大戦後の俳句活動

日本の短詩（短歌、俳句、川柳）がより広くドイツ語圏の国々に知られるようになるのは、1950年代初頭から次々と出版された俳句や短歌の翻訳詞華集による。先に挙げたものと重複するが、ここでその主なものを列挙してみよう—

ハウスマン『愛と死と満月の夜』（Manfred Hausmann: *Liebe,Tod und Vollmondnächte,* 1951）、ハウスマンと高安国世による『千鳥の呼び声』（*Ruf der Regenpfeifer,* 1961）、グンデルト『東洋の叙情詩』（Wilhelm Gundert: *Lyrik des Ostens,* 1952, 第５版 1965）、デボン『雪の中の渡し船』（Günther Debon: *Im Schnee die Fähre,* 1956）、クーデンホーフ『満月と蝉の声』（Gerolf Coudenhove: *Vollmond und Zikadenklänge,* 1955）と『日本の四季』（*Japanische Jahreszeiten,* 1963）および『川柳』（*Senryu,* 1966）、ウーレンブローク『俳句、日本の三行詩』（Jan Ulenbrook: *Haiku Japanische Dreizeiler,* 1960, 新版第２版 1979, 新版は *Das Buch der klassischen Haiku*, Reclam, 2018）と『短歌』（*Tanka*, 1985）、ヤーン『散りゆく花』（Erwin Jahn: *Fallende Blüten*, 1968）、ハミッチュとブリュルによる『新古今和歌集』（Horst Hammitzsch, Lydia Brüll: *Shinkokinwakashu*, 1964）、クルーシェ『俳句 叙情詩の諸条件』（Dietrch Krusche: *Haiku*, 1970, 第5版 1984）、ドムブラディ『一茶　おらが春』（G. S. Dombrady: *Issa, Mein Frühling*, 1983）と『芭蕉　奥の細道』（*Basho, Auf schmalen Pfaden durchs Hinterland*, 1985）および『一茶　父の終焉日記』（*Issa, Die letzten Tage meines Vaters*, 1985）。

これらの詞華集には俳句ばかりではなく**短歌**、**川柳**の翻訳が含まれているのは、ドイツ語圏における俳句活動は、俳句の他に短歌や川柳をも受容したドイツ短詩の一環をになったものと見られており、俳句作者は多くの場合、**連歌**はもちろんのこと、短歌や川柳も作っている事情があるからである。

これらの書のうちの多くのものが版を重ね、しかも著名な出版社から出されたことが、日本の短詩の紹介に大いに寄与した。やがて、これら詞華集はドイツ語圏の作家達を刺激し、彼らを日本の短詩の模倣へと向かわせることになる。一方では、ドイツ叙情詩の内部でもドイツ語俳句を受容する下地が1950年頃には出来上がっていた。詩人達は**凝縮した言語と自由な韻律による詩**へと傾斜していた。ブレヒトやギュンター・アイヒに見られるように、隠喩による詩の簡素化、体験されたものの異化、詩的自我と感情の抑制、これらは俳句創作の土壌となった。

翻訳や翻案の段階を経て、ドイツ語俳句の自立は先ずウィーンに始まる。ハンス・カール・アルトマン（Hans Carl Artmann）、ルネ・アルトマン（René Artmann）、アンドレアース・オコペンコ（Anreas Okopenko）、ハンス・ヴァイセンボルン（Hans Weissenborn）の俳句活動が1950年代に盛んとなった。その後、オーストリアの閨秀作家インマ・フォン・ボードマースホーフは1962年に処女句集『俳句』（Imma von Bodmershof, *Haiku*）を世に問うた。さらに第2句集『日時計』（*Sonnenuhr*）が1970年に、第3句集『見知らぬ庭で』（*Im fremden Garten*）が1980年に出版された。これらの句集によって、彼女はドイツ詩史に俳句というジャンルを確立し、今日ではドイツ語俳句の最初の大家と見なされている。また、彼女の夫のヴィルヘルムが提唱した俳句理論は今日に到るまで俳句実作の上に大きな影響力を持っている。

ごく早い時期から俳句を作ったドイツの作家としては次の人々が挙げられる —

ハーヨ・ヤーペ（Hajo Jappe）、ハンス・カスドルフ（Hans Kasdorf）、マリアンネ・ユングハンス（Marianne Junghans）、フリートリヒ・ローデ（Friedrich Rohde）、カール・ハインツ・クルツ（Carl Heinz Kurz）、ギュンター・クリンゲ（Günther Klinge）、ズィークリート・ゲンツケン-ドラーゲンドルフ（Sigrid Genzken-Dragendorff）、ミヒァエル・グロイスマイアー（Michael Groissmeier）、エレン・ハスマン-ローラント（Ellen Hassmann-Rohlandt）、エルナ・ヒンツ-フォントローン（Erna Hintz-Vonthron）、リヒァルト・ハインリヒ（Richard W. Heinrich）などである。

5-2. 1970年代以後の俳句活動のひろまり

ドイツで本格的に俳句を取り上げた雑誌は「アプロポー」（apropos）と「ゼンフコルン（芥子粒）」（Das Senfkorn）である。前者は、カール-ハインツ・バッカー（Karl-Heinz Backer）が1980年にアウクスブルクで発刊した芸術、文学に関する雑誌で、年に3回発行された。1981年からは俳句コーナーを設け、後にそれは「俳句スペクトルム」と名付けられ、俳句論や実作が紹介された。ここに登場した主な人々はザビーネ・ゾマーカンプ（Sabine Sommerkamp）、ハーヨ・ヤッペ（Hajo Jappe）、ゲロルト・エファート（Gerold Effert）、ゲルハルト・ハーバーボッシュ（Gerhard Haberbosch）、ヘルベルト・フッズィ（Herbert Fussy）である。また、子供の俳句が載せられたのもこの雑誌が初めてである。残念ながら、本誌は1985年に廃刊となった。

ミヒャエル・モルゲンタール（Michael Morgenthal）が編集する「ゼンフコルン」もまた俳句を掲載し、この雑誌を土台として1981年にはヴォルケントーア出版社（Wolkentor Verlag）との協力で、ドイツで初めての俳句文学賞「金の芥子粒賞」（Das goldene Senfkorn）が設けられた。それには142人が応募し、それらの句は翌年に俳句集『暗き空間にも』（*Auch im dunklen Raum ...*）となってヴォルケントーア出版社から出版された。

この時点でドイツ語俳句の普及に最も功績のあった作家はカール・ハインツ・クルツ（Carl Heiz Kurz, 1920-93）であろう。連歌や連句あるいはまた川柳を通じて、彼はヨーロッパのみならずアメリカやオーストラリアの作家達にも知られている。彼はすでに1970年代にガウケ出版社（Gauke-Verlag）から出された32ページからなるポケット・プリント叢書（pocket print Reihe）の編者となり、より広い読者層に短歌、連歌、俳句を紹介し、これらの短詩に魅せられた人々の輪を広げていった。その後、この叢書はイム・グラーフィクム出版社（Im Graphikum-Verlag）に引き継がれ、やはりクルツの編によって多数の句集、川柳集、歌集が出版された。これと平行して彼は1976年にはゲティンゲンのツム・ハルベン・ボーゲン出版社（Verlag Zum Halben Bogen）から8ページ仕立てのハルベ・ボーゲン叢書（Die Halbe-Bogen-Reihe）を出版し、日本の短詩にかかわるさまざまな作品やアンソロジーを編んでいる。

彼はまた、ハラルト・ヒュルスマン（Harald K. Hülsmann）、ザビーネ・ゾマーカンプ、フリードリヒ・ローデ（Friedrich Rohde）とともに、1981年には**ドイツ川柳センター**を設立した。当センターは1988年、ドイツ俳句協会に合併された時点では11か国からなる約120人の会員を持っていた。つまり、ドイツ語圏の国々では、俳句よりも**川柳**が先に作られたことを指摘しておきたい。

クルツ編による出版物の中で最も注目すべきものはイム・グラーフィクム出版社から出された次の6篇のアンソロジーである—

『独逸連歌大鑑』（*Das große Buch der Renga-Dichtung*, 1987）
『独逸連歌小鑑』（*Das kleine Buch der Renga-Dichtung*, 1988）
『独逸連歌参鑑』（*Das dritte Buch der Renga-Dichtung*, 1989）
『独逸短歌集』（*Das Buch der Tanka-Dichtung*, 1990）
『独逸俳句大鑑』（*Das große Buch der Haiku-Dichtung*, 1990）
『独逸俳句小鑑』（*Das kleine Buch der Haiku-Dichtung*, 1992）

クルツの協力を得て、1987年にはマルグレート・ブアーシャーパーはドイツ短詩を総括する著書を世に問うた—『ドイツの短詩——俳句、川柳、短歌、連歌の伝統に根ざした日本の詩形』（Margret Buerschaper : *Das deutsche Kurzgedicht in der Tradition japanischer Gedichtformen Haiku Senryu Tanka Renga*, Graphikum, 1987）。

また、クルツの先導によって1988年には待望の**ドイツ俳句協会**が設立された。当協会の目的は次のとおりである—

①日本の詩形、とくに俳句の普及を促進すること。

②俳句の形式や内容に関するさまざまな見解を伝えること。

③日本の作家や研究者との協力を育むこと。

④ドイツ語圏の作家達に情報、協力、出版の機会を提供すること。

これらの目的は、2年ごとに催される協会主催の大会や各地域の俳句クラブの集会や、季刊誌（*Vierteljahresschrift der Deutschen Haiku-Gesellschaft*. 後に2005年の第71号からは、*Sommergras*,「夏草」と改名）の発行によって実現されている。この季刊誌にはエッセー、論文、詩が掲載され、1988年6月に第1巻第1号が発刊されて以来、2022年には通巻で136号に達している。

2022年の時点での当協会に所属する会員数は270名である。協会は日本、合衆国、ベルギー、オランダ、イギリスと常に連絡を保っている。また、1990年にはかつての東ドイツにヒルマー・ビエル氏によってベルリン俳句協会が設立された。

これとは別に、1989年5月に催された第1回大会以降の別巻も発行されている。第2回大会（1991年）には日本からは初めて立正大学の小谷幸雄教授が出席し、『芭蕉、其角とゲーテ／変身（メタモルフォーゼ）』と題した特別講演をおこなった。

クルツの寄付によって第1回大会から「オイレンヴィンケル俳句大賞」が設けられ、受賞者の作品は上記のポケット・プリント叢書の1冊に加えられることになった。1989年の受賞者はリューディガー・ユング（Rüdiger Jung）、1991年はヨアッヒム・グリューンハーゲン（Joachim Grünhagen）であった。

1992年の時点でドイツ語俳句の発展と普及に寄与したのは元フランクフルト総領事の荒木忠雄氏である。荒木氏の編集によって『現代ドイツ俳句選集』（*Frankfurter Anthologie gegewärtiger deutscher Haiku*, 1989）と『ドイツ俳句理論エッセイ集』(*Deutsche Essays zur Haiku-Poetik*, 1989) が、次いで、『ドイツ連句選集』(*Gemeinsames Dichten. Eine deutsche Renku-Anthologie*, 1990) が、そして、『ドイツ俳句協会員名鑑』(*Bio-Bibliographie der Mitglieder der deutschen Haiku-Gesellschaft*, 1990) が出版された。また、氏の提唱により1990年に日独俳句大会が実現したことは、本稿の冒頭にも触れたとおりである。この大会によって、ドイツ語圏の作者達は俳句の故郷を実感することができ、また、日本の俳人との個人的なコンタクトを持つ機会にめぐまれた。これについては、本書の**コラム1**(**「バート・ホンブルクの月」**)を参照されたい。

ドイツ俳句協会はまた、学校教育における俳句の普及にも尽力している。これも同じく本稿の最初に述べたように、1990年の「世界こどもハイクコンテスト '90」にあたっては、当協会に400の俳句が寄せられた。当協会の今年の大会でもこどもの俳句が募集されたが、それには485句が送られて来た。

5-3. ドイツ語俳句の作家とその活動

ここでは、具体的に個々の作家を紹介することによって、ドイツ語俳句の発展と現状を見てみよう。

オーストリアではヨハンナ・ヨーナス-リヒテンヴァルナー (Johanna Jonas-Lichtenwarner, 1914- ?) が俳句に関する講演や句集によって俳句普及に尽くした。彼女の活躍はドイツとオーストリア、ことにウィーンの作家達に俳句の存在を知らしめた。1980年に出版されたアンソロジー (*Haiku*, Augartenverlag) の中に次のような句が見られる —

Ringsstraßenbäume kennen die Großstadtnächte, aber niemals –Nacht.	(ウィーンの) リング通りの木々は この大都会の夜を 一度として知ることはない — 夜の闇もまた

(試訳:闇知らぬ　リング通りに　生きる木々)

ここで再び挙げておかねばならない書は、カール・ハインツ・クルツの編になる『ドイツ俳句大鑑』(*Das große Buch der Haiku-Dichtung*, Im Graphikum,

1990）である。本書には22か国から555人の作者が参加した。

その後、多くの実作者達がみずからの句集を出版し始めた。すでに述べたインマ・フォン・ボードマースホーフ（1895-1982）とともにズィークリート・ゲンツケン－ドラーゲンドルフ（Sgrid Genzken-Dragendorff, 1900-85）もまた世に認められた俳句作家である。1977年から1985年にかけて、彼女は4冊の短詩を含んだ詩集を出版している。そこでは彼女は厳格に韻律を守り、俳句には象徴や隠喩を用いている。

Bläuliche Nebel	青みがかった霧
nachts unter den Schwarzerlen	夜　黒ハンノキの下で
Klagende Eule	鳴くフクロウ

この句にはいくつかの俳句に重要な要件が見られる。すなわち、「青みがかった霧」は秋の季語であり、現実のもの（ハンノキ）と非現実的なもの（地を這う霧）の描写からひとつの緊張が生まれる、フクロウの鳴き声は現実を呼び醒ますとともに深い象徴性をおびている。それは、太古のゲルマンの迷信では「死を呼ぶ声」とされているが、この句では上の緊張感を超えたものとなっている。悲しみと死の色である「黒」という言葉が不吉なものを予感させる。

日本学の泰斗、とくに俳諧文学の研究の第一人者と言われるホルスト・ハミッチュの処女句集『丘を越えて』（*Über den Hügel hinaus*, Herder, 1983）が彼の俳号「葉道」（ハミチ、あるいはヨードー）という名のもとに出版された。ペーター・コーネル・リヒター（Peter Cornell Richter）の写真が句集を飾った。（この句集については、**コラム２「葉道・リヒター、写俳展」**で述べることにする）

1981年にはハルトヴィーク・ホッセンフェルダー（Hartwig Hossenfelder）の川柳集『我が影に裏切られ』（*Auch dein Schatten ist dir nicht treu*, Simon & Magiera）が出版された。その中の句は5−7−5が厳格に守られ、道徳的、心理的、社会批判的、省察的なものがそのテーマとなっている。1984年には第2版が出ている。1983年、彼は歌集『灰色の空は青くできない』

（*Den grauen Himmel machst du nicht blau,* Vis-á-Vis）を、続いて風刺的、哲学的な短詩集『霧の中　穴に気づくはロバばかり』（*Den Abgrund im Nebel spürt nur der Esel,* Vis-á-Vis, 1986）を出版し、1990年には『天使の口の中も暗い』（*Auch der Mund des Engels hat einen dunklen Schlund*）と『日本の詩形による新しい短詩』（*Neue Kurzgedichte in japanischer Versform*）が私家版で出された。彼の詩の魅力は言葉あそび、格言を裸にして見せるところや、直接的な言い方がかえって描き出されたものの背後にひそむ思考を露わにするところにある。

以上から分かることは、ドイツ語圏では俳句と川柳は同じく短詩を担う詩型として認識されているということである。

Liebe macht nicht blind ?	口づけに
Ihr schließt ja schon beim Küssen	閉ざすまぶたや
fest eure Augen.	恋は闇

（*Auch dein Schatten ...* , p.21）

省略（余白）の効いた、表現力に豊むトーマス・ヘムステーゲ（Thomas Hemstege）の墨絵にも助けられて、これらの詩集がドイツ短詩の発展に寄与するところはきわめて大きい。

次に、絵画と結びついた俳句を紹介してみよう。

エーリカ・ラウアー・ベローは死の直前に貴重な句集『小石』（*Winzige Kiesel,* Siebenberg, 1986）を残した —

Winzige Kiesel	小石が
im versiegenden Flußlauf	涸れてゆく川の流れの中に
des Wassers Leuchten.	水が光る

彼女は俳句を公表するにあたっては何度も推敲を重ね、熟考した。広重や国芳の版画が彼女の作品を豊かにした。

1987年にクリスタ・ヴェヒトラー（Christa Wächtler）とサスキア・石川・フランケ（Saskia Ishikawa-Franke）の句集『四季の移ろい』（*Im Wandel der*

Jahreszeiten, Struve's Buchdruckerei und Verlag）が出版された。彼女達自身による絵が二人の俳句を飾っている。ヴェヒトラーは世に認められた画家であり、フランケはすでに長らく日本に住んでいて、句集『道の辺』（*Am Wegrand*, 文童社、1982）を出している。この句集にも彼女と彼女の夫君の挿絵が多数載せられている。これらの二人の句集によって画家達の間に俳句への関心の道がひらかれたと言える。

ミヒァエル・グロイスマイアー（Michael Groissmeier）は最初の句集『雪ダマルの目で』（*Mit Schneemannsaugen*, J. G. Bläschke, 1980）によって、すぐれた俳句詩人であることを示した。その後、彼は坂西八郎の協力を得て『俳句』（*Haiku*, Neske, 1982）を出版した。窪田薫による闊達な日本語への翻案と書、ナカノ・クニアキの美しい日本画が本書を飾り、英語訳も付されている。そして、1984年にはフィマール・タルラ（Vimal Tarla）の水彩画入りの『心の風景』（*Seelenlandschaften*, Eulen, 1988, 第8版）が出版された。本書のあとがきでこの女性画家は次のように述懐している ―「これらの絵の中で、わたしはまるでひとつの詩を書き、**ひとつのイメージ**を描いているような気がしました」と。グロイスマイアーはさらに1985年には新年と四季別に句を配した『タンポポの綿毛を吹く』（*Zerblas ich den Löwenzahn*, Schneekluth）を出版している。

オランダのフィヨドール・ヴァインホーフェン（Fjodor Weinhofen）は2冊の句集を先ずオランダ語で、次いで1990年にはさらに2冊をドイツ語で出版している ―

『孤独な白鳥』（*Einsamer Zugschwan*）と『アーモンドの花』（*Mandelröschen*, Im Graphikum）。

Die Katze stapft wie	踏みしめて
ein Pfau durch den Schnee, bange,	孔雀の如し
ihn zu berühren.	雪の猫

先に述べたクルツが編集しているイム・グラーフィクム出版社（Im Graphikum-Verlag）からはポケット・プリント叢書（pocket print Reihe）の他にいま一つの叢書グラフィークム小叢書（Die kleine Graphikum-Reihe）が出版

されている。この叢書からエドガー・ヴァインホルト（Edgar Weinhold）の二つの句集『形となった思考』（*Gestaltete Gedanken*, 1982）と『飛翔する思考』（*Gedanken im Flug*, 1988）が出ている。ジュネーブに住んでいるかつてのドイツ公使は、みずからの詩心を俳句、川柳、短歌に結晶させて見せた ―

Mit trocknen Blättern	風吹けば
Treibt der Wind ein hartes Spiel:	辛き踊りの
Sie müssen tanzen.	落葉かな

ヴェルナー・マンハイム（Werner Manheim）の3冊の短詩集『花の露の影』（*Schatten über Blütentau*, 1987）、『夜の吐息の中で』（*Im Atem der Nacht*, 1989）、『時は過ぎゆく』（*Einsam zieht die Zeit*, 1990）も上と同じ叢書から出版されている。アメリカの大学で40年以上も音楽、言語、文学を教えたドイツ生まれのこの詩人教授は、ドイツ短詩を英語圏の国々にひろめることに大いに貢献した。

ドイツ語俳句の発展に寄与した人として、ギュンター・クリンゲ（Günther Klinge, 1900-2009）の名を忘れることはできない。ミュンヘン市の評議員の他多くの肩書きをもつ彼は、故ヘルベルト・ツァッハート（Herbert Zachert, 1908-79）教授を通して俳句を学んだ。以来、俳句に寄せる愛と情熱を深めた。彼はすでに6冊の日本語による翻案のついた句集を日本で出版している。これについてはすでに紹介した。クリンゲ氏の1句を引用しておこう ―

Ich war nicht allein –	一匹の蠅と
eine Fliege war bei mir.	日曜
Ein Sommersonntag.	すごしけり
	（加藤慶二 訳、*Steingartenstille*、p.95）

日本では、ドイツの俳人といえば先ず最初に彼の名前が挙げられる。しかし、これらの句集はすべて日本で出版されているため、ドイツ国内では

あまり知られていない恨みがある。ドイツ語圏で出版された彼の句集としては次の3冊である—

『明日を信じて』（*Der Zukunft vertrauen*, Thorbecke, 1981）、『生々流転』（*Im Kreis des Jahres*, Pinguin, 1982）、『その日を生きる』（*Lebe den Tag*, Pinguin, 1983, 対訳集：『その日を生きる』、稲畑汀子 訳、求龍堂、2004年）。どの句集にも美しい写真が多数載せられている。さらに、英語による2冊の句集『月を友に』（*Drifting with the Moon*, Charles E. Tuttle, 1978）、『ひるからよるへ』（*Day into Night*, Charles E. Tuttle, 1980）がある。彼はミュンヘンに俳句のための出版社を設立し、稲畑汀子の『自然と語り合うやさしい俳句』のドイツ語版（*Erste Haiku–Schritte–eine Fibel*, 1986, 永田書房との共同）を出版した。

クリンゲと同じく、実業家の俳句愛好者としてリヒァルト・ハインリヒ（Richard W. Heinrich, 1911-2005）を挙げねばならない。彼もまた、私家版ではあるが10冊の句集を出している—

『俳句』（*Haiku*, 1981）、『燕去り』（*Wenn die Schwalben ziehn …* , 1982）、『妙なる静寂』（*Klangvolle Stille*, 1983）、『夏至、冬至』（*Sonnenwende*, 1983）、『光に満てり』（*Vom Licht durchdringen*, 1984）、『弦の鳴る如』（*Wie ein Saitenspiel*, 1987）、『波の音聴きて』（*Den Wellen lauschen*, 1988）、『木の葉落つ』（*Leise fällt ein Blatt*, 1991）、『蝶々輪舞』（*Schmetterlingsreigen*, 1994）、『星の原』（*Sternenwiesen*, 1997）。

ほとんどの句集に彼自身が撮った写真が載せられており、原句のほかに日本語と英語の訳が付されている。

An diesem Hügel	この丘に
die Gräber fremder Kriege –	眠る戦士よ
Herbstblumen im Wind.	草の花

（*Leise fällt ein Blatt*, p.148.　全句の翻訳は竹田が担当）

以上の句集の他に、第1から第5句集の中の句を日本の俳人甲斐虎童が選りすぐって日本語の俳句に仕立てた句集に『さへずり』（*Wenn die Meise singt …* , 濱発行所、1985）がある。

ハインリヒが俳句に求めるものは、忙しい仕事が終わった後のほっとした時間に自分の心を句の形で表現しようとするところにあるという。ホルスト・ハミッチュは彼の句集に寄せた序文の中で次のように述べている —

「ハインリヒ氏の多くの俳句は、自然とその多様な現象の体験をきわめて力強く表現しています。このような体験、感得、みずからの生と理解に基づくこのような経験は、いわばおのずと内面から生じて一つの俳句へと形づくられます。つまり内実と形態とが結合してある全一になります。このような感得が、言葉に移され、形態の法則性により仕上げられた時、読み手にはこれに関与することが要請されます。そしてこのような「共同活動」が増えていくならば、その暁にドイツ俳句からも、日本の俳句に固有の諸価値がひびき出て来ることでありましょう」（『波の音聴きて』の序文より引用）

カール・ハインツ・クルツもまた、編集者としての仕事の他に短歌、俳句、川柳、連歌の作者としておびただしい数の書を出版している。彼の業績については第6章でまとめて述べるが、句集としては『木陰の小道で』（*Auf überschattetem Pfad*）、『薄明の道』（*Wege im Dämmerlicht*）がある。また、人生を旅とした芭蕉に倣った現代のドイツ俳人として、『いずこにゆこうとも』（*Wohin ich auch ging*）（いずれもグラーフィクム出版社）といった旅のスケッチも残している。1988年の俳句ビェンナーレ東京で特賞を得た彼の俳句をここに引用しておこう —

Sie hängt am Himmel	初雲雀
über verschneiten Äckern –	空にかかるや
die erste Lerche ...	雪野原

この章で何度か触れたザビーネ・ゾマーカンプも多年にわたって俳句活動に取り組んでいる。彼女の講演、論文、エッセー、とりわけ1984年にハンブルク大学に提出された博士論文『イマジズムとビート・ジェネレーションに及ぼした俳句の影響——英米抒情詩の研究』（*Der Einfluss des Haiku auf Imagismus und jüngere Moderne–Stuien zur englischen und ameikanischen Lyrik.*）は、俳句という詩形式に関する理論的な情報を提供した。創作面での彼女の活躍も目覚ましく、1989 年には俳句を含めた詩集『光の瞬間』（*Lichtmomente,* Im Graphikum）を、また、1990 年には俳句を題材としたメルヘン『お日様探し』（*Die Sonnensuche,* Christophorus）を出版した。イレーネ・ミュラーの幻想的な挿絵が本書を飾っている。このメルヘンによって、将来より広い読者層が俳句に興味を持つようになることが期待される。

（付記）

ゾマーカンプは 2021 年に写真と短歌による短歌集を出した。

17 Ansichten des Berges Fuji.–Bilder und Tanka. iudicium.『富士 17 景』（イウディツィウム社、ミュンヘン）（口絵参照）

写真は彼女の子息が撮り、北斎の挿絵が興を添えている。導入として、ディートリヒ・クルーシェ教授が含蓄のあるエッセー「富士山──あなたと私」を書いている。このエッセーの日本語訳も含め、5 行からなる短歌の原文を竹田が 5–7–5–7–7 の日本語の短歌に仕立てた。

5–4. 俳句作品の傾向

現代ドイツ語俳句については第 4 章でまとめて述べるが、ここではその傾向といく人かの作家達の作品だけを紹介しておこう。

ブアーシァーパーによれば、現代ドイツ語俳句の傾向はおおよそ次の四つに分類できるという [27)]。

①伝統的俳句

②自由律・実験的俳句

③内容的に自由な俳句

④内省的俳句

1）伝統的俳句

これは、ボードマースホーフをはじめとして、日本俳句の伝統を踏まえた俳句である。ただドイツ語俳句は、先のボードマースホーフの句で見たように、連想の広がり、「深い意味」、「隠された意味」を持っていることがなによりも重要視されていて、それは読者が読み取らねばならない。

ドイツ俳句協会では、俳句の要件として次の5項目が勧められている[28)]—

1. 5–7–5のシラブルの形式をもつこと。
2. 自然詩（Naturgedicht）であること。
3. 季語ないしは季節感があること。
4. 現在の体験・状況を読むこと。
5. 内容的にそれとわかる「**切れ**」があって、「深い意味」、「隠された意味」（**余韻**、**含蓄**）があること。

ブアーシァーパーも季語の選定を試みており、四季別に多くの句を紹介している。（これについては第4章で総括する）

2）自由律・実験的俳句（かっこ内はシラブル数）

Stille der Eiszapfen	（6）	静かなツララ
innehalten	（4）	休んでいる
das Wasserrad läuft	（5）	水車が回る

Mario Fitterer（M. フィッテラー）

作者は現代ドイツ語俳句界を代表する作家の一人である。彼の句のすべてがこのような自由律になっているわけではない。ブアーシァーパーは内容から見るとこの句はすぐれた俳句だ、と言っている。2行目の「休んでいる」は動詞の不定詞（innehalten）が使われていて、**主語が定まらない**。それだけに、読者は自由な連想へと誘われる。どこかの村の冬の情景を描いたものであろう。人間もそれを取りまく自然もすっかり「休んでいる」ように見える。そんな静かな情景の中にも人の営みがあった。それは水車の音である。人間の営みを水車の音に託した。しかも、それは自然の力によって回っているのである。

3）内容的に自由な俳句

これは、自然そのものよりもむしろ政治、世界情勢、社会問題を詠んだ俳句で、日本の**川柳**に近いものである。先にも述べたようにドイツ語俳句の実作者の多くは川柳もつくっている。

Vogelscheuche mit	（5）	帽子と傘を付けた

Hut und Schirm. Jetzt wartet auf　（7）案山子。今、彼らを待ちうけているのは
sie der Ruhestand.　（5）停年。

Werner Jacobsen（W. ヤコブセン）

警官か軍人を描いた作品だろうか。

4）内省的俳句

ひとことで言えば思想的な俳句である。ヨーロッパ詩の伝統にある**エピグラム**（**格言詩**）や**アフォリズム**（**箴言詩**）が俳句と結合したものと言える。

Die Dämmerung sinkt　（5）たそがれが沈んでゆく
in die Ruhe der Berge　（7）山のしずけさの中に
Einkehr zu sich selbst　（5）自分に戻る

Lilo Brentrup（L. ブレントループ）

Blühender Birnbaum –　（5）わが棺に
und immer die Möglichkeit　（7）なるやも知れず
Sargbretter aus ihm zu schneiden.　（8）梨咲けり

Michael Groissmeier（M. グロイスマイアー）

（引用 : *Haiku*, p.14, Neske, 1982, 窪田 薫 訳）

morgens beim Umrührn　（5）朝　かきまわすと
löste sich das Mark und doch wie　（8）骨髄が融ける。だが、どれほど
hat dieser Traum mich gestärkt !　（7）この夢が私を励ましてくれたことだろう！

Georg Jappe, 1936-（ゲオルク・ヤッペ）

（引用 : Georg Jappe, *Haikubuch*, p.62, Horst Nibbe, 1981）

この作品について、D. クルーシェ（第 1 章を参照）は次のような解釈を試みている。47 ページと重複するが引用する ―

「昨夜の夢はおそらく、『骨の髄』まで作者の心を不安にさせるような悪

夢だったのだろう。しかし、今、朝の食卓ではその緊張感がなくなっている。コーヒ・カップの中には黒いコーヒーに白いミルクが混ざりあっている。そこから『骨髄が融ける』というイメージが作者の心に浮かんでくる。悪夢が心に重くのしかかるのではなく、予期に反して作者を励ましたのは、その夢が無意識なものを甘受したからである。『骨髄が融ける』は意識と無意識の境界がなくなった心の突然の弛緩を表現している」

これと同じような作品は、ボードマースホーフの句にも見られる。この作品についても第1章で述べたが、ここで再び引用しておきたい —

Ich schloß alles zu	(5)	私はすべてを閉じ
wollte schlafen. Doch der Traum	(7)	眠ろうとした。でも夢が
rief mich beim Namen.	(5)	私の名を呼んだ。

（引用 : *Haiku*. p.114. Langen Müller, 1962.）

5-5. ドイツ語俳句の形式と内容

5-5-1. シラブル数

ドイツ語俳句の作家達は、基本的には3行、5-7-5のシラブル数を守っている。例外的には、5-5-7や7-5-5のものもあり、また、そのような規則を二義的なものと見る作者もいる。

ミヒァエル・グロイスマイアーの句には、5-7-5のシラブル数にこだわらない句が多数見られる —

Die Sterne stürzen	瀧落ちて
den Wasserfall hinunter –	また浮きあがり
unversehrt tauchen sie auf.	映る星

（窪田 薫 訳、*Haiku*, p.79）

ゲオルク・ヤッペは5-7-5の規則を認めてはいるが、リズムを重視する場合にはこのシラブル数を無視する。彼は「俳句にとって第一の基準となるものは**余韻**（die Nachwirkung）である」（*Haikubuch*, Horst Nibbe, 1981, p.84）とし、彼の俳句は内容的に二つのイメージの緊張関係（「取り合わせ」に相当する）によって規定され、それら二つのイメージは第三のイメージの中でその効果が発揮される。

der Wellenschlag auf dem Kaminscheit :	暖炉の薪に波の音
aus dem Blaubeerkraut die Schlucht	ブルーベリーの野原の中の深淵が
am Herbstwind herauf	秋風に乗って昇ってくる

（*Haikubuch*, p.44）

難解な作品だが、ひとつの解釈（eine Interpretation）を試みてみよう —
二つのイメージ（zwei Bilderln）:

- 暖炉の薪から立ちあがる波のような炎（Flamme, 屋内 : innen, 暖かさ Wärme）
- 「ブルーベリーの野原の中の深淵」（大地の Schlucht, 屋外 : aussen, 寒さ Kälte）

第三のイメージ :「秋風に乗って」
余韻（Nachwirkung）: 屋内から屋外へ（von innen nach außen）
上から下へ（von oben nach unten）
暖と寒（Wärme und Kälte）

これらのことから感じられるのは「忍び寄る秋の気配」だろう。

5-5-2. 句読法と正書法

句読法に関しては、ドイツ語俳句では個々人によって異なっている。まったくそれを無視する人もあれば、厳格に守る人もおり、また、句の内容を示すための記号と考える人もいる。切字に相当するものにはよくコロンやダッシュが使われる。前者は一つのイメージから他のイメージに移る時に、後者は行の中間や行末に置かれて言外のものを暗示する。また、3 行目の最後の部分に三つのピリオド（...）がよく置かれるが、これは思考や体験が完結していないことを示している。

正書法もさまざまである。正書法どおりのもの、小文字だけのもの、各行のはじめが必ず大文字で書かれたものなど。作者によっては、図案のようにテキストを仕立てた句も見られ、それによってテキストの内容を補足し、具体化しようとしている。

5-5-3. タイトル

基本的には、俳句にはタイトルは付けるべきではないであろう。タイトルが必要とさるのはその句が生まれたある特定の場所や特殊な風景を述べる場合、また、それがなければ句の内容が理解されにくい場合である。川柳にはよくタイトルを付したものが見られるが、それはあくまでもテキストを補足するためのものである。

5-5-4. 俳句と自然ないしは季節

ドイツ語俳句は基本的には「**自然詩**」(Naturgedicht) である。それは、四季の循環の中でのささいな体験や目に見えない感動の瞬間をとらえようとする。句の中の季節は直接に述べられるか、あるいはまた、それを暗示する言葉によって示される。第 2 回ドイツ俳句協会大会では、ドイツ語俳句のためには季語とともに季節感も認められるべきであるとの提案がなされた。

なお、ドイツ歳時記の編集と執筆の仕事は、愛媛大学の藤田菖園氏等からの提案によってだいぶ以前からザビーネ・ゾマーカンプが携わっているが[29)]、完成には至っていない。

その後、日本の歳時記をドイツ語圏に紹介すべく、ギュンター・クリンゲ氏と加藤慶二教授との協力で、高浜虚子の『新歳時記・花鳥諷詠』が翻訳されている。重複するがここで再び記しておこう ―

ウェルナー・シャウマン・加藤慶二 編、永田書房、2004 年

Singen von Blüte und Vogel.

übersetzt von Werner Schaumann, Keiji Kato. Nagata Shobo, 2004

新版：*Singen von Blüte und Vogel.*

Takahama Kyoshis Jahreszeitenwörterbuch. Iuddicium, 2018

5-5-5. 俳論

多くのドイツ語俳句の作者達は今日でもヴィルヘルム・フォン・ボードマースホーフが提唱した「俳句考」（Wilhelm von Bodmershof, Studie über das Haiku, in : Imma von Bodmershof, *Haiku*, pp.139-152）を手掛かりとして俳句の実作をしている。その俳句論とは次のようなもので、以下の五項目の「構成原則」（Baugesetz）に要約することができる。

①すべての俳句は「形象」（Bild）から成り立っており、実際に俳句に描かれた形象は水墨画のそれに近い。

②俳句には「相対立する極」（Polen）が存在する。

③この両極間の緊張関係から一つの「動き」（Bewegung）が生まれる。

④俳句の根本的解釈には、「意味を担ったシンボル」（tragendes Symbol）の知識が必要である。

例えば、月は孤高に夜空を支配する光で、個々の人間の精神原理のシンボル。桜は人間における霊的・精神的な光を感じる中枢のシンボル。雨は死、庭は人間の内面、家は現世、雁は遠い彼岸を目指す巡礼者、蝶は精神的・永遠な人間、郭公は死を警告するもの、アムゼルは再生（春）を告げるもの、富士山は神々の住まう霊山のシンボルとされる。

⑤俳句で最も重要な要素は「隠された意味」（verborgener Sinn）である。俳人はそれを暗示するだけである。なぜならば，それは直接的表現によっては消えてしまうからである。

以上のことから明らかなことは、「俳句考」には俳句の重要な要素である季語への考慮がなされていないということである。季語については、単に俳句を四季に分類する言葉としか述べられておらず、しかも、シンボルをあらわす語とは区別されている。

ここから、例えば、次の子規の句は独特な解釈となる—

夕風や白薔薇の花皆動く　　子規

①「形象」：夕風のなかの白薔薇。②「相対立する極」：死と生。③「動

き」：直線的に生から死へ。④「シンボル」：夕風は死を、白薔薇は死をのり越える生を象徴。⑤「隠された意味」：すでに永遠の生を見出したものには、死はかすかなおののきでしかない。

渡辺勝氏はこのような俳句観について次のように述べておられる —

「子規の句に対するこの解釈は、わたしたち日本人には異質に響く。……そこには短詩といえばエピグラム、またはアフォリズムというヨーロッパの詩的伝統、ヨーロッパ人の思弁性、あるいは俳句に禅的な神秘を求めようとする俳句観等がうかがわれる。こうした俳句観のもとではすべての形象は超感覚的なものを表すための単なる手段になりさがってしまう。俳句が象徴の詩ではあっても、ひとつひとつの物の実在性がそこには保証されている。……こうした彼我の俳句観における齟齬を取り除くには、外国語俳句において軽視されがちな季語ないし季物につくよう勧めることが肝要に思われる。そして事実、W. ボードマースホーフの俳句理論の非を説き、象徴語を季語に置き換え、ドイツ語俳句の『歳時記』を作成するようにとの日本側からの提案を受けて、現在ドイツでは歳時記作成が進められている」[30]

現代の俳句作者マーリオ・フィッテラーは次のように述べている —

「俳句は近きもの、遠きもののしるしであり、すべては自然の一部であるが故に俳句は自然との関係のしるしである。また、自己と他者との関係のしるしでもある。意図や叙述や説明は俳句にはない。俳句は閉ざされた環ではない。それは**開かれている**。俳句は意味づけようとせずに意味をもっている。言われなかったことが、本質的には、表出されたものに等しい。**筆の余白**に完全なかたちがあるように」

（私家版 *Die Skilehrer warnt Schatten weiterzuwachsen*, 1990）

これは俳句作者の誰もが抱いている願いである。しかし、すべての俳句がこのような理想的な境地に到達しているわけではない。ドイツ語俳句の多くのものには単なる形象の記述にとらわれているものが目につく。また、俳句に描かれた形象やイメージによって、読者がさらに想像の翼をひろげられるような「**開かれた詩**」となっているものは少ない。なぜならば、多くの俳句はあまりにも重い言葉や明確すぎる表現によって、3行目でその詩を「閉ざして」しまっているからである。

また、俳句をみずから意味づけ、己が感情を表現しなければならないと信じている作者もいる。彼らは「沈黙すること」(Stummwerden) に信頼を寄せていない。彼らは読者が感じ取る力、ゲオルク・ヤッペが言っているように「潜在力をもつ触れ合い」(der potentielle Kontakt, in : *Haikubuch*, p.84) を認めてはいないのである。

一方ではまた、俳句を哲学的、瞑想的な自己認識の手段と考えている作者もいる。彼らは、日本における禅と俳句の密接な結び付きを、ヨーロッパ思想にも移植しようとしている。このような傾向をもった詩の世界でも、望みどおりの深さを暗示する3行詩があるにはある。しかし、珍しい詩の花を咲かせては、あまりに哲学的な思考や平板な人生知のためにしおれてゆくものも多い。

ドイツ俳句協会でたびたび議論にのぼることは、自然の事象を含んでいない作品や、自然の事象を単なる手段に使っている作品が果たして俳句と言えるのかどうか、ということである。ドイツ語俳句は未だ「学びの段階」にある。また、俳句の内的な構造を無視した3行詩は川柳だという見解がある。すぐれた川柳には、機知、ユーモア、人生哲学、人生知が含まれており、そこには内的緊張とリズムをもった確固とした構造があるのだ、という意見もある。

これらの議論の結果から、将来のドイツ語俳句の作家達は、基本的には次の二つの方向に向かうものと予測される —

①伝統的な俳句を継承し、基本的な俳句の構造を受けいれる作者。

②俳句と川柳の区別をなくし、その形式や内容にかかわらず「俳句的な」詩をも俳句と名付けたいとする作者。

ザビーネ・ゾマーカンプは彼女の講演『俳句──国際化した日本の短詩』(*Haiku, Ein internationales Phänomen japanischer Kurzlyrik*, in: Vierteljahresschrift der DHG. Jg.3, Heft 4, 1990, S.7/8) の中で、俳句の基本的要素として次のようなことを挙げている —

① 5−7−5 のシラブルの3行詩。

②体験の重視。

③現在との直接的な関係。

④誰にも分かり易いこと。

⑤季語。

⑥切れ字によるイメージ技巧的構造。

⑦深い意味が隠されていること。

このような図式化には反対の声も上がった。それは、長年俳句にかかわってきた人々や、それとは知らずに上の事柄をすでに身につけているベテラン俳人からである。一方では、まだ俳句の「学びの段階」にある人々からは、実作の上で参考になるとの意見もあった。

ドイツ語俳句そのものが「学びの段階」にある。世界を席巻したこの日本の短詩は、将来ドイツ語圏においてもますます多く作られるだろう。様々な理論が立てられようとも、またそれが捨て去られようとも。

あとがき

本稿はブアーシャーパー女史の講演原稿を土台としたもので、目的はドイツ語俳句の略史と現状の概観を得たい、というところにあった。原稿を読み進む中で分からぬ点もあったし、思わぬ誤解があるかも知れない。また、特に上の俳句論については、これに対する自分なりの見解を述べるべきだと思っている。「学びの段階」をすでに超えて、ドイツ語俳句は独自の発展を遂げていることを指摘しておきたい。

ここに紹介されなかった作家で重要な仕事をしている人々も多い。彼らの作品は、別の章、**第４章の『現代ドイツ語俳句選集』**で紹介したい。

［注］

この章を書くにあたっては、以下の拙論を参照した。

①現代ドイツ語俳句の状況

Die gegenwärtige Situation der deutschsprachigen Haiku

（神戸学院大学『人文学部紀要』第 4 号、1992 年、3 月）

②ドイツ・オーストリア俳句紀行

Meine Haiku–Reise durch Deutschland und Österreich
（神戸学院大学『人文学部紀要』第 6 号、1993 年、3 月）

③ドイツ語俳句の歴史と現状 —葉道／リヒター「写俳展」に寄せて—
Die Geschiche und der gegenwärtige Stand der deutschen Haiku–Dichtung
–Ein Beitrag zur Peter C. Richters Fotoausstellung von der Haiku–Dichtung Yôdôs
（神戸学院大学『人文学部紀要』第 7 号、1993 年、10 月）

1）内田園生「日独俳句大会に出席して」、荒木忠男「満身創痍の大勝—ホンブルク城日独俳句大会を顧みて—」。ともに『俳句研究』、平成 2 年、12 月号に所収。
渡辺 勝「異風土と俳句——日独俳句比較」『山火』平成 3 年 3 月号。
　なお、筆者も本大会に参加しその報告を行った—「バート・ホンブルクの月」（本書、コラム 1 に所収）。

2） 第 5 回国民文化祭・愛媛 '90 の『国際 HAIKU 大会記念誌』による。

3）・加藤慶二『ドイツ・ハイク小史』p.142（永田書房、1996）
・荒木忠男『フランクフルトの細道』pp.30-31（サイマル出版会、1991）

4）・Karl Florenz: *Dichtergrüße aus dem Osten*. 1984
Geschichte der japanischen Litteratur. 1906
・Wilhelm Gundert: *Die Japanische Literatur*. 1929
・Manfred Mausmann: *Liebe, Tod und Vollmondnächte*. 1951
・Wilhelm Gundert: *Lyrik des Ostens*. 1952
・Gerolf Coudenhove: *Vollmond und Zikadenklänge*. 1955
・Jan Ulenbrook: *Haiku, Japanische Dreizeiler*. 1960
・Gerolf Coudenhove: *Japanische Jahreszeiten*. 1963
・Erwin Jahn: *Fallende Blüten*. 1968
・Dietrich Krusche: *Haiku, Bedingungen einer lyrischen Gattung*. 1970
　なお、日本独文学会の学会誌『ドイツ文学』では、日本詩歌の翻訳に関する論考がこれまでに 2 編ある。
・Einosuke Takeuchi: Japanische Gedichte im Spiegel der modernen deutschen, Dichter, unter besonderer Berücksichtigung von W. Bergengrün und M. Hausmann. Nr. 22, 1959.
・Keiko Matsumaru: Zur Formenfrage beim Übersetzen von Lyrik. : An Hand der deutschen Übersetzungen japanischer Kurzgedichte. Nr.41, 1968

5）「ドイツの処女句集」、『俳句』所収、4 月号と 5 月号、角川書店。
　つづいて、昭和 39（1964）年には同誌にボードマースホーフをオーストリアのラーストバッハに訪ねられた折りの会見記が掲載され（「欧州の俳人を訪ねて」『俳句』1 月号）、さらに、昭和 46（1971）年にはボードマースホーフの第 2 句集『日時計』が紹介された（「ボヘミアへの丘」『俳句』4月号）。

以下、注に挙げた星野教授（1909-98）の論考は次の書に収められた —
星野慎一『俳句の国際性――なぜ俳句は世界的に愛されるようになったのか』（博文館新社、1995）。本書は第43回、日本エッセイスト・クラブ賞を受賞した。

6）・松尾邦之助、「真珠の発見、1−13」（『俳句』Vol.13,1-12, Vol.14,1. 1964-1965、角川書店）
・中根美都子、「俳句とハイカイ」『東洋の詩　西洋の詩』pp.37-67.（朝日出版社、1969年）
・中根美都子、「俳句・ハイカイ・エリュアール— 比較詩法の試み—」『講座比較文学』第3巻、pp.337-364.（東京大学出版会、1973）

7）Sabine Sommerkamp, *Der Einfluß des Haiku auf Imagismus und jüngere Moderne*. Studien zur englischen und amerikanischen Lyrik. Dissertation. Hamburg 1984
ザビーネ・ゾマーカンプ『イマジズムとビート・ジェネレーションに与えた俳句の影響――英米抒情詩の研究』、博士論文。ハンブルク、1984年。

8）・佐藤和夫、「アメリカ『俳句事情」（『文藝春秋』第56巻5号、pp.398-404. 文藝春秋、1978）
・佐藤和夫、『菜の花は移植できるか――比較文学的俳句論』pp.49-58（桜楓社、1978）
・佐藤和夫、『俳句からHAIKUへ、英米における俳句の受容』pp.226-227（南雲堂、1987）

9）佐藤和夫、「アメリカの小学校読本に現れた俳句」（『俳句文学館紀要』第2号、pp.207-230、1982）

10）第5回国民文化祭・愛媛 '90『国際HAIKU大会記念誌』より

11）W. G. Aston, *Grammar of the Japanese Written Language*. 1877. London / Yokohama
B. H. Chamberlain, *Things Japanese*. 1890. London.

12）富士川英郎、「フローレンツと日本学」『西東詩話』pp.339-345.（玉川大学出版部、1974）

13）W. Gundert, *Die Japanische Literatur*. S.121. Akademische Verlagsgesellschaft Athenaion, 1929.

14）ディートリヒ・クルーシェ（小沢万記 訳）「ドイツにおける日本俳句」『比較文学研究』第43号、p.111（東京大学比較文学会、1983）

15）G. S. Dombrady, *Issa Mein Frühling. Manesse*. 1983.
Ders., *Issa Die letzte Tage meines Vaters*. Dieterich. 1985.
Ders., *Basho Auf schmalen Pfaden durchs Hinterland*. Dieterich. 1985.

16）ディートリヒ・クルーシェ（小沢万記 訳）「ドイツにおける日本俳句」『比較文学研究』第43号、p.111（東京大学比較文学会、1983）

17）・高安国世、「リルケと日本人補遺──リルケと俳句」『リルケと日本人』p.167（第三文明社、1977）

・神品芳夫、「ドイツと俳句とリルケと」『詩と自然──ドイツ詩史考』pp.160-161（小沢書店、1983）

18）神品芳夫、上掲論文 p.165.

19）Vierteljahresschrift der Deutschen Haiku–Gesellschaft. Jhg.5, Nr.3. S.10. 1992.
（ドイツ・俳句協会、DHG、会報 Nr.3. 1992, p.10）

20）星野慎一、「ボヘミアへの丘」（『俳句』1977 年 4 月号、p.123）

21）星野慎一、「世界的視野から見た俳句（その 24）」（『暖流』1985 年 1 月号、p.5）

22）Erwin Jahn, *Fallende Blüten*. S.9. Arche, 1968.
星野慎一、「世界的視野から見た俳句（その 18）」（『暖流』1984 年 8 月号、p.6）

23）Imma von Bodmershof, *Sonnenuhr*, S.14. Stifterbibliothek Salzburg. 1970.

24）Sabine Sommerkamp, *10 Saisonwörter des Frühlings in Sonnenuhr.*
in: Fujita Shoen (hrsg.), *Löwenzahn*, S.60. Itadori Hakkosho in Matsuyama, 1979.

25）ブアーシャーパーは季語別に配した句集を出版した —
M. Buerschaper, *Schnee des Sommers*. Im Graphikum, 1993.

26）日本からの参加者は俳人の黒田杏子、宇咲冬男の両氏。この大会についての報告は、黒田氏の「日独俳句・連句交流シンポジウムに参加して」（『藍生』1991 年 9 月号）がある。

27）M. Buerschaper, *Formen deutscher Haiku–Dichtung an ausgewählten Beispielen*. Haiku–Seminar am 26.10.1991 in Frankfurt.

28）M. Buerschaper, *Formen deutscher Haiku–Dichtung an ausgewählten Beispielen*. Haiku–Seminar am 26.10.1991 in Frankfurt.
in: Tadao Araki (hrsg.), Symposium zur Haiku–und Renku–Dichtung 23. Mai 1992. S.9-16

29）これについては、渡辺 勝教授が『ドイツ語の俳句』（『埼玉大学紀要』第 18 巻、1984 年）で紹介している。

30）渡辺 勝「ドイツ語の俳句」p.14（『埼玉大学紀要 外国語学文学篇』第 18 号、1984）

コラム 1

バート・ホンブルクの月──日独俳句大会に参加して

（『游星』*、No.8. 1991 年による）

Der Mond über dem Bad Homburg

— ein Bericht über die Haiku-Versammlung von Japan und Deutschland, 1990 —

ドイツの秋の訪れは日本よりもひと足早く、世界史的な出来事をよそにホンブルク城は初紅葉に彩られて静かなたたずまいを見せていた。10 月 5 日の夕刻には盛装した参加者が三々五々と城に集まって来る。東西ドイツが再統一（1990 年）された 2 日後に、フランクフルト郊外のホンブルク城において日独俳句大会が催された。

主催者は荒木忠男氏（当時、ケルン日本文化会館館長、1932-2000）である。日本からは稲畑汀子（日本伝統俳句協会、1931-2022）、沢木欣一（俳人協会、1919-2001）、金子兜太（現代俳句協会、1919-2018）会長と各協会の会員が約 20 名ずつ、さらに坂西八郎（信州大学、1931-2005）、渡辺勝（埼玉大学、1932-2013）、窪田薫（東海大学、1924-99）、高橋信之（愛媛大学）などのドイツ語俳句研究者からなる総勢 60 名が参加した。日本側を取りまとめたのは内田園生国際俳句交流協会会長（1924-2009）である。一方、ドイツ側からはドイツ俳句協会（会長はブアーシャーパー女史、

ホンブルク城の中庭にて。参加者全員

＊俳誌『游星』（Haiku–Zeitschrift, *Yusei*）はドイツ文学者で俳句の研究家でもある星野慎一博士（Dr. Shin'ichi Hoshno, 1909-98）と俳諧研究の泰斗・尾形仂博士（1920-2009）を中心として、ヘルダーリン研究家の小磯仁・山梨大学名誉教授（1938-　）、医師で俳人の関忠雄氏をはじめとする人々によって 1987（昭和 62）年に創刊され、2007（平成 19）年に 37 号をもって終刊となった。多子彩々の研究者による講演や投句など、内容が充実した雑誌であった。なお、小磯教授は俳誌『自在』（美濃加茂市）でエッセーや実作もされている。

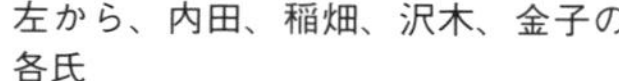

左から、内田、稲畑、沢木、金子の各氏

挨拶の様子。左から、荒木、内田、沢木、稲畑、金子、ブアーシャーパー、クルツの各氏

Buerschaper, 1937-2016）の会員を中心に約 60 名の俳句愛好者が参加し、日独双方で 100 名を超える国際的俳句大会となった。大会初日の夜は挨拶とレセプション、2 日目は日独代表による基調講演と 3 グループに分かれた合同句会が試みられた。そして、3 日目は場所をフランクフルト市内の国際書籍見本市会場に移し、前日の句会で選ばれた俳句が公表された。1990 年の国際書籍見本市は日本特集になっていて、日本文化を紹介する催しが数多く行われたが、この俳句大会もその一環を担ったものであった。以下にその模様を報告し、ドイツ語俳句の活動を紹介してみたい。

開会式が行われたホンブルク城はドイツ文学とかかわりの深い古城である。ハインリッヒ・クライスト（Heinrich von Kleist, 1777-1811）の戯曲『ホンブルクの王子』（*Prinz Friedrich von Homburg*, 1809-10）はこの城が舞台になっているし、また、ゲーテ（1749-1832）はこの城で愛の詩（Pilgers Morgenlied,「巡礼の朝の歌」1772 年）を作り、城の図書館司書となったヘルダーリン（Friedrich Hölderlin, 1770-1843）はここで多くの重要な詩作品を残している。従って、「この城に宿る詩の精神と魂が今回ここに集まられた人々に影響して良い作品ができますように」、とのヘッセン州古城・庭園監督官の言葉が印象的であった。オレンジ色のシャンデリアのもと、色とりどりの花で飾られた大広間で主催者側を代表して荒木館長は次のように挨拶した。

「統合されたドイツはヨーロッパの中央に位置し、今後は東西ヨーロッパの橋渡しの役割を担うことになるだろう。このような時に、日本文化の最も集約された表現ともいえる俳句がドイツ語文化圏で広く理解されるようになれば、ドイツ語が持つ国際性によって、俳句がヨーロッパ全体に広がることが期待される。ドイツはかつてケンペル、シーボルト等、日本を総括的に世界に紹介した学者の生まれた国であり、今回の日独俳句大会を契機として、ドイツが日本文化の全体像をヨーロッパに紹介してくれることを願っている」。

分科会の様子。稲畑主宰

次に稲畑会長はドイツの自然の美しさに触れながら、自然を通して日独の俳人が語り合えるようになればとの希望を述べ、金子会長はこのような「詩を語る会」が持たれたことへの感謝の気持ちを表明した。沢木会長は自然と共存し、自然を生かすことが俳句の精神であるとし、また、ドイツで観る十六夜の月は日本で観るよりも大きく澄んでいるように思われる、との述懐には会場全体に笑いの声がさんざめいた。その後のパーティーでは、ワインの香りとなごやかな雰囲気が広間に流れるうちに開会式は終わった。城の外に出てみると時雨が降ったらしく、色づいた木の葉から雫が落ちている。十六夜の月は雲間に隠れて見えなかったが、ゲーテの詩に歌われた城の塔がほの白く浮かび出ていた。

明くる6日には先ず内田会長が日本の俳句の成立と発展の歴史を概観し、俳句に観られるような簡素な表現の重要性は、ゲーテ（Goethe）、エドガー・アラン・ポー（Edgar Allan Poe,1809-49）、パウンド（Ezra Pound, 1885-1972）などの詩人達の言葉にも見られ、また、俳句の持つ余韻の深さはマラルメ（Stéphane Mallarmé, 1842-98）などの象徴派の詩に通じると、内容豊かな講演を行った。

三協会の会長の講演に続いて、ドイツにおける連歌や短歌の指導的立場にあるC. H. クルツ氏（Carl Heiz Kurz, 1920-93）の講演の内容は次のとおりである。

「19世紀末から20世紀初頭にかけて、リルケをはじめとする作家達が俳句を試みたが、ドイツ文学におけるドイツ俳句の歴史は未だ浅く、最近ではオーストリアの女性作家ボードマースホーフの名が挙げられる。ドイツ俳句史で銘記されるべき出来事は、1988年に北ドイツの町フェヒタでドイツ俳句協会（Deutsche Haiku-Gesellschaft）が設立されたことである。現在（1990年当時）の会員数は185名で、この協会の季刊誌がドイツにおける唯一の俳句雑誌である。現在、ドイツ国内で川柳、短歌、連歌、俳句などの短詩を作る人は600人をり、ミュンヘンのG・クリンゲ氏、フランクフルトのK. H. ヴァルツォック氏、また、デユッセルドルフではH. K. ヒュルスマン氏が川柳センターを開いている。その他オーストリア、スイスにも俳句グループがある。最近出版された『ドイツ俳句大鑑』（*DAS GROSSE BUCH DER HAIKU-DICHTUNG*, 1990, Im Graphikum.）には555人の作者による俳句が1句ずつ載せられている。そのうち131人が外国人で、日本からも 14 人の作者がこれに加わっている。ドイツ俳句の今後の発展に関しては、日本側からの指導と協力をぜひとも仰ぎたい」と、力のこもった講演を行った。

ブアーシャーパー会長は、ドイツ語圏のみならずヨーロッパ全体にも俳句文学を広めるために協会を設立したと説明し、次のような報告をした。

「我々にとって最も大きな俳句の魅力は、短い形式で詩を作る醍醐味が味わえることである。5-7-5 を考慮しながらも、むしろ詩のリズムが重視される。また、ドイツ俳句では作者の感情や思想そのものが表出され、自然の姿や事象も哲学的、宗教的な観点から詠まれる傾向にある。このような作句姿勢がはたして俳句にかなったものなのか、また、それがドイツやヨーロッパの俳句の発展にどのようにかかわってゆくかについては、今後、議論と研究を深めていきたい」。

さて、日独合同句会では、参加者があらかじめ投句しておいた 1 句にドイツ語と日本語訳が付いたリストが配られた。日本側の俳句の独訳は坂西、高橋両教授の他に、B. メンツエル（松山大学）、曽我部式子（愛媛大学）、S. 石川＝フランケ（甲南大学）の各氏が担当した（ドイツ側俳句の日本語訳の担当者は調べていない）。限られた時間内で翻訳された俳句を互選することはとても難しいように思われた。しかし、このような大勢の人々による国際的な句会は今回がはじめての試みでもあり、将来はこうした会が重ねられることで問題点も明らかにされ、より円滑な句会の運営が行われるようになることが期待される。

翌日の見本市会場での公開発表会では、三協会の代表が日本側の俳句を被講し、一方ドイツ側は、選ばれた句の作者が一人一人前に出て来て自分の句を表情豊かに朗読したが、これはいかにもヨーロッパ的だと思われた。その間には生け花のデモンストレーションや、東洋的とも前衛的とも思われる音楽が演奏され、日本の俳句の世界とはおよそ異なる奇妙な雰囲気が会場全体に流れた。しかし、これもドイツ俳句のひとつのあり方であり、試みを示しているように思われた。また、日本人の体質となっている五・七・五のリズムは外国語には移せないと考えていたが、次々と朗読されるドイツ俳句を聴いていると、5-7-5 のシラブルと 3 行による短詩の中から、おのずからひとつのリズムと余韻が生まれて来るようであった。（以下は拙訳による。原文のドイツ語は散逸して不明）

披講・朗読会の様子

・壁破れ石を集むる背の丸し　　（グリューンハーゲン）
・散る落葉枯れ枝の間に空は増す　　（グルンスキー）
・うそ寒の夜や予約の歯医者へと　　（シュミット＝ヴィルコート）
・月明し流れをのぼる蛙あり　　（C・H・クルツ）
・白き紙蛾の残したる銀の縞　　（ブアーシャーパー）
・秋の夜や月なき砂丘波がしら　　（ガレンケンパー）
・起重機手なる冬の日や雲の中　　（フィッテラー）

明治以来、K. フローレンツ（Karl Florenz, 1865-1939）、W. グンデルト（Wilhelm Gundert, 1880-1971）等の日本文学者や、日本文化の愛好者によってドイツにも紹介された俳句は、1950年代から1970年代の翻訳、紹介の時期を経て、やがてドイツ語による実作が試みられるようになるが、それは飽くまでもごく限られた人々の範囲内にとどまっていた。しかし、一昨年には一般の人々をも会員とするドイツ俳句協会が設立され、ついに今回の日独俳句大会が実現したのである。それは、一つの文化が他の文化に摂取されるありさまを如実に物語っている。季語や定型の問題、作句における精神的態度、あるいはまた、文学上のジャンルとしての位置づけ等の問題を課題と残しながらも、俳句はドイツの土壌に着実に根づいているように思われた。

ホンブルク城の中庭にて。ブアーシャーパー会長と筆者

公開発表の最後に、ブアーシャーパー会長はホンブルク城での上記の沢木会長の挨拶の言葉をうけて、次のような別れの挨拶をした―「日本のお客様方、どうぞ無事に帰国されて、日本で『小さな月』をご覧になりますよう」

この言葉をもって、今回の日独俳句大会という大きな連句の世界は満尾したのであった。

大会終了後、ダルムシュタット駅にて。左から、筆者、坂西八郎氏

第3章

ドイツ歳時記の試み
——ドイツ語俳句を手がかりとして——
Ein Versuch zum Deutschen Jahreszeitenlexikon
—— Anhand des deutschsprachigen Haiku ——

季節の一つも探り出したらんは
後世によき賜　　　（『去来抄』）

はじめに

庄野潤三の『野鴨』という小説の中で、主人公の井村が「あふれる溝」（fill–dike）ということばを思い出し『英語歳時記』（研究社）の「春」の巻を調べる箇所がある —

寒明けの日を中に挟んで、二度、雪が降り、あとの方が積もった。そのあくる日、一週間ぶりにいい天気になった。
「あふれる溝、というのがあったな」
井村の書斎に入り切らなくて、子供の部屋の方に行っている本がある。英語の歳時記の「春」の巻のはじめの方に出ていた。[1)]

小説の主人公にならって、当該箇所を調べてみると次のような記述があった —

In February – 'fil-ditch', as the old folk call it.
– R. Jeffries : Wild Life in Scotland
2月　—「あふれる溝」と古老がいう。[2)]

引用された上の短文の横には、谷川を白く縫って流れ下る早春の雪溶け水の写真が載せられている。なんとも季節感に富んだ情景とことばである。

『英語歳時記』（初版は1968年）は、詩や散文から季節に関することばを集めて四季別に配した事典である。われわれ日本人はことのほか「歳時記」ということばが好きなようだ。たとえば、「たべもの歳時記」、「草木歳時記」、「動物歳時記」、「文学歳時記」、「旅の歳時記」、「お天気歳時記」等々。その根底にはいつの時代にも変わらぬ日本人の自然と季節への愛着があるからだろう。「ことばの四季」、「季節のことば」、あるいは、「ヨーロッパの四季」、「フランス四季暦」、「イギリス四季暦」といった書物も多数出版されている。朝日新聞に延々と連載された大岡信（1931-2017）の「折々のうた」（1979-2007年）も「句歌歳時記」と言える。筆者の文章の冴えもさることながら、30年近くも連載が続いたのは、短歌や俳句の中に生きづく季節感が現在でもなお日本人の心をとらえるからではないか。

ところで、『英語歳時記』のような書物はわが国のドイツ文学の研究ではいまだ存在しない。以前から、自然観ないしは季節感情からドイツ文学を考えてみたいと思っていたので、『英語歳時記』との出会いは大きな示唆となった。その後、「文学歳時記」のたぐいの書物がドイツ語圏の国々でも多数出版されていることを知った。そこで、本稿ではまずドイツ語俳句を資料としてドイツ文学歳時記へのひとつのアプローチを試みた。ドイツ語俳句の要件として、3行17シラブルの短詩の中に、深い意味が込められていなければならないということがあるが、俳句はまた自然をテーマとした詩、「自然詩」（Naturlyrik）でなければならないという認識から、俳句に季節を読み込むこともその条件のひとつとされている[3)]。そこから、最近のドイツ語俳句では季語への関心がたかまっており、季語の選定や季語事典編纂のうごきがみられるからである[4)]。

「リンゴの花」に託するドイツ人の春への思いは、われわれの「桜の花」へのそれに通じるものがあるだろう。「クリスマス・ツリー」に寄せるドイツ人の心情は我が国の「門松」以上に深いかも知れない。これらの季節感に富んだことばを集めてみることは、ドイツ文学・文化理解へのひとつの手がかりとなるだろう。

季語の発見（Die Entdeckung der Jahreszeitenwörter）

ドイツ人が季語の存在に気がついたのはいったいいつ頃のことであったか。俳句を含めた日本詩歌のはじめてのドイツ語訳の単行本は、カール・フローレンツの『東洋からの詩人の挨拶』（Karl Florenz, *Dichtergrüße aus dem Osten*. 1894. 明治 27）であるが、これには詩歌の独訳が載せられているばかりで、短歌や俳句についての解説はなく、したがって、季語への言及はない。気にかかるのは同じくフローレンツの『日本文学史』（*Geschichte der japanischen Litteratur*. 1906. 明治 39）であるが、これはあまりにも大作のため、季語の記述があるかどうかは未だ調べていない。これに次ぐまとまったものとしては、ヴィルヘルム・グンデルト（1880-1971）の『日本の文学』（Wilhelm Gundert, *Die japanische Literatur*. 1929. 昭和 4）がある。本書には、季語（Jahreszeitenwort）という訳語は使われていないが、季語を的確に説明した箇所がある —

「梅の花、鶯（ナイチンゲール）、梅雨、蛍、蝉、秋の月、囲炉裏、あるいは吉野や富士といった地名はただ一回きりのものを表しているだけではなく、共通の確固たる体験の複合観念であって、これらに比べ得るわれわれのことばとしては、せいぜい「クリスマス」くらいなものであろう。」[5)]

これは、おそらく**ドイツ人による季語への言及**のごく早い時期のものとして注目される文章ではないかと思われる。

昭和 11（1936）年に渡欧した高浜虚子（1874-1959）は、ヨーロッパの自然に接しても作句する気持になれない理由を次のように述懐している —

「これ等は天然其物、季節其物の感じが日本とは違ってゐるのか、又は其の天然、季節に対する人々の感じが違ってゐるのか、とにかくそこに俳句といふやうな花鳥風月を詠ふ詩を生み出すべき原因が欠けてゐるやうに思はれました。今日まで西洋に花鳥諷詠詩といふものが興らなかったといふ事も、矢張りさうであるべき運命であったのかと思はれました。尠なくとも今の所、「季寄せ」「歳時記」といふものが制定されず人々をして人間生活の外に花鳥風月の世界のある事を知るに至らしめない原因があることを思はしめました」。[6)]

この体験をもとにして、俳句を季題詩としてヨーロッパに紹介するために、虚子は帰国後（昭和13、1938年）、俳誌『誹諧』を創刊し、みずからの句の英独仏の三か国語による解説と翻訳を載せる。独訳に関与したのは、ドイツ文学者、手塚杜美王（富雄、1903-83）と日本学者ヘルベルト・ツァハート（Herbert Zachert, 1908-79）である。ツァハートは『誹諧』第1号（1938〈昭和13〉年）に『明治より現代への俳句』という論文を寄せたが、この中ではっきりと「季語」ということばが使われている。少し長くなるが、俳句の特色をよく把えた文章なので引用する —

「俳句は三節より成る十七音の短詩である。内容より云へば、『自然を詠ずる叙情詩』（Naturlyrik）と名付くべきであらう。春、三月、花、暑さ、落葉、雪、自然の循環の中に継起する、無数の現象を詩作の対象とし、それによって惹き起された感動を詩人は詠ふのである。単に直接の自然現象を詠ふ許りでなく、人間生活をもその題材とするが、それは自然の循環に規定され抱攝された、自然現象の一環としての人間生活を歌ふので、小説、戯曲等とはその領域を異にする。此処に何よりも強調しなければならないのは、日本に於ける自然の季節現象の変化が独逸等に於けるより遙かに顕著であると云ふ事である。即ち日本人は季節のリズムに触るることが我々よりは遙かに密接で、それに対する感受力も我々よりは遙かに鋭敏なのである。かく自然は季節それぞれの姿に於て断えずその新しい姿を日本人に示してゐる。この事を認識する時、吾人は始めて、何故俳句に於て所謂**季語**（Jahreszeitenwörter）が缺くべからざるものとされてゐるかを理解することができる。季語とは何か。『桜花』は単にその物の名称であるばかりではなく、俳句に於ては同時にその桜の咲く季節を感じさせ、その季節の空気、温度、湿度、明暗等までも、触知せしめる機関となるのである。此の言葉の存在によって俳句はその描写に於いて、その鑑賞に於いて、より具体的なる自然へと肉迫する。各々の俳句はそれぞれ独立のテーマを有ちながら、此の季語を通じて吾人の殆ど予想できない様な広い想像の世界に結ばれるのである。此の連想（Gedankenverbindungen）の世界を枠とし背景として、優れた俳句は自然の生きた描写をなし、生きた感動を伝へ得て居るのである。実に此の点に此の十七音の短詩がその無限の効果を惹き起し得る秘密が存するのである」[7)]

ドイツ語圏ではじめて（1962年）本格的な句集を出版したのは、オーストリアの女性作家ボードマースホーフであった（Imma Bodmershof, 1895-1982, *Haiku*. Albert Langen / Georg Müller）が、彼女に俳句創作のきっかけをつくったと言われる二つの日本詩歌の訳詩集がある。ロートタウシャー（Anna von Rottauscher, 1892-1970）の『黄菊』（*Ihr gelben Chrysanthemen*, 1958）とハウスマン（Manfred Hausmann, 1898-1986）の『愛、死、満月の夜』（*Liebe, Tod und Vollmondnächte*, 1951）である。ハウスマンの訳詩集には季語への言及はなく、ロートタウシャーの『黄菊』には次のように述べられている―

「俳句の規則によれば、どの句にも季節が述べられるか、暗示されねばならない、とされている。それ故に、桜ということばは単に花咲く木を意味するのではなく、春の自然の華やかさの一部をなしているのである。雁は秋になったことのみを表現するのではなく、同時にそれは秋の寂しさを、老いのはじまりへの自覚をも暗示しているかも知れないのである」[8)]

Anna von Rottauscher（ロートタウシャー）

ここにはたしかに季節への言及はあっても、「季語」ということばは使われていない。従って、鈴木大拙などの著書をつうじて、禅とのつながりから主として俳句における精神的・思想的側面に魅力を感じたボードマースホーフの季語そのものへの認識には不十分なものがあった[9)]。

ハウスマンの著書以後に一般的な読者を獲得した日本詩歌の訳詩集としては、ウーレンブローク（Jan Ulenbrook, 1909-2000）の『俳句、日本の三行詩』（*Haiku, Japanische Dreizeiler*, 1960）、クーデンホーフ（Gerolf Coudenhove-Kalergi, 1896-1978）の『日本の四季』（*Japanische Jahreszeiten*, 1963）、ヤーン（Erwin Jahn, 1890-1964）の『散りゆく花』（*Fallende Blüten*, 1968）、そして、クルーシェ（Dietrich Krusche, 1936- ）の『俳句、叙情詩の諸条件』（*Haiku, Japanische*

Gedichte. Bedingungen einer lyrischen Gattung, 1970）が挙げられるが、これらの書物における季語への言及を次に見てみよう。

「個々の発句にはたとえば『春風』や『秋の嵐』といったことばが含まれていていなければならない、という規則がある。これらのことばはひとつの季節を暗示し、発句の基本的な気分を規定する。この規則はわずかな例外を除いて今日でもなお守られている。季節を暗示するこのようなことばは、「季語」（Jahreszeitenwörter）と呼ばれている」[10)]

Jan Ulenbrook（ウーレンブローク）

「どの俳句も**五つの季節**（新年、春、夏、秋、冬）に関係していなければならず、季節は自然の事象、行事、時候、植物、動物などにおいて明確に表現されるか、少なくとも、暗示されねばならない。それによって、当該の季節感情が読者と聴き手の中で呼びさまされるのである」[11)]

Gerolf Coudenhove-Kalergi（クーデンホーフ）

「季節は日本詩歌のはじめから、その本質を形成してきたものである。17 ～ 18 世紀の古典俳句では、わずかな例外を除いて、いわゆる「**季語**」（Jahreszeitenwort）は不可欠のものであった」[12)] Erwin Jahn（ヤーン）

「どこまでも自然とかかわる生活を表現する俳句に首尾一貫していることは、何よりもそれが**季節**を表現しているということである。季節の体験は、人間の自然にたいする最も具体的な関係に他ならない。日本の俳句は自然と分かち難く結びついているが故に、それはまた季節と結合しているのである」[13)] Dietrich Krusche（クルーシェ）

以上の引用からも明らかなように、季語ということばが使われていない解説もあるが、少なくとも、俳句では季節が重要な要素であるということは、ドイツでもごく早い時期から現在にいたるまでじゅうぶんに認識されてきた。しかし、その間、虚子の努力があったにもかかわらず、この認識は季語の醸成というところまでは進まなかったようである。ドイツ本国で連歌や俳句の普及に貢献された荒木忠男氏（元フランクフルト総領事、元ケルン日本文化会館館長。1932-2000）は次のような報告をされている—

「ドイツ語俳句作家との対話を通じて分かったことだが、彼らのあいだで季語の重要性は確立されていない。その真因は、日本と中欧の気候風土の違いというよりは、第一に彼らがあまりにも自己主張的で観念的叙情詩に傾き、俳諧の座とか連衆の習わしを識らないため、体験の共有（互選）により季語が育つということがない。第二に厳格な詩法を踏まえたドイツ語の伝統に対する反逆、あるいは、伝統からの自己解放として俳句に没頭しているため、**歌枕や俳枕**に支えられた季語の醸成が不可解である、との点にあるようだ。

例えばゲーテは、若き日に瞥見した蛍のことを『詩と真実』に記し、その蛍はゲーテがライプチッヒへ留学の途次立ち寄ったゲルンハウゼンの町にいまでも現れるが、芭蕉が西行への思慕の念に駆られて、「田一枚植ゑて立ち去る柳かな」と詠んだことを知るわれわれ日本人としては、なぜドイツ語で「蛍」という言葉がかりにゲーテを踏まえて季語として昇華しないのか、不思議でならない。

ゲーテに対する尊敬の念は、ドイツ人より日本人のほうが大きいのかもしれない。それでは在欧の日本人が欧州文人の跡を訪ねて、伝統的な季語に、ヨーロッパ近代詩の業績を踏まえて、新しい生命を吹きこむことができないものだろうか？」[14)]

この文章がはじめて発表されたのは、1989年（『馬酔木』、9月号）のことであった。これ以前から荒木氏はたびたびドイツの俳句愛好家と交流を重ねておられるから[15)]、これと同趣旨のことを折りに触れてかの国の俳句作者に進言されていたことが考えられる。また、これより先、ホトトギス主宰の稲畑汀子氏（1931-2022）はミュンヘンの俳句作者ギュンター・クリンゲ氏（1900-2009）の協力のもと、俳句が季題詩であることをかの地で何度も講演した[16)]。

このような動きの中で、1989年に荒木氏の編集で出版された報告書『ドイツ俳句理論エッセイ集』[17)]に、ドイツ俳句協会会長マルグレート・ブアーシャーパー女史（1937-2016）は「ドイツ語俳句における季語」という論文を寄せた[18)]。さらに、翌1990年には『共同の詩、ドイツ連句アンソロジー』[19)]という報告書が同じく荒木氏の編で出版され、これら二つの報告書は1992年には『短詩における独日の出会い』[20)]というタイトルで1本にまとめられた。さらに、1991、1992年には、「ハイクと連句のシムポジウム」がケルンの日本文化会館で催され、その報告書も印刷されている[21)]。したがって、上に引用した荒木氏の見解は、現在ではドイツ語俳句界にはかなり浸透し、季語への関心がたかまっていることが考えられる。わが国におけるドイツ語俳句研究の先駆者である坂西八郎氏（1931-2005）は、上記のブアーシャーパー女史の論文について「これはドイツ語で書かれたはじめての季語論である」と述べている[22)]。

さて、ブアーシャーパー女史はこの論文の中で、日本の俳句と季節、季語の密接な関係や、歳時記の存在についても触れ[23)]、さらに、ドイツにおける俳句のあり方は、19世紀以来、ドイツ叙情詩の中に存続してきた「自然詩」（Naturlyrik）を継承するものと理解している。すなわち、自然詩には二つの重要な要素があって、それは、自然観察が瞑想、内省へと詩人を誘い、詩人とはそれらをことばによって綜合しようとする存在で、俳句にもそのような要素があるという見解である[24)]。そして、ドイツ語の季語について彼女は次のように述べている―

「確かに、ドイツ語の季語には日本のような統一された、伝統的な象徴内容はない。季節をあらわす言葉にたいする感情も実感もドイツでは個人的であり、個人の経験、想像力、感覚に左右される。しかし、イメージ豊かな感情のこもった象徴はドイツの季語の中にも隠されている」[25)]

彼女はドイツ語の季語を日本の歳時記に倣って次のように分類している―

①天文（Gestirne）・時候（Wetterelemente）、②地理（Geographie）、③行事（Feste）・習俗（Bräuche）・生活（Leben）、④動物（Tiere）・鳥（Vogel）・虫（Insekten）、⑤植物（Blumen, Pflanzen）。随所に解説を施し、ドイツ語俳句の

例句も引用している[26]。

本稿は女史のこの論文と、他に三種類の雑誌連載記事、坂本明美『ドイツ歳時記』、宮下啓三（1936-2012）『ドイツ文化歳時記』、早川東三（1929-2017）『ドイツの暮らし』[27] をもとにしてドイツ語の季語をこころみに選んでみたものである。早川氏の記事は、『ベリー公の時祷書』[28] が基本的な資料となっている。時祷書にはさまざまなものがあるが、そこに描かれている1月から12月の月ごとのヨーロッパの人々の生活様式には共通したものがあり[29]、これも歳時記のひとつになるのではないかと思われる。ところどころに挿入した日本の季語や俳句は、日独の季節感の比較をするために付けた。

1．春の季語

①天文（Gestirne）・時候（Wetterelemente）

Frühlingsanfang（「春のはじまり」）：　3月21日の春分の頃。

Strahlender Frühling ;	春の陽の閃光
Mars stimmt das Wiegenlied an –	軍神マルスが子守唄を歌いはじめる
Pflanz den Apfelbaum.	りんごの木を植える

Wilma Klevinghaus（ヴィルマ・クレヴィングハウス）

閃光や死にゆく街に林檎植う

ブアーシャーパーの解説によれば、この句は1986年のチェルノブイリの原発事故を踏まえた作品だと言う。

Vorfrühling（「早春」）：「春のはじまり」からリンゴ（Apfel）の花が咲き始める頃まで。日本ではソメイヨシノの開花によって春の到来の目安とするように、ドイツではそれをリンゴの花によって行う。ドイツでのリンゴの花の開花は4月になってからである。エルベ河左岸のアルテス・ラント（ハンブルク市南西）は4月末には花の里となる。

April（「4月」）：ラテン語の aperire「開く、解き放つ、明かす」に由来。

昔は Wandelmonat（「うつろい月」）、Grasmonat（「草の月」）とも言った。

Aprilwetter（「4 月の天気」）：あてにならない物の代名詞。

Mai（「5 月」）：「歓喜の月」とも呼ばれる。ドイツとその周辺の国々では5 月は特別な感情をもって迎えられる。ゲーテの『若きヴェルテルの悩み』の冒頭は 5 月の自然描写からはじまっているが、そこには主人公ヴェルテルのみならず、ドイツ人一般の 5 月に対するよろこびの心情が表現されている。

Vollfrühling（「春たけなわ」）

Föhn（「フェーン」）：もともとはアルプス地方のことばで、春をもたらす南風。このことばの背後には、春の到来を喜ぶ感情とともに、人と動物の感覚を混乱させる不気味な風という含意もある。

Juni（「6 月」）：Juno（Jupiter の妻、結婚の守護神）に由来する。6 月は結婚の季節でもある。

Juniregen（「6 月の雨」）：「6 月の雨は豊かな恵みを運んでくる」（„Juniregen bringt reichen Segen.“）（北ドイツの農村の格言）。『若きヴェルテルの悩み』の中で、ヴェルテルとロッテが初めて出会うのは 6 月であり、そこでは、はげしい雷雨が去った後のすがすがしい田園風景が描写されている。ロッテは神の恵みともいえる雨に感激するが、そこにはこの時節の雨に対して抱くドイツ人の感情が表現されている。

②地理（Geographie）

Lösendes Eis（「雪解」）

Eis löst sich vom Bach –	小川の氷がゆるむ —
klar aus der Tiefe leuchten	河底からくっきりと光り出す
braungold die Steine.	褐色に輝く石たち

Imma von Bodmershof, 1895-1982, *Sonnenuhr*, 1970. S.12.

（イムマ・ボードマースホーフ）

Sturzbach（「雪融けの急流」）

Firnschnee（「根雪」）

Drüben noch Firnschnee	遠くはまだ根雪

hier öffnet sich weit dem Blau　　ここでは雲間から
die Wolkendecke　　青空が広がる

Erika Lauer–Below: *Winzige Kiese*. Siebenberg, 1986, S.31.
（エーリカ・ラウアー–ベロー、『小石』）

③行事（Feste）・習俗（Bräuche）・生活（Leben）

Aprilscherz, Aprilnarr（「エイプリル・フール」）：4 月 1 日。16 世紀頃までは新年は 3 月 25 日だった。その後の 1 週間が春分の祭りで、4 月 1 日には贈り物を交換した。ところが 16 世紀に新年を 4 月 1 日に改めた時、それを知らない人たちが少なからずいて、相変わらずこの日に贈り物を交換した。ここから、この日にわざとプレゼントするという「あそび」の習慣が生まれ、現在の「エイプリル・フール」になったといわれる。

Palmsonntag（「枝の主日」）：「復活祭」直前の日曜日。Palm（棕櫚（しゅろ）、ヤシ）の枝を道に敷いてキリストのイエルサレム入場を迎えたことを記念する。ドイツでは柊（ひいらぎ）、杜松（ねず）、柳、樅（もみ）などの常緑樹で代用し、それを教会で清めてもらい、魔よけとする。

Karfreitag（「悲しみの金曜日」）：「復活祭」前の金曜日。キリストが磔にされた日。kar は古高ドイツ語の kara（「嘆き、悲しみ」）を意味する。

Ostern（「復活祭」）：4 月中旬（春分の日の後の最初の満月の次の日曜日）。ゲルマン民俗の春の女神 Ostera に由来する。「復活祭」から本格的な春がはじまる。キリストのよみがえりは、長い冬の支配から完全に解放された人々の喜びでもある。心地よい風がわたり、小鳥が明るくさえずり、森や野はみずみずしい緑に満ちる。『白雪姫』が長い死の眠りから、王子に見出されて息をふきかえすまでの物語は、長い冬から春への目ざめを象徴している。ゲーテの『ファウスト』の復活祭の場面は印象的である。この詩は第 8 章で引用する。

Osterhase（「復活祭の兎」）：兎は豊かな生命力を象徴している。兎の形のケーキやチョコレートが菓子屋の店頭に出る。

Ostereier（「復活祭の卵」）：「復活祭の兎」が生み落とすとされる。さまざまに色づけした卵を木の枝に吊したり、両親が庭の植え込みに隠した卵を子供達が探してよみがえった春の陽光を楽しむ。

Schau mitten im Ei	ごらん卵の真ん中を
klein und gelb eine Sonne –	小さく黄色に太陽が —
wie kam sie hinein ?	どのように卵の中に入ったのだろう？

春なれや卵の中に陽のひかり

Imma von Bodmershof, 1895-1982, *Sonnenuhr*, 1970. S.12.

（イムマ・ボードマースホーフ『日時計』より）

Konfirmation（「堅信礼」プロテスタント）、Erstkommunion（「聖体拝受」カトリック）：幼児がキリスト教徒として受け入れられる儀式。「復活祭」の頃によく行われる。

Walpurgisnacht（「ヴァルプルギスの夜」）：4月30日～5月1日の夜。ひと冬の仕事をすませた魔女たちが、ブロッケン山に集まって忘年会に打ち興じる。一夜明ければ5月で、冬の名残はすべて消えてしまうからである。ゲーテの『ファウスト』の「ヴァルプルギスの夜」の場面は有名である。

Maifeier（「5月祭」）

Maibaum（「5月柱」）：5月1日。その年の収穫の豊かさと神の祝福を願う。まっすぐな木を切り出してきて、木の先端だけ緑を残し、あとは枝も皮も取り除く。これにモミやシラカバの葉を編んでつくった輪をつるしたり、いろいろな飾りをつけて広場に立て、そのまわりで人々が踊ったり（Bändertanz）、歌ったりする。村で働く各種の職人のシンボルを付けることもある。

Eisheiligen（「氷の3聖人」）：日本の「寒のもどり」に相当し、5月中旬にみられる。Mamertus, Pankratius, Servatius の3人の聖人に因む。

Maibock：5月に醸造した強い黒ビール。

Maibowle（「5月のパンチ」）：5月に花が咲くクルマバソウ（Waldmeister）を

材料にしたワイン。

Almauftrieb（「牧開く」）：羊や牛を山の牧場に放牧する。

（→ Almabtrieb（「牧閉ず」）

Heuernte（「干し草刈り」）：『ベリー公の時祷書』（口絵参照）によれば、6月は干し草刈りの月。

Himmelfahrt Christi（「キリスト昇天祭」）：「復活祭」から40日目の木曜日。この日には雷雨があるという言い伝えがドイツの一部にある。天に昇るキリストのために雲が割れて通り道をつくるからである。

Pfingsten（「聖霊降臨祭」）：「キリスト昇天祭」から10日目、「復活祭」から50日目。神が人間に聖霊を与え、それによって人間が信仰心を得て、教会という共同体が誕生した。クリスマス、復活祭とともにキリスト教の三つの大祭で、初夏の祭典にふさわしい祝日である。ゲーテの『ライネケ狐』は聖霊降臨祭の自然描写で始まる。オーストリア北部では人々が丘に登り、天から降ってくる聖霊をつかまえる風習が残っている。ドイツの一部では家の中に聖霊が入ってきてくれるように戸を開け放しにする。健康と収穫を象徴する若々しい緑色の葉をつけた枝を戸口や窓に飾る。バイエルン州の学校では2週間近くも休みになり、自然と親しむ良い機会となっている。「聖霊降臨祭」は地方色豊かな風習を見るには恰好の祝祭である。

④動物（Tiere）・鳥（Vögel）・虫（Insekten）

Vogellied（「鳥の歌」）：「囀り」（日本）

（参考）　囀りをやめて居る間の枝渡り　中村汀女

Nestbau（「巣づくり」）：「鳥の巣」、「巣籠」（日本）

（参考）　巣籠の姿勢崩さず晝も夜も　左右木韋城

Nachtigall（「ナイチンゲール」）

Aufgehender Mond –	昇る月
der Gesang der Nachtigall	啼く鶯の
beseelt die Stille.	しずけさよ

Richard W. Heinrich, 1911-2005（リヒャルト・W. ハインリヒ）

その他には、Amsel（「アムゼル」、「クロツグミ」）、Küken（「ひよこ」）、Frosch（「蛙」）、Lamm（「子羊」）、Kitz（「子山羊」）、Kalb（「子牛」）など。

⑤植物（Blumen, Pflanzen）

Mondwinde（「夕顔」）

Am Brunnenrand blüht	泉のほとりに咲いた
kühl die Mondwinde und sacht	涼しげな夕顔の花　そっと
wächst das Samenkorn.	ふくらむ花の種

Johanna Jonas–Lichtenwallner（J. J. リヒテンヴァルナー）

Blühender Birnbaum（「梨の花」）

Blühender Birnbaum –	わが棺に
und immer die Möglichkeit,	なるやもしれず
Sargbretter aus ihm zu schneiden.	梨咲けり　（窪田 薫 訳）

Michael Groissmeier, 1935– , *Haiku*. Neske.1982, S14.

（ミヒァエル・グロイスマイアー『俳句』より）

Lindenbaum（「菩提樹」）：4月末～5月はじめにハート形の葉がいっぱいに広がり、6月～7月に甘い香りの花が咲く。春の季節と若い男女の恋を象徴する木である。『菩提樹』（シューベルト作曲／W. ミュラー作詩）に描かれた「市門の前の泉」とは、古くからあるドイツの町中では良質の水を得ることは困難で、町を出た所に湧き出る井戸水が新鮮な水の供給源であったことを意味している。そして、そこに水を汲みに来るのは体力のある若者であった。したがって「泉」は若い男女の出会いの場であり、恋を語る場となった。

Kirschblüten（「桜の花」）

Ein Kirschblütenzweig	隣家の庭の
aus meines Freundes Garten	桜の枝が花をつけて
schmückt jetzt mein Zimmer.	今は私の部屋を飾っている

Rolf Boem : Kurz. S.1（ロルフ・ベーム）

Kirschen（「サクランボ」）

“Kirschen miteinander essen”「さくらんぼを一緒に食べる」は「竹馬の友」に相当するドイツのことばである。

Flieder（「ライラック」）

Von weißem Flieder	白いライラックの花が
verschneit ist die Quelle–selbst	井戸のまわりに散り敷いて
das Wasser duftet.	水さえ香ぐわしい

（Imma von Bodmershof : *Sonnenuhr*. Stifterbibliothek, 1970, S.16）

（イムマ・ボードマースホーフ『日時計』より）

（参考）　舞姫はリラの花よりも濃くにほふ　　山口青邨

その他には、Erdbeeren（「イチゴ」）、Spargel（「アスパラガス」）、Kastanie の花（「マロニエ」）、Maiglöckchen（「ズズラン」）など。

2．夏の季語

①天文（Gestirne）・時候（Wetterelemente）

Sommeranfang（「夏のはじまり」）：6 月 22 日の Sonnenwende（「夏至」）の頃とする。

Lange Tage（「永い日」）：日本の「永き日、日永、暮れ遅し」は春の季語である。

「1 年中で実際に昼の永いのは夏至の前後であるが、日の短い冬の後の春に、最も日永という感じが深いので、俳句では春季になっている」。（『ホトトギス・新歳時記』）

（参考）　うら門のひとりでにあく日永かな　　一茶

　　　　暮れ遅し門燈をつけポストを見　　星野立子

ここには日独の季節感の顕著な相違が見られる。夜の 8 時頃まで明るいドイツの夏の夜は湿気もなく、蚊もいないので、人々はテラスなどで夏の夜を楽しむ。それに比べて、日本の夏は一刻も早く日が落ちて夕涼みを待ちかねる風情である。日が長くなったと感じるのはやはり春である。それだけ日本人の季節感はより感覚的である。

Hundstage（「犬の日々」）：7月末～8月末。この頃 Hundstern（シリウス星）が太陽とほぼ同じ頃にのぼるので、この名が付いた。ドイツで最も暑い時期とされる。

Roter Mond（「赤い月」）：外国では、日本のように「月」と言えば秋という伝統はない。従って、月には修飾語が必要である。

Blendender Vollmond（「まばゆい満月」）：夏の満月。

Gewitter（「雷雨」）

Regenbogen（「虹」）

（参考）　虹立ちて忽ち君の在る如し　　虚子
　　　　虹消えて忽ち君の無き如し　　虚子

Tautropfen（「露」）：日本では「露」は秋の季語。

Jili（「7月」）：Jilius Cäsar の名前に由来。昔は Heumonat（「干し草の月」）、Heuet と言った。

August（「8月」）：ローマ帝国初代皇帝 Augutus にちなむ。昔は Ernting（収穫）、Erntemonat（収穫月）、Ährenmonat（穂の月）とも言った。

この他には、Hochsommer（「真夏」）、Sonnenglast（「太陽の輝き」）、Flimmelnde Hitze（「ギラギラする暑さ」、「酷暑」）、Wolke（「雲」）など。

②地理

Wasserfall（「滝」）

Die Sterne sturzen	瀧落ちて
den Wasserfall hinunter –	また浮きあがり
unversehrt tauchen sie auf.	映る星　　（窪田 薫 訳）

Michael Groissmeier, *Haiku*. 1935–　. Neske.1982, S79.
（M. グロイスマイアー『俳句』より）

Rinnsal（「渓流」）、Bühende Bergwiese（「花咲く山の牧場」）

③行事（Feste）・習俗（Bräuche）・生活（Leben）

Johannisfest（「洗礼者ヨハネの祝日」）：6 月 24 日。夏の祝祭日。洗礼者ヨハネは牛や羊などの家畜とその世話をする牧人、さらに、毛織物を材料として生活を営む仕立屋の守り神。「ヨハネの火祭り」では若者たちが広場や山の上に麦藁や、藁人形に火をつけ、そのまわりで歌ったり踊ったりする。

Johanniskraut（「おとぎり草」）：白樺、おとぎり草で環を作り、それを家にかけ、人や動物を守るお守りにする。

Getreideernte（「穀物の収穫」）：『ベリー公の時祷書』（口絵参照）によれば、7 月は「穀物の収穫」の月。Roggen（「ライ麦」）の取り入れも行われる。

Sommerferien（「夏休み」）

Schrebergarten（「シュレーバーの庭」）：家庭菜園。公共団体から長期的に借り、菜園の中に小屋を建て、夏の一日を戸外で楽しむ。ドイツ各地でよく見られる。提唱者 D. G. M. Schreber に因んでこの名がある。

Mariä Himmelfahrt（「マリア昇天祭」）：8 月 15 日。マリアの墓には遺体はなく花や薬草が残っていた、という伝説がある。ちなみに、マリアは「野の花」（Die Blume des Feldes）、「谷間の百合」（Die Lilie der Täler）とも名付けられている。ここから「マリアの薬草祭」（Mariä Kräuterweihe）という 習俗がある。

Frauendreißiger（「聖母の 30 日」）：「マリア昇天の祭」後の 30 日間は晴天がつづくと信じられている。

Bartholomästag（「聖バルトロメーの祝日」）：8 月 24 日。バルトロメーは漁師や羊飼いの守護神。この日から内陸河川や湖沼では魚の禁漁期が終る。

Kirmes, Kirchweihe（「教会創立日」）：収穫が終わった 8 月末から 9 月末。日本のお盆のような雰囲気であろうか。「胡瓜（きゅうり）」（Gurke）の酢づけ作業もこの頃行われる。

Michaelistag（「聖ミヒャエルの日」）：9 月 29 日。この日で夏は終わる。

Michaelistag	聖ミヒャエルの日
es regnet heute füttert	雨降りの今日は
der Penner Schwäne	宿なしでさえ白鳥に餌をやる

（Mario Fitterer: Kurz. S.8）

④動物（Tiere）・鳥（Vögel）・虫（Insekten）

Schmetterling（「蝶」）、Biene（「蜜蜂」）、Hummel（「マルハナバチ」）、Wespe（「スズメバチ」）、Fliege（「ハエ」）、Libelle（「トンボ」）、Grille（「コオロギ」）、Heuschrecke（「バッタ」）、Junikäfer（「コフキコガネ」）、Schnecke（「カタツムリ」）、Eidechse（「トカゲ」）、Salamander（「イモリ」「サンショウウオ」）、Viper（「マムシ」）、Nachtigall（「ナイチンゲール」）など。

Grille（「コオロギ」）

Die Kerze verlöscht –	蝋燭の火が消えた
wie laut ruft jetzt die Grille	コオロギの声が今はなんと大きく聞こえてくることか
im dunklen Garten	暗い庭に

Imma von Bodmersfof : *Im fremden Garten*. 1980, S.38
（イムマ・ボードマースホーフ『見知らぬ庭で』より）

Leuchtkäfer（「蛍」）

Glühwurmchen zeichnen	あをき縞
helle Muster in die Nacht,	引いて蛍や
und du gehst schlafen ?	寝（ゐ）ぬる君

Elfriede Herb（エルフリーデ・ヘルプ）

Erster Leuchtkäfer	初蛍
sogar bei kräftigem Wind	強き風にも
löscht sein Licht nicht aus.	消えもせず

Michael Groißmeier: *Zerblas ich den Löwenzahn*. Schneekluth, 1985, S.34
（ミヒァエル・グロイスマイアー『タンポポの綿毛を吹く』より）

Motte（「蛾」）

Auf dem weißen Blatt	白い紙の上に

–verschmiert– der Motte Leben　　跡を残した　蛾の命
ein Silberstreifen　　銀の縞

Margret Buerschaper, 1937-2016（マルグレート・ブアーシャーパー）

白き紙蛾の残したる銀の縞

Fliege（「蝿」）

Ich war nicht allein –　　一匹の蝿と
eine Fliege war bei mir.　　日曜
Ein Sommersonntag.　　すごしけり　（加藤慶二 訳）

Günther Klinge, 1900-2009,『石庭に佇つ』1990 p.95（ギュンター・クリンゲ）

⑤植物（Blumen, Pflanzen）

Beerenernte（「イチゴ類の収穫」）

Himbeeren（「キイチゴ」）、Walderdbeeren（「シロバナヘビイチゴ」）、Heidelbeeren、Blaubeeren（「コケモモ」）、Pilze（「きのこ」）、Kornblumen（「矢車菊」）、Rittersporn（「ひえん（飛燕）草」）など。

Rittersporn（「飛燕草」）

Der Rittersporn baut　　飛燕草の花が
wieder lichtblaue Wände　　またブルーの壁をつくってしまった
Bis nachher, Nachbar !　　またね　お隣りさん

Isolde Lachmann, 1940-2006（イゾルデ・ラッハマン）

Heidekraut（「ヒース」、「エリカ」）

Heide grünt und blüht　　ヒース咲く
Bienen summen, schwärmen aus　　早や養蜂の
stimmen Imker froh.　　声高く

Hildegard Schensar（ヒルデガルト・シェンザー）

Seerose（「睡蓮」）

Aus dunkler Tiefe	暗い沼底から
zur Sonne aufgebrochen :	陽に向かって花開く
eine Seerose.	睡蓮のひともと

Sabine Sommerkamp 1952-（ザビーネ・ゾマーカンプ）

暗きより陽に向かうもの睡蓮花

Rose（「バラの花」）

Die weißen Rosen	白いバラが
erblüht –und ich noch immer	咲いた ― でもまだ
in Arbeitskleidung.	作業着のままの私

Sabine Sommerkamp : Kurz. S.36（ザビーネ・ゾマーカンプ）

Kamille（「カミルレ、カミツレ」）

Gelbe Kamille	黄色のカミツレが
blüht einfach im Mauerriß	塀の裂け目に質素に咲いている
sieht wie er sich dehnt	塀が（花のために）広がった様をごらん

Erika Lauer–Below: *Winziger Kiese*. 1986, S.45

（エーリカ・ラウアー・ベロー『小石』より）

Das wogende Getreidefeld（「波打つ穀物畑」）：日本では「麦の秋」、「麦秋」。

他に Rauschen der Bäume（「木のさやぎ」）、Schatten der Bäume（「木陰」）、Grashalm（「草の茎」）、Das flüsternde Schilf（「葦のささやき」）など。

3．秋の季語

①天文（Gestirne）・時候（Wetterelemente）

Oktober（「10 月」）：Weinmonat（ワインの月）、Gilbhart（Gilbhartholz「黄葉樹」にちなむ）、Dachsmonat（穴熊の月）とも呼ぶ。

Weiße Sterne sind　　白い星たちが
in dunklen Wein gefallen　　黒いワインの中に落ちた
Wer trinkt ihn wohl aus ?　　いったい誰が飲み干すのだろう

Alois Vogel, 1922-2005（アーロイス・フォーゲル）

Altweibersommer（「小春日和」）：原意は「老女の夏」。この名は、晩夏から初秋の天気のよい日に、小さな蜘蛛が糸を出しながら空中を漂って移動する様が、老女の髪の毛のように見えることに由来すると言われる。

Altweibersommer !　　小春日和だ！
Spinnenwinzlinge reisen　　小さな蜘蛛が旅をしている
an Silberfaden　　銀の糸に乗って

Margret Buerschaper（マルグレート・ブアーシャーパー）

蜘蛛飛ぶや小春日和の銀の糸

Herbsttage（「秋の日」）

Herbsttage rollten　　ゆく秋や
wie Perlen einer Kette,　　切れし真珠の
deren Band zerris.　　首飾り　（H. ツァハート 訳）

Günther Klinge: Den Regen lieben.『雨いとし』、角川書店、1978、p.89
（ギュンター・クリンゲ）

他に Sonnenuntergang（「日没」）、Sternschnuppen（「流星」）、Sternhimmel（「星空」）、Nebel（「霧」）、Sturm（「嵐」）など。

②地理（Geographie）

Bizarre Bergwelt（「奇怪な山の稜線」）

Bizarre Bergwelt　　奇怪な山の稜線が
im rötlichen Sonnenlicht,　　赤味がかった日の光の中に。
Widerschein im See.　　湖に映ったその姿。

Richard W. Heinrich, 1911-2005. *Wenn die Schwalben ziehn ...* 1982, S.161

（リヒァルト・W. ハインリヒ『燕飛べば……』より）

他に Hoher Wellengang（「高い波のうねり」）、Mooreinsamkeit（「泥炭地湿原の人影のなさ」）、Rebhang（「葡萄の斜面」）、Abgeerntetes Feld（「収穫のすんだ畑」）など。

③行事（Feste）・習俗（Bräuche）・生活（Leben）

Herbst（「秋」）：英語の harvest（「収穫」）と語源を共にする。果実の穫り入れの季節という意味。中・南部のヨーロッパで最も重要な果実とは「葡萄」だから、Herbst は「葡萄摘み（Weinlese）の季節」となる。葡萄の葉が金色に色づく様は、ドイツの秋のすばらしい風物詩である。リュッケルトの "Die Wahrheit ist im Wein." や、ゲーテの "Trunken müssen wir alle sein !" など、ワインを謳った詩にはこと欠かない。リルケの『秋日』("Herbsttag")、メーリケの『9 月の朝』("Septembermorgen") はよく知られた詩である。これらの詩は別の章で引用する。

Jungwein（「新酒」）：「新酒」に Zwiebelkuchen（「玉ねぎケーキ」）を添えて食べる。

Münchener Oktoberfest（「ミュンヘンの 10 月祭」）：9 月末～10 月の第 1 日曜日の 2 週間。元来は農業祭であったが、ビール祭りとしても有名になった。

Erntedanktag（「収穫感謝の日」）：10 月の第 1 日曜日。刈り入れる時に全部を刈りとってしまわずに、少なくとも 1 本、1 束を畑に残しておく。「祝福が大地に宿りつづけてくれますように」、「冬がたべものにありつけるように」（オーストリア北部）ということである。

Stoppelfeld（「切り株だけの畑」）：麦を刈り採った後の畑。

Kartoffelferien（「じゃがいもの収穫を手伝うための休暇」）：子供や学童達のための休暇であった。

Kartoffelfeuer（「じゃがいもの葉を焼く煙」）

Kartoffelfeuer,	馬鈴薯の枯れ葉を焼く火
gelblich kräuselt sich der Rauch –	黄色く煙は渦巻き昇り
zieht den Vögeln nach.	鳥を追うてたなびく

Ingeborg Raus（インゲボルク・ラウス）

馬鈴薯の葉を焼く煙鳥を追う

Drachensteigenlassen（「凧揚げ」）：収穫が終わった広い畑（上の「切り株だけの畑」）で行われた。現代ではあまり見られない情景かも知れないが、季節を思いおこす習俗である。

Steig nicht so hoch,	そんなに高く上がるな
du bunter Kinderdrachen,	色とりどりの凧さん
sonst raubt dich der Sturm.	嵐にさらわれるよ

Rüdiger Jung: Kurz. S.24（リューディガー・ユング）

St. Gallus Tag（「聖ガルスの日」）：10 月 16 日。収穫作業を終える日。南ドイツの山岳地方では、この日に Almabtrieb（「牧閉ず」）を行う。

Almabtrieb（「牧閉ず」）：羊や牛を山の牧場から里の村に連れもどす。

（→ Almauftrieb（「牧開く」）

Aussaat（「種を蒔く」）：10 月。ベリー公『時祷書』（口絵参照）による。

④**動物**（Tiere）・**鳥**（Vögel）・**虫**（Insekten）

Hirsch（「雄鹿」）が雌鹿を呼ぶ声。

Igel（「はりねずみ」）が冬眠前に餌をあさって歩き廻る。

Eichhörnchen（「リス」）、Haselmaus（「ヤマネ」）、Hamster（「ハムスター」）

Spinnetz（「蜘蛛の巣」）

Vor Fenstergittern	窓格子に
weben die Spinnen Netze.	蜘蛛の巣が漂っている。
Die Flucht muß scheitern.	もう逃げられない。

Ingo Cesaro, 1941- : *Der Doldfisch im Glas redet und redet*. Bachmeier, 1981, S.39

（インゴ・ツエーザロ『ガラスの中の金魚のおしゃべり』より）

Vogelzug（「鳥帰る」）：秋になると Gans（雁）、Schwan（白鳥）、Storch（コウノトリ）などが南に渡ってゆく。最も重要な秋の季語のひとつ。憂愁、遠い国への憧れ、過ぎ去った夏への思い、人生のうつろいなどを象徴する。

Vogelschwärme ziehn　　　鳥の群れが帰る
nach Süden– wir suchen noch　　　南へ — われらはまだ探している
unsere Richtung.　　　これからの行先を。

Michael Großmeier , 1935–　: *Zerblas ich den Löwenzahn Schneekluth*, 1985, S.53
（ミヒアエル・グロイスマイアー『タンポポの綿毛を吹く』より）

日本では「鳥帰る」、「鳥雲に入る」は冬鳥（雁、鴨など）が春になって北へ帰ることを意味する春の季語であり、「鳥渡る」、「渡り鳥」は秋に冬鳥が北国から飛来することを意味する秋の季語になっている。

（参考）　鳥雲に入り終わんぬや杏花村　　　高浜虚子

⑤**植物**（Blumen, Pflanzen）

Obsternte（「果物の収穫」）：Apfel（りんご）、Birne（洋ナシ）、Pflaume（スモモ）の収穫。

Welkblatt（「枯れ葉」）、**Buntlaub**（「もみじ」）：ともに最も一般的な季語である。緑の森の中に点在する黄や赤の落葉樹の眺めは美しく、地面を覆った落葉を踏んで森の中を散歩するのは楽しい。しかし、「落葉」や「枯葉」に詩情を託すドイツ人は少ないようで、町中では落ちるはしから清掃車が吸い取って片づけていく。落葉を歌った詩の代表はやはりリルケの『秋』だろう。（この詩については第8章で述べる）

Leer sind die Stühle　　　庭のテーブルを取り巻く
rings um den Tisch im Garten.　　　椅子は皆からっぽ。
Nur Blätter zu Gast.　　　お客は落葉だけ。

Freidrich Rohde: Kurz. S.34（フリードリヒ・ローデ）

Wohin des Weges,　　　風に行方定めぬ
fahle Blätter im Winde ?　　　枯れ葉
Dir voraus, dir nach !　　　お前の先になり後になり

Friedrich Heller, 1932-2020（フリードリヒ・ヘラー）

前うしろ行方定めぬ落葉かな　（坂西八朗 俳訳）

Zwei gelbe Blätter	打ち寄せる磯波に
in der Brandung des Meeres.	二枚の黄葉
Irgendwo ist Herbst …	何処かに秋が

Matthias Brück（マティアス・ブリュック）

寄せらるる黄葉告げをり秋来ぬと

Aster（「アスター」）、**Chrysantheme**（「菊」）：ともに別れと終末を象徴する。

Im Schattendunkel	空っぽの椅子の
der leere Stuhl, ein Hauch von	暗い影の中にほのかに匂う
Chrysanthemenduft.	菊の香り

Gaby Blatll（ガービ・G・ブラトゥル）

Herbstblumen（「秋の花」）

An diesem Hugel	風の丘
die Gräber fremder Krieger –	眠る戦士よ
Herbstblumen im Wind.	草の花

Richrd W. Heinrich, 1911-2005（リヒャルト・W. ハインリヒ）

Pilz（「茸」）、Kastanie（「トチの実」）、Nuß（「クルミ」）Früchte von Bäumen und Sträuchern（「木の実」）

Rot sinkt die Sonne –	赤く太陽が沈んでゆく
am Strauch die Hagebutte	野イバラの茂みに
leuchtet samenschwer.	赤い実が重い

Sabine Sommerkamp: Kurz. S.36（ザビーネ・ゾマーカンプ）

4．冬の季語

①天文（Gestirne）・時候（Wetterelemente）

November（「11月」）：Nebelmonat（「霧の月」）、Nebelung とも呼ばれる。「灰色の11月」、「死者を回顧する月」。宗教的行事にも厳粛な気分のものが多い。春、夏の生産活動にいそしんでいる間、人間は自分の生活の糧を得ることに忙しく、収穫がすんでようやく労苦から解放され、祖先や亡き人の霊を慰めるゆとりをもつことができる。肉体的にも精神的にも安らぎを味わう心の準備をする月である。

Winteranfang（「冬のはじまり」）：12月22日の冬至の頃。しかし、「冬のはじまり」とは、あくまで名辞の上だけで、実質的な「冬のはじまり」は「万聖節」と「万霊節」（→③の行事の項）である。

Schnee（「雪」）

Wolken fallen ein.	雲があらわれる。
Aus ihrer müden Schwere	鬱陶しい重さからまたしても
näßt der Schnee das Land.	雪がこの地を濡してゆく。

Sigrid Genzken–Dragendorff, 1900-1985 : *Der dunkle Wogen*. Moorburg, 1977, S.63

（ズィークリト・ゲンツケン–ドラーゲンドルフ『暗き波』より）

Verschneit ist die Spur.	雪に残された足跡
War's Abschied, war's Rückkehr	それは別れだったのか　回帰だったのか
wer kann es sagen ?	誰がそれを言えよう？

人の世の生死分かたぬ雪の跡

H. Hammitzsch, 1909-1991, *Über den Hügel hinaus*. Herder. 1983

（ホルスト・ハミッチュ）

（この句については**コラム2**、句集『丘をこえて』で述べる）

Frost（「霜」）

Morgenlicht im Frost	凍てついた
Selbst der Stacheldraht wurde	有刺鉄線
zur Perlenkette.	霜きらら

Hilmar Bierl（ヒルマー・ビエル）

Eiszapfen（「氷柱」）

Stille der Eiszapfen	静かな氷柱
innehalten	止まっている
das Wasserrad lauft	水車がまわる

Mario Fitterer, 1937-2009（マリオ・フィッテラー）

Schneematsch（「ぬかるみ」）：北ドイツでは冬、南ドイツでは春の季語。

vereisen（「凍る」）

Die Halbmondsichel	三日月の鎌が
wetzt ihre blanke Schneide	きらりと刃を光らせて
am vereisten Turm.	凍った塔で研いでいる

Richard W. Heinrich: Kurz. S.15（リヒァルト・W. ハインリヒ）

他に Kalter Mond（「寒月」）、Eis（「氷」）、Rauhreif（「霧氷」）、Kurzer Tage（「短日」）

Silvester（「大晦日」）：ローマ教皇ジルヴェステルⅠ世の祝日。「大晦日」の夜に洗濯物を干す縄を張りっぱなしにしておいてはいけない、というタブーがある。前の年の苦しみや悩みが新しい年に持ちこされてしまうからである。

Neujahr（「新年」）：“Prosit Neujahr !”（「新年に乾杯！」）と言って、Sekt（シャンパン）の栓を抜き、悪霊を追い払うために花火を打ち上げる。新年はクリスマスに比べて影が薄く、民間信仰の次元で見るとクリスマスと新年を一つのものとして見る。つまりクリスマスの延長上に新年があると考えた方がわかりやすい。「新年」になると、Bleigießen（溶けた鉛を水に流し込んで現れた形でその年の運勢を占う）をして遊ぶ。

Januar（「1 月」）：ローマの神 Janus に因む。ヤーヌスは顔が二つあり、年老いた顔は過去（過ぎ去った年）を、若々しい顔は未来（新年）を表す。Hartung, Jänner という古いドイツ語の呼び名もある。

Fröhlicher Gesell（「宴の月」）：1 月。『ベリー公の時祷書』（口絵参照）による。皆で仲良く食事をともにし、楽しく語り合う月。これはどの「時祷書」にも共通した図で、日本の「睦月」に通じる。

Februar（「2 月」）：Hornung（Althochdeutsch で Barstard「私生児」の意）。2 月が他の月に比べて日数が少ないから。また、februare（ラテン語）は「掃除する、片付ける」の意。1 年の総決算をする月。つまり、シーザーによる暦の改革以前は、2 月が最終月であった。

②地理（Geographie）

Farblose See（「灰色の海」）

③行事（Feste）**・習俗**（Bräuche）**・生活**（Leben）

Allerheiligen（「万聖節」）：11 月 1 日。カトリックの地域の祝日。キリスト教の信仰のために生命を捧げた聖者たちの記念日。

Strümender Regen	どしゃ降りに
und Sehnsucht nach Grablichtern.	墓の蝋燭の灯りがなつかしい。
Allerheiligen	（今日は）万聖節。

Conrad Miesen（コンラート・ミーゼン）

Allerseelen（「万霊節」）：11 月 2 日。すべての死者を追悼する日。墓参りをする。

「万聖節」と「万霊節」が、実質的には「冬のはじまり」となる。

Hubertustag（「フベルトゥスの命日」）：11 月 3 日。狩人の守護神。大規模な狩をする。

Buß und Betttag（「懺悔祈祷日」）：「死者慰霊日」の前の水曜日。人間ひとりひとりが自分のおかした罪を反省して神に許しを乞う日。

St.Leonhardstag（「聖レオンハルトの祝日」）：11 月 6 日（オーストリア、南ドイツ）。

収穫のために奉仕してきた家畜に感謝する。聖レオンハルトは家畜の守護聖人。

Martinstag（「聖マルティーンの日」）：11月11日。冬の最中、宿無しにマントを恵んだことから、マントがかれのシンボルとなる。この日には鵞鳥料理を食べる。小学生が松明や提灯をさげて町中をねり歩き、お菓子やごほうびをもらう。

Eichelnsammeln（「ドングリ（ナラの実）を集める」）：『ベリー公の時祷書』（11月）（口絵参照）。中世では集められたドングリが豚の飼料となった。太った豚は塩漬けにしたり、ハム、ソーセージにして冬の保存食にする（→（Wild）Schweineschlachten）

Totensonntag（「死者慰霊日」）：11月下旬にプロテスタントの地域で行われる。

Volkstrauertag（「国民哀悼日」）：11月なかば。二つの世界大戦で亡くなった人達の霊を慰める日。

Seelenwoche（「霊の週」）：10月30日〜11月8日（南ドイツやオーストリア）。オーストリアの一地方では、暖炉に火を入れて霊たちを暖める。

（Wild）**Schweineschlachten**（「（イノシシ）豚の屠殺」）：『ベリー公の時祷書』（12月）（口絵参照）。農民たちはとくにクリスマスや新年のご馳走、また長い冬の保存食料のために行った。

Nikolaustag（「ニコラウスの日」）：12月6日。聖ニコラウスは、良い子にはプレゼント、悪い子には罰を与える。恐ろしい様子をしたループレヒト（Ruprecht）をお伴に連れていることもある。呼び名はいろいろで、Weihnachtsmann（北ドイツ）、Nickel（東ドイツ南部）、Niglo（南ドイツ、オーストリア）、Klaus（ライン川周辺）などがある。サンタ・クロースの原形を調べることはドイツ文化を知るうえでも有益である。

Advent（「待降節」）：11月26日の後の最初の日曜日にはじまる4週間。ラテン語の「到着」が語源。救い主イエス・キリストの誕生を迎えるための準備期間で、都会では星を模した豆電球が街路を飾り、広場にはクリスマス用の飾り物を売る屋台（Weihnachtsmarkt）が並び、商店では賑やかに歳末の商いに精を出す。アトヴェントの最初の日曜日には、教会の塔から鐘の音がひときわ明るく、楽しげに響きわたる。屋内では Adventskranz（「アトヴェンツ・クランツ」）が飾られ、人々はクリスマス用の手づくりの品物や、クリスマス・カードを送ることに忙しくなる。主婦はクリスマス時期独特のパンや菓子（Weihnachtsplätzchen）を焼く。子供達にとっては、アトヴェンツ・カレンダー（Adventskalender）の窓を毎日開くのが楽しみとなる。

Bratäpfel（「焼きりんご」）

Eisblumen blühen –	氷の花
die Schneeluft ist kalt und klar –	雪の空は冷たく澄んでいる
Bratäpfel duften.	焼きりんごの香りがする
	Helma Giannone（ヘルマ・ギャノネ）

凍てついた氷の花と焼き林檎

Vorweihnachtsrummel（「クリスマス前の賑わい」）

Wie ausgestoßen	追放されたように
der Bettler am Straßenrand –	物乞いが道端に —
Vorweihnachtsrummel.	クリスマス前の賑わい

鐘の音や聖夜の市（いち）に物乞ふ子

Richard W. Heinrich: *Sonnenwende*. 1984, S.256（リヒァルト・W. ハインリヒ）

Weihnachten（「クリスマス」）

Weihnachtsbaum（「クリスマス・ツリー」）：12 月 24 日に飾りつける。ヨーロッパで現在のようなクリスマス・ツリーが一般化したのは比較的新しく、19 世紀になってからである。これは、いわば冬の「5 月柱」であって、そこには、ものみなが枯れ果てた冬のさなかに、常緑樹のモミの木の生命力にあやかろうとする人間の願いが込められている。クリスマスに人々は真夜中の教会のミサにでかける。

Krippe（「クリッペ」）：ベツレヘムの馬小屋でのキリスト誕生の様子を再

現した模型で、クリスマスに飾る。

Karpfessen（「鯉を食べる」）：Silvester（「大晦日」）に食べる。

Neujahr（「新年」）：「民俗学者たちの報告によると、さまざまな地方に残っている新年の行事はすべてクリスマスの習俗と一致しているらしい。したがって、夜の闇がもっとも威力をふるう冬至の日のすぐ近くに、光明をもたらす神の子イエスを誕生させるということと、大晦日の晩に花火を打ち上げるということとは無関係ではなさそうである。花火の色と光よりも大事な要素は大きな音である。冬を支配する「魔」を驚かせて退散させるためのものであると、察せられる。闇と寒さにおびえる古い時代のヨーロッパ人たち、とくにアルプス山脈の北側に暮らす人たち（ドイツ語圏の国々）は多くのの種類の「魔物」が戸外をうろつくさまを想像した。日本では湿気の多い梅雨、むしあつい夏が「幽霊とおばけ」の季節とされてきたが、ヨーロッパでは真冬がそうであると信じられてきた。古い伝説の多くが物語るところによると、12 月 25 日から 1 月 6 日の 12 日間（「十二夜」）が幽霊とか妖怪変化の出現がピークに達する時節とされてきた」[30]

Die Flasche aufgemacht.	シャンパンに
Tropfen dringeln sich –	泡立つ
werden Schaum in Glas.	10 大ニュースかな

Eveline Rutgers（エヴェリーネ・ルートガース）

Dreikönig（「主の公現の日」、「キリスト降誕祭」）：1 月 6 日。12 月 25 日から数えて 12 番目（シェイクスピア、『十二夜』）の日。星の導きによってイエスの誕生の地を探りあてた三人の博士（Caspar, Melchior, Balthasar）がマリアとその子イエスのもとに来た日。この日、三博士の扮装をした子供達が「我ら三賢人、東方より、神の御手に引かれて来たり。汝らに楽しき年を約束せんがために来たり。我ら、カスパル、メルヒオル、バルタザル。」と言って、例えば、2022 年なら、家の戸口に「20 ＋ C ＋ M ＋ B ＋ 22」と白墨で書いて、家々を祝福して歩き、ご褒美をもらう。

Mariä Lichtmäß, Mariä Reinigung（「聖母マリアのお清めの祝日」）：2 月 2 日。キリスト誕生から 40 日目。幼児イエスが聖母マリアに抱かれてはじめて神殿に連れてこられた日とされる。教会でも家庭でもローソクの光と煙によってお清めがおこなわれる。これによって、人々は病気や突然の死、悪霊、魔女、雷などから守られると信じられた。

Karneval, Fastnacht, Fasching, Fasnacht（「謝肉祭」、「カーニバル」）：2 月下旬から 3 月はじめの火曜日。キリスト教が伝わる以前からあったと思われる「冬追いの民間行事」の性質を濃厚にとどめていて、憎むべき冬将軍を追い払って春を迎え、来たるべき収穫の豊かさを祈る。寒冷のために行動を束縛されていた人たちの積もり積もったエネルギーが無礼講の形で一気に発散される。ケルン、マインツ、ミュンヘンが有名。カーニバルの一連の行事は、Rosenmontag（「狂乱の月曜日」）、Fastnacht（「懺悔の火曜日」）、Aschermittwoch（「灰の水曜日」）と続き、Fastenzeit（「四旬節」）を迎える。

März（「3 月」）：Lenzmonat, Lenzing, Frühlingsmond（古いドイツ語）とも言う。Lenz は lang に由来し、「日が長くなる時期」を意味する。lenzen とは「夏の穀物のために畑を耕す」（中世）という意味である。

Beschneiden der Weinstücke, Pfülgen（「葡萄の木の剪定」、「畑に鋤を入れる」）：ベリー公の『時祷書』（3 月）（口絵参照）による。

Roggen（ライ麦）、Hafer（からす麦）、Gerste（大麦）の種を蒔く。

Gertrud の命日：3 月 17 日。農作業の開始。Storch（こうのとり）がアフリカから帰って来る日。

Joseph の祝日：3 月 19 日。木こりや大工といった、木材を相手にする職業の人たちの守護聖人。夫と妻の間を平和にたもってくれる聖人。また、この日には少年、少女がプレゼントを交換する。ドイツ風バレンタイン・デーである。すべての小鳥たちがこの日に結婚式をあげる。昔はこの日が春のはじまりだとされていた名残である。バイエルン地方ではこの頃、居酒屋で Starkbier というアルコール分が多いビールがでる。昔は修道院で断食をしていた聖職者に精をつけるために修道院で造っていた。

④動物（Tiere）・鳥（Vögel）・虫（Insekten）

Drosselsang（「ツグミ鳴く」）

Spatzenlärm ums Haus	家のまわりではにぎやかな雀の声
ferner vom Wald nur leise	遠くの森からは　かすかに
tönt der Drossel Sang.	ツグミの歌が聞えてくる。

Imma von Bodmershof : *Im fremden Garten*. Arche, 1980, S.23

（イムマ・ボードマースホーフ、『見知らぬ庭で』より）

Reiher（「アオサギ」）

Die weißen Reiher,	白いサギが
über den Altschnee segelnd,	根雪の上を滑空して
warten aufs Mondlicht.	月の光を待っている。

Carl Heinz Kurz, 1920-93（カール・ハインツ・クルツ）

Das hungernde Tier（「飢えた動物」）

Vom Sturm gebeutelt,	嵐に抗う
weicht der hungrige Falke	飢えた鷹も
nur stärksten Böen.	突風にはかなわない。

Margot Gabriel : Kurz. S.9（マルゴート・ガブリエル）

他に Reh（「鹿」）、Hase（「野ウサギ」）、Kaninchen（「飼いウサギ」）、Futterhaus（「鳥の餌小屋」）など。

Standvogel（「留鳥」）：渡らずにその土地に留まった鳥。

Krähe（「カラス」）：烏の啼き声は、死、悲しみ、寒さ、孤独を表す。

Im Rabenschlafwald	烏の寝ぐらの森に
winters, langes Palavern.	冬中啼く声
Gipfelgespräch.	サミットのよう

Elisabeth Gallenlemper, 1927-（エリーザベト・ガレンケンパー）

⑤植物（Blumen, Pflanzen）

Christrose（「クリスマスローズ」）、Weihnachtsstern（「ポインセチア」）、

Zaubernuß（「マンサク」）、der kahle Baum（「枯れ木」）、der nackte Zweig（「裸の枝」）など。

Zum Werk vollendet	これで出来上がり
sind Ast und Blatt und Blüte	枝も葉も花も
in Ikebana.	生け花になって

Isolde Schäfer（イゾルデ・シェーファー）

Das vereistes Schilf（「凍った葦」）

Im vereisten Schilf	凍てついた葦の間に
der verlassene Nachten,	置き捨てられた小舟
als der Mond als Gast.	月だけが今宵の客

Richard W. Heinrich（リヒャルト・W. ハインリヒ）

おわりに

ドイツはかつて地方分権の領邦国家であった。否、そもそも国家というものすら近代にいたるまで存在しなかった。それ故に、連邦国家となった現在でも各地方がみずからの存在を主張し、生活様式や文化の面でも地方的特色が色濃く残っている。また、カトリックとプロテスタントの地域では、キリスト教に関係する年中行事もおのずから異なる。したがって、京都や東京の風土を中心としてつくられた、日本のような約束事としての季語の選定は難しいだろう。しかし、俳句発祥の地にいるわれわれとしては、ドイツ語俳句における季語への関心と季語辞典編纂のうごきを見守っていきたいと思う。現在ドイツ語で俳句をつくる人はドイツ語圏の国々を中心に約 1,000 人いるといわれるが、何よりも望まれることは、もっと多くの人々が気軽に俳句をつくってくれることである。

ドイツの俳句仲間でも句会、吟行会が盛んにおこなわれている。なかでも、期待したいのは、連句が受け入れられていることである。先に引用した荒木氏のことばを使えば、連句という「体験の共有による季語の醸成」も可能かも知れない。ブアーシャーパー女史の季語選定はそれにむかってのひとつのこころみであると思われる。ここに選び出した季節のことばもひとつのこころみに過ぎない。

【参考文献】

植田重雄『ヨーロッパ歳時記』(岩波新書、1983)

谷口幸男、福嶋正純、福居和彦『図説　ドイツ民俗学小辞典』(同学社、1985)

H. レーマン(川端豊彦 訳)『ドイツの民俗』(岩崎美術社、1974)

稲畑汀子編『ホトトギス　新歳時記』(三省堂、1986)

山本健吉編『最新俳句歳時記』全5巻(文春文庫、1977)

［注］

本章は次の拙論による。

ドイツ歳時記の試み—ドイツ語俳句を手がかりとして—

Ein Versuch zum Deutschen Jahreszeitenlexikon –Anhand des deutschsprachigen Haiku –(『神戸学院大学 人文学部紀要』第9号、1994年10月31日)

1) 庄野潤三『野鴨』(講談社、1973、p.87)

2)『英語歳時記』・春(研究社、1974、p.8)

3) Margret Buerschaper, Formen deutscher Haiku-Dichtung an ausgewählten Beispielen. In: Tadao Araki (hrsg.): *Symposium zur Haiku–und Renku–Dichtung*. 23. Mai 1992. Japanisches Kulturinstitut Köln. S.9-16.

4) 渡辺勝「ドイツ語の俳句」(『埼玉大学紀要』外国語学文学篇第18号、1984、pp.9-21)

坂西八郎「ドイツ語俳句——最近状況の小報告」(『俳句文学館紀要』第6号、1990、p.118)

「ドイツ歳時記」作成にはじめて着手したのはドイツの俳句作家であり、俳句研究家でもあるザビーネ・ゾマーカンプ女史であるが、女史のこの仕事は完成を見ていない。一方、日本では以下の書が出版された—

Übersezt von: Keiji Kato, Werner Schaumann, : *Singen von Blüte und Vogel*. Takahama Kyoshis Jahreszeitenwörterbuch. Nagata Shobo, Tokyo. 2004.

加藤慶二、ウェルナー・シャウマン 訳『花鳥諷詠』(永田書房、2004)。

本書は虚子 編『新歳時記』(三省堂)の独訳である。ウェルナー・シャウマン(1948-2015)。

5) Wilhelm Gundert, *Die Japanische Literatur*. Wildpark–Potsdam Akademische Verlagsgesellschaft Athenation M. B. H. 1929. S.121.

6) 高浜虚子『俳句への道』(岩波新書、1984、p.9)

7）手塚杜美王 訳、pp.78-79. なお、この論文は1937年の東亜研究独逸人協会での講演原稿で、ドイツ語の原文は次の雑誌に掲載された —
Herbert Zachert: Die Haikudichtung von der Meijizeit bis zur Gegenwart. in : *Mitteilungen der Deutschen Gesellschaft für Natur–und Völkerkunde Ostaiens.* Bd.XXX, Teil C. Tokyo, 1937, S.1-23.
8）Anna von Rottauscher: *Ihr gelben Chrysanthemen*. Walther Scheuerman, 1958 (8. Auflage), S.88-89.
9）渡辺 勝：注4）の論文、「ドイツ語の俳句」pp.9-21.
10）Jan Ulenbrook: *Haiku. Japanische Dreizeiler*. Wilhelm Heyne, 1981, S.165.
11）Gerolf Coudenhove: *Japanische Jahreszeiten*. Manesse, 1963, S.389.
12）Erwin Jahn: *Fallende Blüten*. Arche, 1968, S.7-8.
13）Dietrich, Krusche: *Haiku. Bedingungen einer lyrischen Gattung*. Erdmann, 1970, S.138.
14）荒木忠男『フランクフルトのほそ道』（サイマル出版会、1991、pp.35-36）
15）同書、pp.24-32
16）稲畑汀子「ドイツ吟行」（朝日新聞、1985年11月8日）
稲畑汀子「ドイツで季語を語る」（朝日新聞、1987年4月16日）
Teiko Inahata（übersetz von Masaji Suzuki / Horst Hammitzsch）: *Erste Haiku–Schritte–eine Fibel,* Günther Klinge HAIKU–Verlag, 1986.（本書は『自然と語りあうやさしい俳句』新樹社、1978年の独訳版である）
17）Tadao Araki (hrsg.): *Deutsche Essays zur Haiku-Poetik*. Sonderausgabe der „Deutsch–Japanischen Begegnungen im Lande Hessen“ 1989.
18）Margret Buerschaper, Das Jahreszeitenwort im Deutschen Haiku. in: Tadao Araki(hrsg.): *Deutsch–Japanische Begegnung in Kurzgedichten*. iudicium, 1992. S.19-29.
19）Tadao Araki (hrsg.): *Gemeinsames Dichten. Eine Deutsche Renku–Anthologie*. „Deutsch–Japanischen Begegnungen im Lande Hessen“ 1990.
20）Tadao Araki (hrsg.): *Deutsch-Japanische Begegnung in Kurzgedichten*. iudicium 1992.
21）Tadao Araki (hrsg.): Symposium zur Haiku –und Renku– Dichtung.
Juni 1991. Japanisches Kulturinstitut Köln. Tadao Araki (hrsg.): Symposium zur Haiku–und Renku–Dichtung.
Mai 1992. Japanisches Kulturinstitut Köln.
22）坂西八郎：注4）の論文、p.118
23）Margret Buerschaper: a. a. O., S.19-20.
24）ibd., S.20
25）ibd., S.28
26）引用された例句は主として次の二つの書からのものである —
・Carl Heinz Kurz (hrsg.): *Weit noch ist mein Weg...* Jahreszeiten–Haiku. Anthologie.

Graphikum, 1986.

カール・ハインツ・クルツ 編『我が道はなお遠く……。四季の俳句』。アンソロジー。

この句集には40人の作家からそれぞれ春、夏、秋、冬、新年の総計200句が収められている。本文での引用は以下、Kurzとのみ記す。ただし、本書にはページ数が記されていないので、便宜上S...はページ数を意味する。

・Margret Buerschaper (hrsg.): *Die ausgewählten deutschen Haiku.*

マルグレート・ブアーシャーパー編：『現代ドイツ語俳句選集』

これは坂西八郎氏とブアーシャーパー女史によって出版が予定されていた原稿であるが、1990年頃に両氏から了承を得て、筆者に翻訳を託された。タイトルは筆者が仮りに付けた。この原稿の内容は以下のとおりである—

Vorwort（序文）14ページ、Jahreswecksel（季節の変化の解説）7ページ、Haiku（俳句）145句、Sennryu（川柳）75句。これらの俳句は第4章で紹介する。

27）坂本明美「ドイツ歳時記」（『基礎ドイツ語』三修社、1982年度版）

宮下啓三「ドイツ文化歳時記」（NHKテレビ・ドイツ語講座テキスト、1987年度版）

早川東三「ドイツの暮らし」（『基礎ドイツ語』三修社、1987年度版）

28）Edmond Pognon (Text): *Das Stundenbuch des Herzogs von Berry*. parkland, 1983.

29）『ベリー公の時祷書』以外に参考にしたのは次のものである—

・『ピーテル・ブリューゲルの月暦絵』（フランドル、16世紀）

・『シモン・ベニングの時祷書』（ベルギー、16世紀）

・サン・ドニ修道院の南入口に描かれた農事暦（フランス、12世紀）

これに関しては、木村尚三郎『西欧文明の原像』（講談社、1974、pp.208-225）を参考にした。

30）宮下啓三：上掲資料「ドイツ文化歳時記」（その10）による。

第4章

現代ドイツ語俳句選集
――独日。100の作品。
100 deutschsprachige Haiku von heute, deutsch und japanisch.

はじめに

本章はドイツ俳句協会（Deutsche Haiku–Gesellschaft）の初代会長、故・マルグレート・ブアーシャーパー（Margret Buerschaper, 1937-2016）と故・坂西八朗（信州大学教授）（1931-2005）によって、最新のドイツ語俳句を日本に紹介すべく進められていた原稿の抄訳である。原稿の翻訳はお二人の了解を得て、1991年に訳者に託されたものである。

原稿は序文（13ページ）、俳句に関する春夏秋冬の解説（7ページ）、俳句146句、川柳75句が収められ、それぞれの作品の作者紹介と作品の解説も付けられている。ここで特に注目しておきたいことは、上記の春夏秋冬の解説がいわばドイツ語俳句についての**季語選定の試み**になっているという点である。俳句の作者はキゴ（kigo）やサイジキ（saijiki）という言葉を知ってはいるが、ドイツにはいまだ日本のような俳句歳時記はない。また、俳句と川柳の違いも認識されているが、これについては、ここでは述べない。

ドイツ語圏には日本のような「俳人」はいない。彼らはハイジン（haijin）という言葉を気軽に使うが、彼らが言うhaijinとは俳句を日常的に作る人で、俳句結社や俳句雑誌をもっているわけではない。さまざまな職業の人が俳句作者、俳句愛好家になっている。

翻訳にあたっては、まず原文を記し、その横に大意、さらに、できる限り日本語による俳句への翻案を試みた。翻案にあたっては、ブアーシャーパーの解説が参考になった。紙面の都合で解説の翻訳はほとんど掲載していないが、これなくしては、理解が困難な作品も多かった。大意と翻案とのあいだにかなりのずれがあるのは、解説に依拠したためである。

俳句を翻訳する前に少しだけ前置きを記しておきたい。

ドイツ語圏の国々で俳句の実作が行われるようなるには、日本の俳句の研究と翻訳が必要であった。以下に主な研究者と翻訳者を記す（明治から現代まで）。

フローレンツ（Karl Florenz）、グンデルト（Wilhelm Gundert）、ツァハート（Herbert Zachert）、ロートタウシャー（Anna von Rottauscher）、ウーレンブローク（Jan Ulenbrook）、クーデンホーフ（Gerolf Coudenhove）、ヤーン（Erwin Jahn）、ハウスマン（Manfred Hausmann）、ハミッチュ（Horst Hammitzsch）、クルーシェ（Dietrich Krusche）、ドムブラディー（Géza Siegfried Dombrady）、ナウマン（Wolfram Naumann）、マイ（Ekkehard May）。

このような研究者による一般の読者向けの日本の俳句の翻訳書が数多く出版されることによって、ようやく、ドイツ語圏で初めての句集『俳句』（イムマ・ボードマースホーフ、Imma von Bodmershof、1962 年）が世に出た。その後、多くの実作者が現れたことは、本論がしめしている。

1988 年にはブアーシャーパーを中心として**ドイツ俳句協会**が設立され、季刊誌『夏草』（*Sommergras*）も刊行されている（2022 年現在で通巻 136 号）。会員はドイツのみならず、オーストリア、オランダ、スイス、ベルギー、アメリカ、ルーマニア、イスラエル、イタリア、スペイン、日本で、目下の会員数は 270 名である。会員以外にもドイツ語俳句の実作者は 1,000 名ほどいるといわれている。

一方、日本におけるドイツ語俳句に関する著書としては、坂西八朗 他編『ヨーロッパ俳句選集』（デーリィマン社、1979 年）、高安国世『リルケと日本人』（第三文明社、1979 年）、高安国世『詩の近代』（沖積社、1983 年）、神品芳夫『詩と自然──ドイツ詩史考』（小沢書店、1983 年）、加藤慶二『ドイツ・ハイク小史』（永田書房、1986 年）、星野慎一『俳句の国際性』（博文館新社、1995 年）、渡辺 勝『比較俳句論──日本とドイツ』（角川書店、1997 年）、東聖子・藤原まり子『国際歳時記における比較研究』（笠間書院、2012 年）

などが挙げられる。

＊ブアーシャーパー編になる俳句は146句であるが、訳者に理解しにくい作品は採り上げなかった。訳した句は78句である。

＊なお、ブアーシャーパー（Buerschaper）の読み方であるが、ドイツ語が読める人は2番目と3番目のueをuウムラウト（ü）に読んで「ビュアーシャーパー」と表記することがあるが、これは間違いである。本人から直接、「私の名はブアーシャーパー」だと言われた。「ブアー」は「バウアー」（Bauer, 農民）を意味するという。スイスの知人にも訊いたところ、ueのeはuを長音に読む印だという。

＊ドイツ語俳句の「はじまり」をいつにするかについては議論のあるところだが、上に記したように、ドイツ語俳句の処女句集ともいえるボードマースの『俳句』の出版（1962年）とした。

＊さらに、「現代」と銘うっている以上、「1990年まで」ではタイトルにそぐわないので、できる限り新しい句をこの章の最後に付けくわえた。

＊以下はブアーシャーパーの原稿を翻訳するにあたって、彼女からその許可をもらった文書である。日付は2012年8月30日になっている。これは、訳者がドイツで彼女と出会った最後の日である。

Deutsche Haiku-Gesellschaft e.V.
Auenstraße 2
49424 Goldenstedt-Lutten
a. Vechta - Tel. u. Fax 04441/83897

Ehrenpräsidentin der DHG

Margret Buerschaper M.A.
Auenstraße 2
49424 Goldenstedt-Lutten
Tel. 04441/81177

30. August 2012

Lieber Kenji,

wie gut ist es, dich nach elf Jahren wieder zu sehen. Wie früher kreisten die Gespräche um unsere Haiku-Begegnungen und um die Haiku-Bewegung in Deutschland.
Für deinen Wunsch, auch weiter deutsche Haiku ins Japanische übersetzen zu wollen danke ich dir. Es festigt meine Arbeit für die DHG und ich fühle mich sehr geehrt.
Viel Glück für deine Arbeit und deine Vorhaben

Margret Buerschaper

＊日本語訳

ドイツ俳句協会（DHG）・名誉会長 マルグレート・ブアーシャーパー

2012 年 8 月 30 日

親愛なる賢治さん。11 年の年月を経てあなたに再会できるとは、なんと素敵なことでしょう。以前と同じように、俳句による私たちの出会いとドイツでの俳句活動についての対話の輪が巡ります。ドイツ語俳句を日本語に翻訳したいというあなたの希望にたいして、感謝いたします。それは、ドイツ俳句協会のための私の活動を確かなものにしてくれ、とても光栄に思います。あなたのお仕事と計画がうまくいくことを願っています。

〈凡例〉

下線はブアーシャーパーによる季語。

作者の生没年は原則として記さなかった。亡くなった年が不明だからである。なんらかの情報によりそれが分かった方々については付記した。できる限り俳訳を試みた。

＊は訳者による補足。

Jahreswechsel

（大晦日と新年）（1－3、数字は句の番号）

年越しはドイツや西ヨーロッパでは 12 月 31 日（ジルヴェスター・アーベント、Silvesterabend）に大晦日と新年が祝われる。

家庭では一族が揃い、友人同士が出会う機会となる。大広間での舞踏会やお祝いの会での楽しいひと時を過ごして、ゆく年に別れを告げ、来る年の挨拶を交わす。

真夜中になると教会や大聖堂の鐘が鳴りわたり、花火をあげる家も多い。真夜中を過ぎると隣人や友人の家を訪ねて「新年おめでとう」と挨拶する。にぎやかな行事を早朝まで続けるグループもいる。

1 月 1 日は休日となる。親類を訪ねて挨拶のことばを交わし、煙突掃除の人のような幸福をもって来てくれる人には、チョコレートやマジパンで出来た「幸福の小ブタ」、四つ葉のクローバー、黄金虫などをプレゼントする。騒ぎ過ぎて頭痛がする人は、ゆっくりと長時間、散歩することが必要となる。多くの人は、ゆく年を感謝のミサで終える。

(1) Erika Schwalm（エーリカ・シュヴァルム）

Neujahrsfeuerwerk	新年の花火を
Meine Gäste schauen zu	我が家の客たちは見入っている
Nur die Katze nicht.	無関心なのは猫だけ
	（ゆく年や花火に猫の浮かぬ顔）

(2) Eveline Rutgers（エフェリーネ・ルートガース）

Die Flasche aufgemacht.	ビンの栓が抜かれた
Tropfen drängeln sich –	次々とおし寄せるしずく
werden Schaum im Glas.	グラスの中で泡となる
	（シャンパンに泡立つ10大ニュースかな）

＊「ビン」(Flasche) と「グラスの中の泡」(Schaum in Glas) では季語にはならないが、一応、そのままにしておいた。大晦日の12時にシャンパンが抜かれ、鐘が12時を知らせる。「吹き出す」は去年の出来事がどっと出てくる様子を暗示している。大事も小事も「泡」となる。

(3) Werner Jacobsen（ヴェルナー・ヤコブセン）

Hoffnung an Neujahr	新年の希望
Deutschland, einig Vaterland.	ドイツよ　統一された祖国よ
Tanz auf der Mauer.	壁の上の踊り
	（壁崩る祖国よ年の改まる）

40年の分断の間、ドイツ人は東西ドイツの統一を望んでいた。1990年から91年の新年にベルリンのブランデンブルク門が開かれた。それは統一を象徴するものだった。国民的な祝祭の気分のなかで、東西ドイツ国民

はベルリンの壁の上で踊った。「ドイツよ、統一された祖国よ」という歌詞はかつてのドイツ民主共和国での非暴力革命のスローガンだった。

Vorfrühling – Frühling

（早春 — 春）（4－17）

春のヴィース教会（南バイエルン）
（写真提供はザビーネ・ゾマーカンプさん）

春のハイデルベルクの町

カレンダーには3月21日が「春のはじまり」と記されている。とはいえ、自然の目ざめはもう少し早い。北ドイツと南ドイツではかなりの違いがある。

庭では待雪草（Schneeglöckchen）、スノーフレーク（Märzenbecher）、クロッカス（Krokusse）が顔を出し、沈丁花（Seidelbast）が芽吹き、いくつかの種類のアザレア（ツツジ）が咲く。森の中で最初に咲く花はアネモネ、菫、洲浜草（スハマソウ、hepatica nobilis）である。草原では西洋桜草（primula veris）、ヒナギク（bellis perennis）、立金花（リュウキンカ、ranunculaceae）の花が光る。森の入口や小川のほとり、湖や垣根にはハシバミ、山猫柳（ヤマネコヤナギ、salix caprea）、ハンノキが花を付ける。そのために、2月の最後の週は春に組み入れられ、「早春」と名付けられている。

春にはまたシジュウガラ、アトリ、アムゼルたちの最初のさえずりが聞こえ、ツグミやムクドリの群れが故郷に帰っていく（「鳥帰る」）。

早春には庭仕事が始まる。残った枯葉を掻き集め、花壇の土起こしが行われる。新しい木を植え、垣根が刈り込まれる。木や灌木の花（木蓮、桜、杏、林檎、連翹（レンギョウ）、ライラック）、チューリップ、水仙、ケマンソウ（tränendes Herz）が春の到来を告げ、4月から5月まで咲きつづける。

5月12日から15日の間にしばしば「寒のもどり」があって、特に果実の花を傷めつける。この頃は、聖パンクラティウス、セルバティウス、ボニファティウス、ゾフィーの記念日に当たるので、「氷の聖人」（Eisheiligen）と名付けられている。

ツバメ、ヒバリ、カッコウ、タゲリ（vanellus）が戻って来て、ようやく春の終わりにその声が聞こえ、姿を観ることができる。とりわけ魅力的なのは、少し暖かくなった晩春の夜に、ナイチンゲールの甘い歌声が聞こえてくることである。

春はあたり一面が心地良く、最も待ち望まれ、期待に満ちた季節であり、喜ばしい挨拶が交わされる。新たな生命が生まれ、灰色と白の冬が終わった後の鮮やかな色彩。日脚が伸び、暖かさが増し、鳥がさえずり、新鮮な空気を深々と吸い込む。これらすべてのことが意味を持つ。「希望」ということばが実感される時である。それは、躍動感、生命感、新しいことを始める気持ちへと人を誘う。

しかしまた、「春の疲れやけだるさ」も生じる。それは、暖かさやフェーン現象、あるいは、天候の急変に人の身体がすぐには対応できないからである。

春の祝祭の中核となる行事は、キリストの復活を祝うイースター（復活祭）である。人気のある贈り物はさまざまに色づけされた卵である。これは生命を象徴する贈り物となる。イースターの動物はその年に生まれた子ヒツジ、ウサギや、卵から抜け出たヒヨコである。

イースターは2日間行われるが、初日の夜には到る所でイースターの火が燃やされる。この習慣は古いゲルマンの春の祭りに遡る。火によって生命と種子に害を及ぼす悪霊を追い払うのである。

（4）Theophil Krajewski（テオフィル・クライエフスキー）

Wildgänse fliegen
in Reihen gegen Norden –
schriller Schrei im März.

雁が飛ぶ
列をなして　北に向かって—
三月の鋭い声
（雁帰る声の鋭き春の夜）

＊この句を知人のドイツ人に見せたところ笑いが起こった。理由をたずねると、これは次の軍歌を連想させるという —

Wildgänse rauschen durch die Nacht	夜空を雁がざわめいて渡る
Mit schrillem Schrei nach Norden –	あらあらしい叫びをあげて北方へ
Unstäte Fahrt ! Habt acht, habt acht !	ねぐら定めぬ旅路に心せよ
Die Welt ist voller Morden.	世界は殺戮に満ちて居る

（引用：ワルター・フレックス、Walter Flex, 1887-1917。
三須秀三 訳『ドイツ戦争詩集』P.80、昭和 17 年、1942 年）

ユー・チューブでも聴けると教えられたので試してみると、なるほど、行進を鼓舞する軍歌で、かつてはポピュラーな曲であった。ブアーシャーパーの解釈にはその言及はなかったので、日本風に風雅な「鳥帰る」の句だと思っていたが、意外な落とし穴であった。つまり、この一句は上の軍歌を踏まえたパロディーなのだ。

例えば、芭蕉が中国や日本の古典、古今集や連歌、あるいは西行の詩歌をふまえた作品を残しているように、ドイツの俳句作者も過去のよく知られた詩句を参考にしていることが分かる。こうなると、訳者としてはお手上げで、要注意である。以下に試みる作品の解釈や俳訳にも、これと似た誤解や過ちがあると思う。それを覚悟のうえでやってみた。読者の皆さんにはその辺の事情をお許しの上で、読み進めていただきたい。この本の取り柄はこれまでに日本では未だ紹介されていないドイツ語圏の国々の俳句を紹介するところにある。

（5）Carmen Silvia Gratias（カルメン・シルビア・グラーティアス）

Frühjahrssturm im Wald	森の中の春嵐
Baum um Baum liegt erschlagen –	吹き倒された木の上にまた木が—
Wurzeln träumen tief.	根は地中深くに眠っている
	（春嵐木々の眠りを覚ましゆく）

1990 年の早春、中部ドイツの森林地帯で激しい嵐が吹き荒れた。「根は

地中深く眠っている」は、痛手にもめげない新たな生命の目覚めを意味している。

(6) Johannes Wolfgang Hauck（ヨハンネ・ヴォルフガング・ハウク）

Willige Schwingen –	（風見鶏が）自分の意志で揺れているぞ―
kreisend im Frühlingswinde	春風の中で回りながら
das Korn zu finden !	やっと穀物を見つけた！
	（穀物を探して回る風見鶏）

＊元の句にはどこにも「風見鶏」（Wetterhahn）ということばは見当たらない。ブアーシャーパーの注に拠ると、この作品は教会の塔の上にある「風見鶏」を描写しているという。それは自分の利益、ここでは「穀物」を得るために「風が吹くままに」意見をコロコロと変える人間をも暗に指しているという。川柳に近い句である。

(7) Ludo Haesaerts（ルド・アザルツ）

Fink in der Winde :	柳の中で鶸（ひわ）の声が―
Lauschend sitze ich	そっと私は腰をおろす
auf meinem Schubkarren	手押しの一輪車の上に
	（鶸鳴くや庭の仕事の手を休む）

ルド・アザルツはベルギー（Belgien）のコーンティヒ（Kontich）に住んでいる。アントワープ（Antwerpen）の俳句サークル（Haikoe-Kern）の会員。つまり、ドイツ俳句協会にはベルギー人も会員になっていて、ベルギーでも俳句を作っている人々がいることがわかる。

(8) Brigitta Jörns（ブリギッタ・イエルンス）

Hungrige Amseln –	腹を空かしたアムゼル―

Die Regenwürmer haben 蚯蚓（ミミズ）の
kein leichtes Leben 暮らしも楽じゃない
（耕されては啄まる蚯蚓かな）

（9）Wilma Klevingshaus（ヴィルマ・クレヴィングハウス）

Strahlender Frühling ;	閃光の春
Mars stimmt das Wiegenlied an –	軍神マルスが子守歌を歌い始める—
Pflanz den Apfelbaum	林檎の若木を植える
	（閃光やチェルノヴイリに林檎植う）

この作品はチェルノヴイリの原発事故後の1986年の春に作られた。「閃光」とはつまり放射能の光、放射線のことであり、死んでいく自然のために軍神マルスが子守歌を歌うのである。大災害にもかかわらず「林檎の木を植える」ことは、あきらめずに希望を持つということを意味している。実をつけるまでには何年もかかるが、その頃までには大災害の危険はなくなっているであろうか。「林檎を植える」ことで思い出されるのは次の一節で、ドイツ人ならたいていの人が知っている次の詩句である—

＊マルティン・ルター（Martin Luther）のことば

Wenn ich wüsste, dass morgen die Welt untergeht, würde ich heute noch ein Apfelbäumchen pflanzen.

引用：Georg Büchmann（Hg.）Geflügelte Worte, Seite. 680,
Haude & Spenersche Verlagsbuchhandlung, Berlin, 1972

「たとえ明日にも世界が滅ぶことが分かっていても、今日のうちに私は1本のりんごの苗木を植えるだろう」

一般的に言うと、「林檎」（Apfel）はドイツ人にとっては「希望」（Hoffnung）の象徴なのだ。

（10）Dalia Thomas – Roos（ダリア　トーマス・ロース）

Vereinzelt stehen	ちらほらと
die Bäume schon in Blüte.	木々は早くも花を咲かせている
Doch der Nachtfrost droht.	でも遅霜（おそじも）がかれらを脅かす
	（遅霜におずおずと木々花咲かせ）

＊「遅霜」は民俗学では「氷の３聖人」（Eisheiligen）と呼ばれている。これについては、第８章で取り上げる。

（11）Gerda Kirmse（ゲルダ・キルムゼ）

Sumpfdotterblumen	立金花（リュウキンカ）が
im Wiesengrund. Dazwischen	草原に。その間を
schlingt der Bach sein Band.	青い小川が縫っていく
	（リュウキンカ春の小川を飾りたる）

＊（参考）

Wilhelm Arent, 1864-1913（ヴィルヘルム・アーレント）

「わすれなぐさ」	Vergissmeinnicht
ながれのきしのひともとは、	Ein Blümchen steht am Strom
みそらのいろのみずあさぎ、	Blau wie des Himmels Dom ;
なみ、ことごとく、くちづけし	Und jede Welle küßt es,
はた、ことごとく、わすれゆく。	Und jede auch vergißt es.
	（上田 敏、『海潮音』）

（12）Horst Friedrich Vorwerk（ホルスト・フリードリヒ・フォアヴェルク）

Farbpalette Mai :	五月のパレット：
Das helle Grün der Buchen	ブナの新緑が
auf Tannendunkel.	黒いモミの森の中に
	（新緑やシュヴァルツヴァルトに絵具散

らす)(＊中8は承知の上で翻案した)

＊「シュヴァルツヴァルト」(「黒い森」)は、ドイツ南西部に広がる森林地帯で、モミの木が多く、遠目には森全体が黒く見える。黒い森のあちこちに新緑がきざし、その景色を「五月のパレット」と表現している。黒と明るい緑の対比があざやかで、すがすがしい。

(13) Richard W. Heinrich, 1911-2005(リヒァルト・W. ハインリッヒ)

Aufgehender Mond –	さし昇る月 —
der Gesang der Nachtigall	ナイチンゲールの歌が
beseelt die Stille.	この静けさに趣を添える
	(昇る月啼く鶯のしずけさよ)

＊「ナイチンゲール」(Nachtigall)は日本にはいないが、その名はよく知られた鳥で、夜更けから早朝まで綺麗な聲でさえずる。「小夜啼鳥(さよなきどり)」では句が整わないので、あえて「鶯」にしてみた。ハイルブロンに住んでいた作者は日本文化と俳句の愛好家で、自分で撮った美しい写真入りの11冊の句集を自費出版した。1992年、日本独文学会(筑波大学)でのシンポジウム「ドイツ文学におけるHAIKU」でも講演した。ギュンター・クリンゲ(Günther Klinge, 1910-2009)とともに、ドイツ語俳句の普及に貢献した。

(14) Heinrich Wiedemann(ハインリヒ・ヴィーデマン)

Unter dem Märzmond	三月の月の下で
Tropft von den Dächern die Zeit.	屋根から時間のしずくが滴る
Stunde um Stunde.	刻々と
	(三月の時のしずくの小止みなく)

＊「雪」を「時」と見立て、雪の雫の音が時を刻む時計の音と表現されている。

作者は南ドイツのアルプスに接するアルゴイ(Allgäu)という山岳地

方の営林官だったので、実感がこもっている。

（15）Andrea Kaiser – Pöttschacher（アンドレア・カイザー・ペットシャッハー）

Tränende Herzen	ピンクの花を付けたケマン草と
und der Zweig des Brautstrauches	白いウツギの花の枝が
in einer Vase	ひとつの花瓶に生けられて
	（花瓶にも悲喜こもごもの春の花）

Tränen は「涙」、Braut は「花嫁」。ブアーシャーパーの解釈に依れば、愛情に満ちた人間関係や家庭の中にも「涙」と「喜び」が結びついている、という。ここから上のような俳訳になった。

（16）Rainer E. H. Maas（ライナー・E. H. マース）

Blüten im Wasser	水の中で花が
sie zittern bei jedem Schlag	ふるえる
des Stundenholzes.	鹿威し（ししおど）が落ちる度に
	（落ちるたび花びら揺らす鹿威し）

＊作者は 1945 年生まれのエンジニアで、ベルリン日独協会会員。たびたび、来日しているので「鹿威し」（Stundenholz）を知っている。

（17）Otto Reinhards（オットー・ラインハルツ）

Selbst bei trübem Licht	ほの暗い光の中でも
leuchtet das strahlende Weiß	鮮やかに光る
der Apfelblüte.	白い林檎の花
	（ほの暗き霧の中から花林檎）

Sommer

（夏）（18－39）

夏の海水浴場（北海）

春から夏への移行は目立たない。草原や畑、ことに山間の地はさまざまな種類の野生の花で飾られる。悲しいかな、かれらは最初の干し草刈りの犠牲となる。夏のはじまりは7月21日である。条件に恵まれた草原では夏に2度、干し草が刈られ、「2番刈りの干し草」（Grummet）と呼ばれる。

特に印象的なのは実る前の穀物畑である。それぞれの穀物に独自な緑色が遠くからでもはっきりと分かる。マラカイト（孔雀石）色のオオムギ、暗緑色のライムギ、深い緑色のカラスムギ、紺緑の小麦である。8月の中旬までにはこれらの穀物が熟し、採り入れられる。

夏はまた、野生の実、森の実、庭の実など、さまざまな果実を恵んでくれる。これらの果実は収穫され、そのまま食べたり、ジャムやジュースに加工される。木の実としては、まずサクランボが、次いで、種々のアンズ類、早生のリンゴが6月から9月まで熟す。

鳥たちの姿は夏にはほとんど見かけられない。それは木の葉が茂って見つけることがむずかしいからである。若いフクロウ（Eule, asio）や木の葉ヅク（strix aluco）の鳴き声が夜になると聞こえてくるだけである。

絶え間なくおとずれるやっかいなお客はハエ（musca domestica）、ブヨ

(culex pipiens)、スズメバチであり、湖沼にはトンボが飛び交う。庭や広々とした野原にはミツバチやマルハナバチ、さまざまな蝶や黄金虫が現れる。

庭では背の高いヒエンソウ（飛燕草、Rittersporn, consolida)、トリカブト(aconitum）の仲間、フランスギク、ヒマワリが咲く。池や湖の畔にはスイレンが姿を見せる。

夏のごくはじめには菩提樹（tilia platyphllos）が花をつけて甘い香りをあたりに放ち、8月からは紫色のヒース（エリカ）が沼地や荒野に咲き広がる。

夏は休暇の季節である。多くのドイツ人は国外へと旅立つ。そうでない人たちは田舎で過ごしたり、散策したり、付近を自転車で廻ったりする。北海やバルト海、また、山で休暇を楽しむ人もいる。子供達には6週間の夏休みがある。天候は変わり易いが、夕方には長時間、戸外で過ごすこともある。そんな晩には、しばしば小さな楽しみごとが行われる。提灯を吊るし、飲み物を用意し、木炭で肉類を焼くバーベキューである。

戸外（湖、海）での水浴は、普通は6月から9月まで可能である。暑い時期が過ぎると、嵐と雨をともなった雷雨がしばしば来る。その後は大抵、天候が急激に変化してゆく。

(18) Jutta Czech（ユッタ・ツェヒ）

Windsehnsucht im Kopf,	花のてっぺんで風を待つ
die Füße festgewurzelt :	足はしっかりと根を張りながら —
ach, Pusteblume !	蒲公英
	(蒲公英や種はみ空に身はここに)

(19) Klaus Sinowatz（クラウス・シノヴァ）

Leuchtende Blätter	光っている葉
Das Seufzen einer Stimme	ため息のような声
Der Schrei des Kuckucks	カッコウが啼いている
	(郭公の声や余命のいくばくぞ)

＊ブアーシャーパーの解釈に拠れば、カッコウの啼き聲から、人は余命の占いをするという。事実、余命があまりないのを、「彼はもうカッコウの啼くのを聞くことはないだろう」という表現がある。「春を告げる鳥」や牧歌的な「カッコウ時計」など、さまざまなイメージを持つ鳥である。ゲーテの詩「春の占い」（Frühlingsorakel）（Goethe）の中でカッコウは「占い鳥」、「呼公鳥（よぶこどり）」と呼ばれている。長い詩なので、全文は第 8 章で紹介することにして、ここではごく一部のみを引用する ―

「春の占い」
占い鳥よ、呼子鳥！
花の歌い手、郭公鳥（かっこうどり）！
Du prophet'scher Vogel du,
Blütensänger, o' Coucou !
…………………
ところで本気でたのんだら
知らしてくれるかぼくらの寿命も。
Wenn wir gute Worte geben ;
Sagst du wohl, wie lang wir leben ?
…………………

（20）Renate Schmadalla（レナーテ・シュマダラ）

Der kleine Käfer	小さな天道虫が
erklimmt den langen Grashalm	長い草をよじ登って
als Brücke zum Licht.	光の橋となる
	（葉先より光となりて天道虫（てんとむし））

（21）Christoph Hermann（クリストフ・ヘルマン）

eine Raupe kriecht	毛虫が這っている

zögernd über drei Zeilen	一茶の句の三行の上をためらいながら
Issas, er lacht	一茶が笑う
	（俳句読む毛虫に一茶くすぐらる）

＊訳者が調べた限りでは、日本の古典俳句のドイツ語訳（クルーシェ、クーデンホーフェ、ウーレンブローク）の中で、芭蕉（217句）、蕪村（244句）を抜いてトップに立つのが一茶（329句）である。その理由は、小さなもの、弱いものにたいする思いやり、ヒューマニズムを詠んだ一茶の句が素直に理解できるからだろう。ちなみに、1981年には日独の研究者による画期的な一茶の句集が出版されている。「いろは」から始まり「ん」までの48句のそれぞれに4種類のドイツ語訳、民俗学的な注、柳沢京子氏の切り絵が添えられ、一茶についての日独の参考文献も付けられている —

『一茶・一茶のように苦悩を共にする人たちに』坂西八郎・宮脇昌三・ホルスト・ハミッチユ 編、柳沢京子・切り絵。（信濃毎日新聞社、1981）
ISSA–Leidenden Mitmenschen im Geiste von Issa.
hrsg, von Hachiro Sakanishi, Shozo Miyawaki, Horst Hammitzsch.
Scherenschnitte von Kyoko Yanagisawa.
Shinano Mainichi Shimbun, Nagano 1981.

参考までに、ドイツ語に翻訳された一茶の本は以下のとおりである —

・Issa, *Mein Frühling*. Übertragung aus dem Japanischen und Nachwort von G. S. Dombrady. Manesse Verlag. 1983.
『おらが春』（日本語からの訳とあとがき。G. S. ドムブラディー）（マネッセ出版社、1983）
・新版、Manesse im dtv. 1996.
・Issa. *Die letzten Tage meines Vaters*. Aus dem Japanischen übertragen sowie mit Nachwort und Anmerkungen. Von G. S. Dombrady. Dieterrich' sche Verlagsbuchhandlung. 1985.

『父の終焉日記』（日本語からの訳、あとがきと注。G. S. ドムブラディー）（ディーターーリィヒ出版社、1985）

（22）Christa Wächtler（クリスタ・ヴェヒトラー）

Samtenes Kornfeld :	ビロードのような麦畑
der Sommerwinde Launen	気まぐれな夏の風が
streicheln Halm für Halm.	茎から茎を撫ぜてゆく
	（気まぐれな風に波打つ麦の秋）

＊作者は画家なので俳句も絵画的。青々としていた麦畑が夏になると褐色のビロードのようになる。その上を風がうねっていく。

（23）Herbert Phil Wagner（ヘルベルト・フィル・ヴァーグナー）

Mohnblumenwiese –	ケシの花咲く草原
und wie schwer rollt die Sonne	重く太陽が沈んでいく
hinab in den Schlaf.	眠りへと
	（ケシの牧(まき)重き眠りへ日は落つる）

＊麦畑や草原にケシの花が咲いている写真をよく見かける。

（24）Isolde Lachmann, 1940-2006（イゾルデ・ラッハマン）

Der Rittersporn baut	飛燕草（ヒエンソウ）が
wieder lichtblau Wände.	またもやブルーの壁を造ってしまった
Bis nachher, Nachbar !	ではまたね　お隣りさん
	（お隣りとおしゃべり阻(はば)む飛燕草）

＊ラッハマンさんはオーストリア俳句で活躍した俳人で多くの句集を残している。

鮮やかなブルーの花を咲かせる飛燕草（ヨーロッパが原産地）は、垣根に植えられることが多い。

（25）Gertrud Hanke-Maiwald（ゲルトルート・ハンケ・マイヴァルト）

Glockenblumenklang	釣鐘草の音が
trägt der Abendwind mir zu –	夕風に乗って
einen Atem lang	ほんの一瞬
	（夕風に釣鐘草の音聞こゆ）

＊愛らしい釣鐘草の花が夕風に揺れると、いかにも音が聞えてきそうだ。

（26）Elfriede Herb（エルフリーデ・ヘルプ）

Glühwürmchen zeichnen	蛍が引く
helle Muster in die Nacht,	明るい縞模様を
und du gehst schlafen ?	君はもう寝に行くの？
	（青き縞引いて蛍や寝(ゐ)ぬる君）

＊（参考）　蛍にも寝る刻(とき)ありて減りはじむ　（山口波津女）

（27）Margret Buerschaper, 1937-2016（マルグレート・ブアーシャーパー）

Auf dem weißen Blatt	白い紙の上に
–verschmiert– der Motte Leben	残された蛾の命
ein Silberstreifen	銀の縞
	（白き紙蛾の残したる銀の縞）

＊ドイツ俳句協会（DHG）初代会長の句。この句については序章で述べた。

（28）Hildegard Schensar（ヒルデガルト・シェンザー）

Heide grünt und blüht	リューネブルクの荒野が緑になり花が咲く

Bienen summen, schwärmen aus
stimmen Imker froh.

蜂たちの羽音がしている
養蜂家たちの明るい声が聞こえてくる
（ヒース咲く早や養蜂の声高し）

＊北ドイツに広がるリューネブルクの荒野にはピンク色のヒース（Heidekraut）の花が咲く。養蜂家（Imker, イムカー）はその蜜を集める。

（29）Ingrid Gretenkort–Singert（イングリート・グレーテンコルト－ジンガート）

In Gruppen stehen
die Gänseblümchen im Gras
und wispern leise

群れをなして咲いている
ヒナギクが、草の中で
そっとささやいている
（ヒナギクのそっとささやく草の中）

＊ドイツ・俳句協会の創設に尽力した作者（1927年生まれ）は2015年に亡くなった。

（協会季刊誌 „*Sommergras*“, 2015年、9月号、Nr.119による）

（30）Hildegard Schallenberg（ヒルデガルト・シャレンベルク）

Wie sie schwankt im Wind,
die Rose– immer neu sucht
sie ihr Gleichgewicht.

風の中で揺れている
薔薇の花 ― 絶えず探している
平衡を
（均衡の危なかしげな風の薔薇）

（31）Rudolf Dressler（ルドルフ・ドレッスラー）

Mondspiegel am Teich
verschlossen die Seerose
traut nicht den Geistern

池の畔の月影
睡蓮はひっそりと花を閉ざして
夜の精霊たちに心を開かない
（睡蓮は知らぬ月夜のファンタジー）

（32）Rosemarie Kubis（ローゼマリー・キュービス）

Strahlender Himmel,
Möwenflug und Möwenschrei,
jubelnde Freiheit.

光輝く空
カモメ達が舞い啼いている
自由に歓声をあげて
（輝ける空に鷗（かもめ）の自由あり）

＊（参考）「空といふ自由鶴舞ひやまざるは」（稲畑汀子）

（33）Rainer Randig（ライナー・ランディヒ）

Im Nieselregen
Der sanft die Ferne ausfüllt
Schnaubendes Kälbchen

遠景をやさしく包む
霧雨の中で
子牛がくしゃみをする
（くさめする子牛かなたは小糠雨）

（34）Ingrid Springorum（イングリート・シュプリンゴルム）

Die Grillen sägen
den Tag um. Ein Schimmelhengst
grast im Abendrot.

コオロギたちの草を切る音が
一日中あたり一面で。一頭の雄馬が
夕焼けの中で草を食んでいる
（すだく虫草食む牛の日暮れ哉）

（35）Edeltraud Klima（エーデルトゥラウト・クリーマ）

Heckenrosenstrauch
auch über Zäune hinweg
schenkst du Blütenpracht !

野いばらの茂みが
垣根を越える
その色の美しさ
（我知らず垣根を越えし花いばら）

（36） Rudolf A. Schmeiser（ルドルフ. A. シュマイザー）

Johannisbeeren,	暑い唇にはさんだ
zwischen zwei Lippen so heiß	スグリの実。
leuchten rot wie Blut.	血のように赤く光る
	（スグリの実噛めば暑き日血のごとし）

＊スグリの実：甘酸っぱいスグリ（ヨハニスベアー、Johannisbeer）のジュースは暑い日の清涼剤。

（37） Carl Scholz（カール・ショルツ）

Sommerwarme Nacht	夏の夕暮れが
lässt Fledermäuse wandern,	蝙蝠たちを飛翔させる。
ein Hauch von Jenseits.	ちらりとあの世が。
	（蝙蝠やちらり彼岸をかすめ飛ぶ）

（38） Gerda Dahmen–Romahn（ゲルダ・ダーメン－ ローマン）

Von bergender Nacht	庇護する夜に
bewacht : die Schafe schlummern –	見守られて、羊たちが眠っている
es duftet das Gras ……	牧草が香る
	（安らかにまどろむ羊草香る）

（39） Johanna Anderka（ヨハンナ・アンデルカ）

Glasklare Qualle :	ガラスのような海月（くらげ）
auch sie wirft Schatten unter	海月でさえ影を落とす
dem Blick der Sonne.	太陽の光のもとで
	（水底に揺れる海月の淡き影）

＊（参考）　帚木（ははきぎ）に影といふものありにけり　（虚子）

Spätsommer–Altweibersommer–Herbst

（晩夏、小春日和、秋）（40 ― 60）

秋のノイシュヴァーンシュタイン城

秋のハイデルベルクの町

暦の上では9月23日をもって夏は終わる。9月半ばからは秋の最初の兆候が現れる。朝夕に立ち込める霧である。ガラスや低い針葉樹には蜘蛛が巣を張る。これらは10月中旬まで観ることができる。最も目につく現象は、ごく小さな蜘蛛の種類が2メートルほどの糸を葉や木に出し、その糸で風に乗って漂う様（さま）である。空のあちこちに流れる白い糸は、老いた女性の長くて白い髪に似ているところから「老女の糸」（Altweiberfäden）と名付けられている。そこから、この時期は「老女の夏」（小春日和、Altweibersommer）と呼ばれる。

一日中とても暖かな日がある。バラ、ダリア、アスター、菊が咲き続ける。リンゴ、（西洋）ナシ、杏が収穫される。森や垣根には野生の灌木の実、野ばらの実（Hagebutte）、黒ニワトコの実、セイヨウマユミ、木イチゴ、ナナカマドが熟す。この時期は初秋に組み込まれているが、人々の気持ちはまだ夏から別れ難い。

「小春日和」はやがて「黄金の10月」へと移行する。とても気持ちがいい日々が訪れる。「黄金」には3つの意味がある。太陽、色づいた木の葉、そしてワインである。つまり、太陽はまだ暖かく黄金色に輝き、木の葉が黄色や茶色に色づき、カエデやオークが赤く染まる。そして、葡萄の実が熟し、ワインの産地（ライン河畔やモーゼル河畔）では葡萄摘みが始まる。

「黄金」とは葡萄の実がもたらす果汁の色でもある。
この時期をかのリルケ（1875-1926）ほど情趣深く描き出した詩人が他にいるだろうか―

主よ、今こそその時です。夏はまことに偉大でした。
日時計の上にあなたの影を投げ、
曠野に風を吹かしめたまえ。

最後の果実がみのるように命じて下さい。
もう二日、彼らに南国の日を恵み、
すこやかにみのらせ、最後の甘き果汁を
熟れた葡萄の酒となしたまえ。

（星野慎一 訳『リルケ詩集』岩波文庫）

10月最初の日曜日には収穫感謝祭が祝われる。人々は畑や庭で採れた作物をミサに持ち寄り、その年の収穫に感謝する。穀物でできた収穫感謝の輪を編んで吊るし、その下でダンスをする。このような催しは、たいてい、さまざまな協会や団体の共同によって行われる。

10月末には庭の冬支度が終わる。バラや草花は麦わらやトウヒの枝で覆われ、サボテン類のようなベランダの植物は、部屋の中で冬を過ごす。庭の椅子も片づけられる。

日本人の米と同様に、ドイツ人にとって大切な食糧であるジャガイモが最後の収穫物となる。ジャガイモの茎や葉は積み上げられて焼かれる。その火の中に棒に差したジャガイモを入れて食べる。このような習慣がはるかな過去のものになってしまったことが惜しまれる。

刈り採られたあとの畑では子供達が凧（Drachen）を上げる。針ネズミ、ハムスター、ネズミのような小動物は穴の中にもぐり込んで冬眠をはじめる。

11月は人の気持ちに重くのしかかる悲しい月である。木々はもうとっくに枯れ果て、霧が立ち、じめじめして寒い日々がつづいて最初の霜がおりる。

上のリルケの「秋の詩」の最後の詩節がこのような気分を描写している—

今　家をつくらぬものには　もはや家は出来ません。
今　孤独のものは　ながく孤独のままでしょう。
夜中にめざめ　書物を讀(よ)み、ながい手紙を書いて、
木の葉の吹き散るときには、
ここかしこ　並木のなか、静心(しずごころ)なくさ迷うことでしょう。

（星野慎一 訳『リルケ詩集』岩波文庫）

万霊節（11月2日）、国民哀悼の日（11月の第3の日曜日）、そして死者追悼の日（11月第4日曜日）には、亡くなった人々に思いを馳せる。万霊節には墓が飾られ、亡きひとのために蝋燭の火が灯される。

子供達にとって11月11日は聖マルチンを讃えるお祭りの日である。夕方早くに彼らは紙の提灯を持って行進し、歌を歌う。家の戸口で歌う彼らはクッキーやお菓子をもらう。

（40）Brigitte Bohnhorst（ブリギッテ・ボーンホルスト）

Septembernebel	9月の霧が
kriechen über den Asphalt –	アスファルトの上を這う
Moorgeister rufen.	沼の精霊が呼ぶ声
	（湿原のヘッドライトに霧の精）

＊ドロステ･ヒュルスホフ（Droste–Hülshoff、1797-1848）の詩「沼の中の少年」を思わせる作品である。

Der Knabe im Moor
O schaurig ist's übers Moor zu gehn,
Wenn es wimmelt vom Heiderauche,

Sich wie Phantome die Dünste drehn
Und die Ranke häkelt am Strauche,
Unter jedem Tritt ein Quellchen springt,
Wenn aus der Spalte es zischt und singt,
O schaurig ist's übers Moor zu gehn,
Wenn das Röhricht knistert im Hauche !

＊引用：(aus: Annette von Droste–Hülshoff, Sämtliche Gedichte. Insel Verlag, 1988, Seite 68-69)

恐ろしや、沼地を行くことは。
荒野に煙のようなものがうごめき、
幻のような靄が渦巻く。
沼のほとりの茂みの形もぎざぎざだ。
歩くごとに出来た窪みから水が現れ、
割れ目からはシュッシュッと不気味な音がする。
恐ろしや、沼地を行くことは
葦の茂みが風の吐息にサラサラと音を立てる。　（竹田、試訳）

（41）Günther Klinge, 1900-2009（ギュンター・クリンゲ）

Herbsttage rollten
wie Perlen einer Kette,
deren Band zerriß.

秋の日が転げ落ちていく
まるで紐がちぎれた
真珠の首飾りのように
（行く秋や切れし真珠の首飾り）

（H. ツァハート 訳、G. クリンゲ『雨いとし』角川書店、1978 年より）

＊ H. W. インリッヒとともにドイツ語俳句の普及に貢献した一人である。日本でも数冊の句集（原句と日本語訳付き）を出版しており、ドイツ語俳句作者としては、日本で最も知られた人物であろう。

（42）Matthias Brück（マティアス・ブリュック）

Zwei gelbe Blätter	2枚の黄色の葉が
in der Brandung des Meeres.	打ち寄せる磯波に運ばれて
irgendwo ist Herbst ...	どこかに秋が
	（いずこより波に運ばる落葉かな）

＊この作品は1990年、松山で行われた国際HAIKU大会で「秀作」に選ばれた。ドイツの文学研究者で日本の古典俳句も翻訳しているD. クルーシェは次のような解釈をしている―

この作品で最も重要なことばは「どこか」（irgendwo）であり、詩の中で感じられ、心の中で生まれる秋は「どこか」他の風景、「どこか」知らない土地、見知らぬ世界のものであり、それが空間的にも内面的にも大きなひろがりを一句にもたせている。

（43）Ingeborg Raus（インゲボルク・ラウス）

Kartoffelfeuer –	ジャガイモの葉を焼く火
gelblich kräuselt sich der Rauch,	黄色の煙の渦が舞い上がって
zieht den Vögeln nach.	鳥たちのあとを追う
	（馬鈴薯の畑の煙や鳥を追う）

＊この作品は1990年、松山で行われた国際HAIKU大会で「特選」となった。

（44）Ilse Pracht–Fitzell（イルゼ・プラハト－フィツェル）

Schon wallt das Grashaar	早くも髪のような綿毛が
silbrig. An den Maisgreisen	銀色に。枯れたトウモロコシのそばで
schlottern die Lumpen.	ボロ服が震えている

（風寒し破れモロコシのボロの服）

＊ Maisgreisen という語は辞書にはないが、ブアーシャーパーの注に拠れば、Alte Maispflanzen（老いたトウモロコシ）とあり、このことばは作者の自由な造語なのだろう。ユーモアもあり、俳味もある。

（45）Hilmar Bierl（ヒルマー・ビエル）

Morgenlicht im Frost.	霜の朝の光
Selbst der Stacheldraht wurde	有刺鉄線でさえも
zur Perlenkette.	真珠の首飾りとなる
	（国境の有刺鉄線露の玉）

＊この作品は 1989 年 11 月 8 日、9 日の「ドイツ統一」への期待を踏まえている。

作者は 1941 年、アイゼナハ生まれ。ベルリン俳句協会の代表。

（46）Jutta Mittelgöker（ユッタ・ミッテルゲーカー）

Einsam im Nebel :	霧の中の孤独
Jeder Baum eine Insel.	木の一本一本が島だ
Daheim dampft der Tee.	家の中では紅茶の湯気

＊戸外と室内、霧と湯気、孤独と団らん、あるいは、寒暖の対比の妙。俳訳はあきらめた。

この作品はヘルマン・ヘッセ（Hermann Hesse, 1877-1962）の詩「霧」（Im Nebel）を想起させる —

不思議だ、霧の中を歩くのは！
どの茂みも石も孤独だ。
どの木にも他の木は見えない。
みんなひとりぼっちだ。

（高橋健二 訳『ヘッセ詩集』新潮文庫より）

Seltsam, im Nebel zu wandern !
Einsam ist jeder Busch und Stein,
Kein Baum sieht den andern,
Jeder ist allein.

（aus: *Herz tröste dich*. hrsg. von Constantin Rühm.
Herder Freiburg im Breisgau.1984. Seite.225.）

（47）Friedrich Heller, 1932-2020（フリードリッヒ・ヘラー）

Wohin des Weges,	この道をどこへ
Fahle Blätter im Winde ?	風の中の枯れ葉
Dir voraus, dir nach !	お前の先になり後になって
	（前うしろ行方さだめぬ枯葉かな）

＊唯一、この作品はブアーシャーパーの原稿からではなく、訳者が選んだ。この句は 1990 年、国際俳句大会（松山）でグランプリ（「大賞」）を獲得したからである。1932 年生まれの作者はオーストリア俳句界をリードした詩人であり、多くの詩や作品を残したが 2020 年に亡くなった。この作品は序章でも紹介した。

（48）Reiner Bonack（ライナー・ボーナク）

Das Netz der Spinne	蜘蛛の囲が
zwischen Beeren und Blättern –	木の実や葉の間に
Gespannte Stille.	張りつめられた静けさ
	（蜘蛛の囲に張りつめられし静けさよ）

＊（参考）　「蜘蛛に生（あ）れ網をかけねばならぬかな」　（高浜虚子）

（49）Rainer Hesse（ライナー・ヘッセ）

Versöhnlich stimmen	なごやかに融和する

die Spätherbstfarben am Fluß –
nach all den Stürmen.

川辺の秋の色
数々の嵐が去った後に
（嵐去り川辺は秋の色に満つ）

＊作者はヘルマン・ヘッセと縁つづきとのこと。ヘッセ自身も俳句に興味を持っていた。

（50）Franz Mörth（フランツ・メルト）

Herbstliche Schatten
fallen auf den müden Mann.
Er wehrt sich nicht mehr.

秋の影が
疲れた男の上に落ちる
彼はもはやそれに抗わない
（秋の日や男の影を著（しる）くせり）

（51）Doris Götting（ドーリス・ゲティング）

Bäume laubentblößt –
Welch Kräfte schürzen euch
Knoten ins Geäst ?

葉を散り尽くした木々－
どんな余力がお前たち木々の枝に
（葉を束ねる）結び目を作ることが
出来よう？
（葉を落とす木々に身軽さありにけり）

＊作者は在日経験もあるジャーナリストで、ベテランの俳句作者。1990年のバート・ホンブルクでの日独俳句大会で一緒になったので、今回、手紙を書いたが届かなかった。

（52）Rüdiger Jung（リューディガー・ユング）

Entlaubt der Ahorn.
Die braunen Früchte haben
den Abflug verpaßt.

葉を落とした楓。
茶色の実が
飛翔を逸した。
（自由への飛翔逃せし楓の実）

＊ 1961 年生まれ。神学を学び、1991 年から牧師。「オイレンヴィンケル・俳句賞」の最初の受賞者（1989 年）。この賞はドイツ俳句協会創立にあたって尽力した詩人、カール・ハインツ・クルツ（Carl Heinz Kurz, 1920-93）の寄付によって設立されたもの。

（53）Hedwig Meutzner（ヘートヴィヒ・モイツナー）

O halbrunder Mond	半月よ
des Sommers letzte Mücke	夏の終わりの羽虫が
verehrt dich im Tanz	あなたを敬まって舞っている
	（半月を敬ふが如羽虫舞ふ）

＊ここで引用しておきたいのはリルケの「ハイカイ」（HAÏ-KAÏ）である。以下はリルケのハイカイ、3 句。

リルケ（Rainer Maria Rilke, 1875-1926）は「ハイカイ」と称するフランス語のハイカイを 2 句、ドイツ語のハイカイを 1 句残している。まずは、ドイツ語のハイカイから ―

・Kleine Motten taumeln schauernd quer aus dem Buchs ;
sie sterben heute Abend und werden nie wissen,
daß es nicht Frühling war.

小さな蛾が身をよじらせ、ふるえながら黄楊（つげ）の木から出てくる。
彼らは今晩命絶え、春でなかったことを、
知らぬままで終えるだろう。

（星野慎一・小磯仁 共著『リルケ』清水書院、2001、p.59）

フランス語のハイカイ 2 句。

（1920 年、9 月、ジュネーブでの作）

・C' est pourtant plus lourd de porter des fruits que des fleurs
Mais ce n'est pas un arbre qui parle– c' est un amoureux.

花よりも果実が重いと、

樹木がいうのではなく、
愛がいう。

（神品芳夫『詩と自然』小沢書店、1983、p.160）

（1926年、秋の作品）

・Entre ses vingt fards
Elle cherche un pot plein :
Devenu pierre.

二十のおしろい壜から
彼女はいっぱい入った一本を探す。
石となっていた。

（同書、p.161）

（54）Marianne Seger（マリアンネ・ゼーガー）

Morgennebel klebt	もの言わぬ葦に残った
tränenklar am stummen Schilf	涙のような朝霧
näßt Berberinnen.	ベルベル人の女たちを濡らす
	（朝霧に葦も女も濡れにけり）

＊ベルベル人：北アフリカに住む非セム系種族。ホームレスの人々。放浪者。この言葉を俳訳に入れることは困難だった。

ブアーシャーパーの解釈：晩夏の葦の中を流れる朝霧。年老いた葦は大地の歴史のさまざまな時期を知っているが、何も語らない。ベルベル人とは定住しない人たちで、もはや泣くこともできない。霧の涙がベルベル人の女性を濡らし、彼女に替わって泣いているのだ。

（55）Walter Hamm（ワルター・ハム）

Knusprig und pechschwarz,	こんがりと黒焦げに
in Glut und Asche gegart,	熾火（おきび）と灰の中に残った
eine Kartoffel.	ジャガイモひとつ

（こんがりとジャガイモひとつ残りたる）

＊ブアーシャーパーの解釈

ジャガイモの葉を焼いた熾火の中に、子供たちは収穫したジャガイモを入れる。

表面は焦げて黒いジャガイモだが、皮の中は金色だ。それを食べるよろこびがこの詩で表現されている。

（56）Dieter Scherr（ディーター・シェア）

Ins Belverdere	ベルヴェデーレ宮殿の中へ
schickt gelbe Blätter der Herbst	秋が黄葉をプレゼントする
hier sitzen kußt nix	ここで座っているのは只
	（宮殿の黄葉（もみじ）観ながら日向ぼこ）

＊ブアーシャーパーの注に依れば、kußt nix は本来は küßt nichts（「決して接吻しない」）を意味するが、ここでは、ことば遊びで kost nix すなわち kostet nichts（料金が要らない無料）という意味で使われている。さらには、ウィーン郊外のベルヴェデーレ宮殿の庭に腰をおろしている不機嫌そうな老人たちは「接吻することをもはや忘れている」ということも暗に意味しているという。

＊ベルヴェデーレ宮殿には、有名なグスターフ・クリムトの『接吻』が展示されている。作者はこのことも暗にほのめかしているのかも知れない。ドイツ文学者の山戸暁子氏のご指摘による。「キスしない」、「無料」、「クリムトの『接吻』」と、重層する意味をすべて 5-7-5 の日本語に移すことはきわめて困難な作品だ。

（57）Flandrina von Salis, 1923-2017（フランドリーナ・フォン・ザーリス）

Herbstsonne, im Laub	秋の陽が葉っぱに
Gefangen. Der Greis bückt sich	包まれている。老人が腰をかが

Und hebt ein Blatt auf.

めて
その一枚を拾いあげる。
（秋の陽を落ち葉とともに拾ふ人）

＊季重なりは承知の上で俳句にしてみた。

作者はスイス生まれ。秋の日と落ち葉の中に自らの余命をいとおしんでいる老人がいる。

この作者については少しばかりの注を付け加えておきたい。

第１に、フランドリーナ・フォン・ザーリスは Hajo Jappe（ハーヨ・ヤッペ）、Imma von Bodmershof（イムマ・フォン・ボードマースホーフ）、Karl Kleinschmidt（カール・クラインシュミット）とともに、**ドイツ語俳句界のパイオニア**だったということ。

第２に、彼女はスイス東部のグラウビュンデン（Graubünden）州に13世紀以来続いた貴族の末裔で、一家からは多くの著名な学者が出ていて、自身もイタリア、イギリス、フランス、スペインに学び、多くの文学作品を残していること。さらに、曾祖父のヨハン・ゴーデンツ・フォン・ザーリス・ゼーヴィス（Johann Gaudenz von Saalis-Sewis）はゲーテ、シラー、ヴィーラント、ヘルダーなどとともに著名な詩人であり、良く知られた彼の詩「秋の歌」（Herbstlied）は、作曲もされて歌い続けられているということである。この詩については、第８章でとりあげる。

（参考 : Conrad Miesen, Nachruf auf Flandrina von Salis, in: Sommergras, Nr.119. 2017、pp.27-29）

（58）René Marti（ルネ・マルティ）

Früchte des Ahorns
wirbeln im Herbstwind umher.
Das Werden beginnt.

楓（かえで）の実が
秋風の中で渦を巻いて落ちる。
新たな生が始まる。
（楓の実「死して成（な）れよ」と風に乗る）

＊作者はスイス生まれ。

（参考）

Und solang du das nicht hast,
Dieses : Stirb und werde !
Bist du nur ein trüber Gast
Auf der dunklen Erde.

（aus: *West–Östlicher Divan*, von Goethe, „Selige Sehnsucht“）

「この、死して成れ！　このことを、
ついに会得せぬかぎり、
おまえは暗い地の上の
暗く悲しい孤客にすぎぬ」

（ゲーテ、「至福の憧れ」『西東詩集』、生野幸吉 訳）

（59）Marianne Ullmann（マリアンネ・ウルマン）

Nadel an Nadel
die Fichten mitten im Sturm
der Herbst färbt sie nicht.

嵐の中のトウヒの木
針の枝の一本さえ
秋の色に染まらない
（秋風にトウヒの針の耐えてをり）

（60）Annette Gonserowski（アネッテ・ゴンセロフスキー）

Kalter Mond, wenn die
Sonne ihr Antlitz verbirgt,
die Trauer beginnt.

太陽が顔を隠した
11 月の寒々とした月
悲しみが始まる
（寒月や悲しみの月始まりぬ）

＊この項のはじめに述べたが、万霊節（11 月 2 日）、国民哀悼の日（11 月の第 3 の日曜日）、そして死者追悼の日（11 月第 4 日曜日）と、11 月はドイツでは最も鬱陶しい月である。

Winter

（冬）（61 — 78）

冬のラムザウの村（南バイエルン）

陰鬱な11月が過ぎると、人々の心にポッと光が灯る12月。12月は何といってもクリスマスの月である。神の子であり救世主であるイエス・キリストの生誕を祝う。キリスト教にかかわりのない人々もクリスマスを祝う。クリスマスはすべての者にとって愛の行事であり、プレゼントや施し物をし、お祝いのことばが交わされる。さまざまなクッキーや焼き菓子の香りが家の中にたち込めるのもクリスマスの頃で、これはドイツのひとつの伝統と言ってよい。（口絵参照）

＊（参考）　「もみの木」（クリスマス・ソング）

O Tannenbaum, o Tannenbaum,	もみの木、もみの木
dein Kleid will mich was lehren :	いつも緑よ
die Hoffnung und Beständigkeit	変わらぬ希望は
gibt Trost und Kraft zu aller Zeit,	いつでも慰む
O Tannenbaum, o Tannenbaum	もみの木、もみの木
dein Kleid will mich was lehren :	いつも緑よ

暦の上の冬はようやく12月21日に始まる。クリスマスの準備をする4週間は、アトヴェント（待降節、Advent、adventus = die Ankunft :「到着」。つまり、イエス・キリストがこの世に「降りてくる」のを「待つ」ことを意味する）。家庭ではアトヴェントのリース（Adventskranz）（口絵参照）が飾られ、1週間ごとにロウソクに火を灯し、4本のロウソクのすべてに火が灯った週にクリスマスがやって来る（口絵参照）。戸外では霜や雪が降り、昼は短くなり、12月23日は1年で昼が最も短い日となる。寒い日の霜が木の枝を魅力的に飾る。草原は霜で白く覆われる。暖房されていない部屋の窓には「氷の花」が咲く。

冬をそれぞれの生活圏で過ごす鳥たち、例えば、ヨーロッパコマドリ（erithakus rubecula）、アムゼル、アトリは、人家の近くにいる。そこには餌台や小さな鳥籠がしつらえてある。冬に最も目につく鳥は鴉、大鴉、コクマガラス（corvus）である。彼らは枯野に住みつき、群れをなして小さな森の中で眠る。彼らの大きな姿、黒い羽、啼き声は、寒さ、孤独、不快さ、死を象徴する。

秋に鉢植えしたチューリップや球根類は、1月に部屋の中で花を咲かせる。庭では2月までクリスマスローズの花が見られ、小さな宿根草の白い花も見ることができる。1月になると庭ではマンサク（hamamelis）が咲き始め、詩歌によく詠まれる。それはこの花が1年で最初に咲いて挨拶してくれるからである。道の辺やがれきの上では、2月末にはフキタンポポ（tussilago farfara）の黄色の花の星が見られるようになる。

冬の娯楽としては、スキー、アイススケート、ソリがある。雪だるまを造ることも冬の楽しみのひとつである。

（61）Helma Giannone（ヘルマ・ギヤノネ）

<u>Eisblumen</u> blühen –
die Schneeluft ist kalt und klar –
Bratäpfel duften.

氷の花が咲く —
雪の空は冷たく澄んで —
焼きリンゴが香る
（窓に咲く氷の花と焼きリンゴ）

(62) Elisabeth Gallenkemper（エリザベート・ガレンケンパー）

Im Rabenschlafwald	冬の鴉が眠る森
Winters, langes Palavern.	長いおしゃべり
Gipfelgespräche.	お偉い政治家たちの会合のように
	（冬鴉サミットの如寝ねもせず）

＊ 1927 年生まれのガレンケンパーさんは古参の俳人。この人にも手紙を書いてみたが返事はこなかった。

(63) Sabine Sommerkamp（ザビーネ・ゾマーカンプ）

Vom kahlen Baum	枯れた木から
Fliegt die Krähe krächzend fort –	鴉が啼きながら飛び去る
Wintereinsamkeit.	冬のさびしさ
	（枯木から鴉啼きつつ去りにけり）

かれ朶に烏のとまりけり秋の暮　　　　芭蕉

を思わせる句である。1952 年生まれの作者は「イマジズムとビートジェネレーションに及ぼした俳句の影響——英米抒情詩の研究」（*Der Einfluß des Haiku auf Imagismus und jüngere Moderne : Studien zur englischen und amerikanischen Lyrik*）という論題でハンブルク大学から博士号を取得した。俳句をテーマにした『お日さまさがし』（*Die Sonnensuche, Christophorus-Verlag,*1990）というメルヘンも書いている。現在はラトビア国の名誉領事を勤めている。

(64) Annelie Meinhardt-Miesen（アンネリー・マインハルト-ミーゼン）

Letztes Ahornblatt :	最後の楓の葉 —
Durch ein Loch im Gewebe	透けた葉脈から
schaut weiß der Winter...	白く冬が覗いている

（楓葉（かえでば）を透かして覗く冬の顔）

（65）Else Keren（エルゼ・ケーレン）

Winde wehn kalt
nicht immer – Sommerstrahl wärmt
Herz Hand Falter Dich

風が冷たく吹く
稀にさす陽の光が暖めてくれる
心、手、蝶、君を
（寒風に日差しは優し蝶ひとに）

1924年、イスラエル生まれ。パリに学び、パウル・ツェラーンと親交があったという。

（66）Marcel Smets（マルセル・スメーツ）

Ein Winterabend
Schafe stehen zusammen –
ruhig im Dunkel

冬の夕べ
羊たちは群れてたたずんでいる —
闇の中で静かに
（冬の夜を群れる羊の静けさよ）

（67）Leonie Patt（レオニー・パット）

Verlassne Alp. Schnee
liegt, wo Vieh mit Glocken ging –
Nun schreien Dohlen.

誰もいなくなった山の牧場。雪が残っている。カウベルを付けた牛が去って行った —
クマガラスの啼き声だけが聞こえてくる。
（カウベルは去りクマガラス啼いてをり）

（68）Ute Sieber-Limbrecht（ウーテ・ジーバー-リムブレヒト）

Bonsai des Lebens

人生という盆栽

ohne Blätter im Winter	葉を落とした冬に
Größe im Kleinen	小の中の大
	（盆栽に冬の命のありにけり）

＊「盆栽」はヨーロッパでは愛好家が多い。老人の趣味ではない。「ドイツ盆栽クラブ」もあって、会員数は3,000人といわれている。「ドイツで人気の楓は、春の芽吹き、夏の観葉、秋の色づき、冬の落葉という、四季を絶えず意識させてくれるので、人間を自然のなかへ誘う媒体となる。ここでは人間が優位ではなく、自然と同化、あるいは一体化した時空をつくる」

（浜本隆志・高橋憲 編『現代ドイツを知るための67章』明石書店、2020、p.365）

（69）Alfred Gruber（アルフレート・グルーバー）

Es schneit auf Birke	白樺に雪が降る
und Lebensbaum, es schneit auf	柏（かしわ）の木にも
Kirche, Haus und Grab .	教会にも家にも墓の上にも
	（雪降りや家も御堂（みどう）も茫々と）

＊（参考）

太郎を眠らせ、太郎の屋根に雪ふりつむ
次郎を眠らせ、次郎の屋根に雪ふりつむ。　（三好達治）

（70）Emmerich Lang　（エマーリヒ・ラング）

Weiß ist der Garten.	白一色の庭
Mit der Kinderschaukel spielt	ブランコと遊んでいるのは
der eisige Wind.	氷のように冷たい風
	（寒風に鞦韆（しゅうせん）遊ぶ銀世界）

（71）Ludwig Schumann（ルートヴィヒ・シューマン）

Wenn der Schnee harsch wird
laufen Rehe behutsam :
Die Fesseln schmerzen.

雪が凍結すると
鹿たちの歩みは慎重になる：
ひずめが傷つかないように
（凍結や鹿の歩みも慎重に）

＊ブアーシャーパーの解釈に依れば、この句は旧東ドイツの人々の窮屈な生活を暗示しているという。

（72）Fridrich Rohde（フリーフドリヒ・ローデ）

Streit in der Sippe.
Im Baum die Krähen werfen
Proteste sich zu.

仲間喧嘩
木の中でカラス達が非難し合っている
互いに文句を言いながら
（唖唖(ああ)の声喧嘩分かれのカラス達）

（73）Heinrich Kahl（ハインリヒ・カール）

Hell de Morgensteern
in de düüster Winternacht
öber `t ole Dack.

＊原文は低地ドイツ語で書かれている。以下はブアーシャーパーによる標準ドイツ語。

Hell der Morgenstern
in der dunklen Winternacht
überm alten Dach

暗い冬の夜に
明るく光る星が
古い馬小屋の上に
（馬小屋の上に明るき星生まる）

＊言うまでもなく、これはキリストの生誕の情景を描いたもの。

(74) Hans Wipperfürth（ハンス・ヴィッパーフュルト）

Auf die Wolken schreibt	雲の上に書く
blätterloser Ast im Wind	風の中の枯れ木が
lyrisches Gedicht.	抒情詩を
	（風強し枯木は雲に詩を書けり）

(75) Bernhard Kleinschmidt（ベルンハルト・クラインシュミット）

Das Haus: Rauch steigt auf;	一軒の家。煙がひとすじ立ち昇る。
die Läden sind geschlossen.	窓の鎧戸はかたく閉ざされたままだ。
Winterwind im Haar.	髪の間をとおる冬の風。
	（一軒家冬の煙の一筋に）

＊（参考）

俳句を知っていたブレヒト（Bertolt Brecht, 1898-1956）の短詩。

Der Rauch	煙
Das kleine Haus unter Bäumen am See.	湖畔の木影に小さな家。
Vom Dach steigt Rauch.	屋根から煙が立ちのぼる
Fehlte er	もしも煙がなかったなら
Wie trostlos dann wären	なんとわびしいことだろう
Haus, Bäume und See.	家も木立も湖も。

(76) Christoph Janacs（クリストーフ・ヤーナク）

das haus, der garten	家も庭も
und die kleine, alte frau	小さな老女も
farbtupfer im schnee.	雪の中でとりどりの色の玉となる。
	（雪の珠庭も老女もその中に）

＊なんでもないような日常の光景のひとコマだが、作者の目に映ったものは、生きていることへの愛おしさであろう。一面の銀世界の中での色彩の交替に希望と慰めが読みとれる。

（77）Edward Dvoretzky（エドワァルト・ドゥフォレツキー）

Schneemann hält Wache bis Sonne ihn zwingt, seinen Dienst aufzugeben.	見張り番の雪だるま 彼の任務は太陽が その役目を解くまで （お日さまに見張り解かるる雪だるま）

（78）Ingeborg Münch（インゲボルク・ミュンヒ）

Februarsonne. Reste von Schnee am Wegrand – und schon Huflattich.	二月の太陽 道の辺に雪の名残— それでも　もうタンポポが （タンポポやまだ道の辺は斑雪（はだれ））

おわりに

短いだけに隠された意味を読み解くのはむずかしかった。作者がドイツ語圏のみではないので、人名の読み方が不明な点が多かった。また、動植物の名前とその具体的な姿も分からないものもあった。

訳しながら何度も訳者の頭をよぎったことは、多くの作者、それもドイツで会ったことのある人々が亡くなっているのではないか、ということであった。ブアーシャーパー編の俳句は1990年までのことだから。

西欧ではじめて芭蕉の作品を論じたバジル・ホール・チェンバレン（Basil Hall Chamberlain, 1850-1935）は彼の書、『日本事物誌』（*Japanese Things*, 1905）を古き日本の「墓碑銘」（epitaph）と呼んでいる。存命の方々には失礼なことではあるが、訳者には絶えず、このことばが脳裏に浮かんだ。ブアーシャーパーのこの選集がドイツ語俳句の一つの時代の「墓碑銘」ではないかと。「記念碑」（monument）と呼ぶにはいかにもつたない訳ではあるが、この原稿は「記念碑」と名付けるにふさわしいと思う。

〈付記〉

この選集の編者であるドイツ俳句協会・名誉会長、マルグレート・ブアーシャーパーさんが2016年4月20日に亡くなった。小学校の教師をしながら、各地にいた俳句作者たちに呼びかけ、1988年に同協会を設立し、15年間もの間、その会長を務め、協会を運営した功績は大きい。ドイツ俳句協会のいわば「肝っ玉おっかさん」（Mutter Courage）的存在であった。

同協会の会員にはドイツ語圏の国のみならず東欧諸国やアメリカの人々もいて、現在の会員数は270名である。季刊誌（はじめは『ドイツ俳句協会季刊誌』・Vierteljahresschrift der Deutschen Haiku-Gesellschaft、2005年の71号からは、『ゾマー・グラース・*Sommergras*, 夏草』）は2022年現在で通巻136号に達している。この雑誌には俳句は勿論のこと、連句、短歌、川柳、俳論、刊行された句集の紹介や書評などが掲載され、とても充実した内容になっている。彼女が残してくれた原稿『現代ドイツ語俳句選集──はじまりから1990年まで』（146句、本章では78句）の日本語への翻訳の完成を見ることなく、彼女は明るく旅立ってしまった。完成を待たずに彼女が逝ってしまったことは、とても残念である。

最後にブアーシャーパーへの哀悼と感謝の気持ちを込めて、訃報の内容、彼女の業績の一部と俳句5句を紹介しておきたい。

〈主な著書〉

・Atemholzeiten（俳句、短歌、詩）（1979 ?）
・Zwischen allen Ufern（詩集）（1985）
・Zwischen den Wegen（詩集）（1986）
・Rasten auf bemoostem Stein（俳句、詩）（1987）
・Das deutsche Kurzgedicht in der Tradition japanischer Gedichtformen, -Haiku, Senryu, Tanka, Renga（修士論文）（1987）
・Hast du heute schon gelebt（詩集）（1988）

・Später Gast im eigenen Reich（歌仙、編集）（1988）
・Tränen im Schweigen（連歌、編集）（1988）
・Freude auf das Mögliche（詩、俳句、川柳）（1989）
・Golden im Blatt steht der Ginkgo（俳句、詩、編集）（1990）
・Auch wenn ich im Herbst komme ...（日本紀行、句文集）（1992）
・Deutsch – Japanische Begegnungen in Kurzgedichten（荒木忠男 編）（1992）
・Schnee des Sommers（俳句、川柳、短歌）（1993）
・Meerweit Moor（詩集）（1995）
・Worte kehren zurück am Spinnenfaden（俳句、連句）（1998）

〈講演など〉

1990 年　日独俳句大会
内田園生（国際俳句交流協会）、荒木忠男（ケルン日本文化館館長）、沢木欣一（俳人協会）、金子兜太（現代俳句協会）、稲畑汀子（日本伝統俳句協会）。ブアーシャーパー（ドイツ俳句協会会長）。

1990 年　松山の国民文化祭で国際俳句大会
記念講演：ドナルド・キーン
パネルディスカッション：佐藤和夫、ブアーシャーパー、朱實、コー・ヴァン・デン・ヒューベル、金子兜太。

筆者に届けられた彼女の訃報（死を予感していたのであろう、宛名は彼女の手書き）を以下に記す。

（訃報の内容）
左のページには、教会でのお別れの会で歌われたであろう歌、『あらゆる道を歩む』（Alle Wege–schreiten）の楽譜。
右のページの内容は以下のとおり。遺言のような詩と文章が書かれている。
（3 行詩、俳句）

Wenn ich denn sterbe …	たとえ私が逝っても
pflückt einen Feldblumenstrauß	皆さんは野の花を摘んで
singt ein Wanderlied.	ハイキングの歌を歌って下さい。

皆さんは悲しんではなりません、マルグレート・ブアーシャーパー（1937 年 4 月 22 日生、2016 年 4 月 20 日没）の死を。
私の芸術と詩をとおして、多くの人々に贈ることが許された喜びとしあわせ

郵便はがき

料金受取人払郵便

神田局
承認

7846

差出有効期間
2024年6月
30日まで

切手を貼らずに
お出し下さい。

101-8796

537

【受 取 人】

東京都千代田区外神田6-9-5

株式会社 **明石書店** 読者通信係 行

お買い上げ、ありがとうございました。
今後の出版物の参考といたしたく、ご記入、ご投函いただければ幸いに存じます。

ふりがな お 名 前	年齢	性別

ご 住 所 〒 -

TEL ( ) FAX ( )

メールアドレス	ご職業（または学校名）

＊図書目録のご希望 □ある □ない	＊ジャンル別などのご案内（不定期）のご希望 □ある：ジャンル（ ） □ない

書籍のタイトル

◆本書を何でお知りになりましたか？
□新聞・雑誌の広告…掲載紙誌名［ ］
□書評・紹介記事……掲載紙誌名［ ］
□店頭で □知人のすすめ □弊社からの案内 □弊社ホームページ
□ネット書店［ ］ □その他［ ］

◆本書についてのご意見・ご感想
■定　価 □安い（満足） □ほどほど □高い（不満）
■カバーデザイン □良い □ふつう □悪い・ふさわしくない
■内　容 □良い □ふつう □期待はずれ
■その他お気づきの点、ご質問、ご感想など、ご自由にお書き下さい。

◆本書をお買い上げの書店
［ 市・区・町・村 書店 店］

◆今後どのような書籍をお望みですか？
今関心をお持ちのテーマ・人・ジャンル、また翻訳希望の本など、何でもお書き下さい。

◆ご購読紙 (1)朝日 (2)読売 (3)毎日 (4)日経 (5)その他［ 新聞］
◆定期ご購読の雑誌［ ］

ご協力ありがとうございました。
ご意見などを弊社ホームページなどでご紹介させていただくことがあります。 □諾 □否

◆ご 注 文 書◆ このハガキで弊社刊行物をご注文いただけます。
□ご指定の書店でお受取り……下欄に書店名と所在地域、わかれば電話番号をご記入下さい。
□代金引換郵便にてお受取り…送料＋手数料として500円かかります（表記ご住所宛のみ）。

書名	冊
書名	冊

ご指定の書店・支店名	書店の所在地域　都・道 府・県　市・区 町・村
	書店の電話番号 （ ）

が家族と仕事と俳句協会の中でまた、私に恵まれた友人たちの心の中で幾重にも根を広げ、花を咲かせますように。

これが私の願いです。

家族の名前の一覧。

親しい人々による祈り。2016年4月29日、19時15分より、ルッテンの聖ヤコブ教会にて。

ブアーシャーパーの句・5句

（Die kleinen Freuden am Wege『道の辺の小さな喜び』
Pocket Print im Graphikum, 1987年から1句）

（新年）

Der Schornsteinfeger :	煙突掃除屋さんー
am ersten Tag des Jahres	元旦に
aus Schokolade.	チョコレートで出来た。
	（歳旦や煙突掃除にチョコレート）（p.7）

＊ドイツの家には薪をくべる暖炉があるのが伝統で、年末には煙突掃除屋さんがやってきて掃除をしてくれる。彼らは家庭に幸福をもたらしてくれるといわれる。料金以外にチョコレートをプレゼントするという。日本の「煤払い」にあたる。

（*Schnee des Sommers*,『夏の雪』、Im Graphikum, 1993年から4句）

（春）

Die Morgenstille	朝の静けさを
Zerreißt der Schrei desRaben –	カラスの啼き声が切り裂く
Die Amsel verstummt	アムゼルは黙る
	（カラス啼いてアムゼル黙す静寂（しじま）かな）
	（p.12）

（夏）

Altweibersommer !	小春日和だ
Spinnenwinzlinge reisen	蜘蛛が旅をする
an Silberfäden	銀の糸に乗って
	（蜘蛛の糸銀に漂ふ日和哉）（p.28）

（秋）

Im Netz der Spinne	蜘蛛の巣の中に
–als ungewollte Beute–	望んだわけではない犠牲 —
Braunes Buchenblatt	茶色のブナの葉っぱ
	（蜘蛛の囲に捕らわれの身の枯れ葉哉）

（p.34）

（冬）

Grauer Wintertag !	灰色の冬の日！
Einsames Boot auf dem See :	湖上の孤舟
Heute schwimmt es nicht	今日は動かない
	（冬の日や今日は動かぬ舟ひとつ）（p.44）

ドイツ俳句協会・季刊誌・第1号、1988年

Sommergras, 第1号、2005年、通巻71号

［注］

俳句 （1）－（78） は次の3編の論文をもとにした。

1. 現代ドイツ語俳句選集—はじまりから1990年まで（その1）—
   Die Anthologie der deutschen Haiku von heute : von den Anfängen bis 1990. Margret Buerschaper（Hrsg.）マルグレート・ブアーシャーパー 編、Kenji Takeda（Übersetzung）竹田賢治（神戸学院大学『人文学部紀要』第35号、2015年3月31日発行）
2. 現代ドイツ語俳句選集—はじまりから1990年まで（その2）—
   （神戸学院大学『人文学部紀要』第36号、2016年、3月31日発行）
3. 現代ドイツ語俳句選集—はじまりから1990年まで（その3）—
   （神戸学院大学『人文学部紀要』第37号、2017年3月31日発行）

（承前）以上の78句はブアーシャーパー編の俳句。以下は追加の作品。

＊最も新しいハイクの例として＊

俳句（79）－（93）の15句は以下の本から引用した。

エッケハルト・マイ氏の論文（「ひとつの詩形式の変遷と可能性」『国際歳時記における比較研究』笠間書院、2012年、竹田担当分）

各句の後に付けた数字は上記の本のページ番号である。

（79）（p.256）

In mein Briafkastl	私の家の郵便受けに
hat a klane Meisn a Nest	小さなカケスが巣をつくりました
Schreib ma liaba net.	だから手紙を書かないほうがいいですよ

（Gerhard Habarta）

ウィーン方言で書かれたこの作品は、ハンブルク俳句出版社（Hamburger Haiku Verlag）が主催した第1回インターネット俳句コンテスト（Der erste Deutsche Internet Haiku-Wettbewerb）（選者はエッケハルト・マイ、Ekkehard May 元フランクフルト大学教授）で第1位を獲得した。

「朝顔に釣瓶取られてもらひ水」（千代尼）を踏まえているという。

Von der Morgenwinde	（asagaoni
Ward ich des Zieheimers beraubt	tsurube torarete
Erbetteltes Wasser	moraui-mizu）

（Chiyo-ni）

（80）（p.261）

Dorethea Kitlitz（ドロテーア・キットリッツ）

Sommer, Sonne satt	夏、太陽に飽きて
verbummelt und vertrunken	グータラ飲んだよ
zweitausendunddrei	二〇〇三

＊リズムと音を味わうために、原句をカタカナで表記してみる。

ゾマー　ゾネ　ザット
フェア**ブン**メルト　ウント　フェアトゥ**ルン**ケン
ツ**ヴァイ** タオゼント ウント ドゥ**ライ**

ゴチックの部分が強音になるので、リズムは以下のような四拍子のリズムになる。

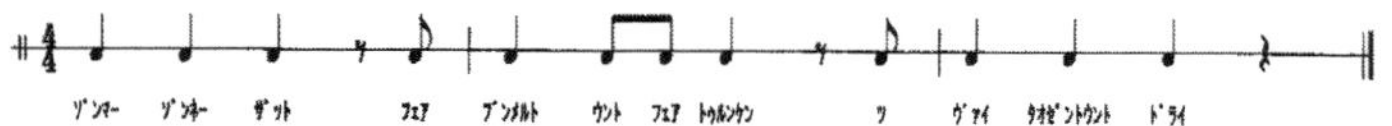

（81）（p.262）

Klaus–Dieter Wirth（クラウス・ディーター・ヴィルト）は、日本の古典俳句にしばしば見られる頭韻を踏んだ詩句を作っている。そこには蝶の飛翔する姿が鮮明に描かれている —

Fuchsienblüten,	ツリユキ草。
Ein Falter verzettelt sich	一匹の蝶が熱中している
in Flatterschleifen.	ひらひらと舞うことに。

＊下線部の f、v（フ）の音が韻を踏んでいる。

（82）（p.262）
Markus Sulzberger（マルクス・ズルツベルガー）

Schritte verhallen	足音が次第に消えていく
leises Zischen– die Tür schließt	かすかなシュルルという音 — ドアがしまる
Jasminduft im Lift	エレベーターにジャスミンの残り香が

シュリッテ　フェアハレン
ライゼス　ツィッシェン – ディ　テュアー　シュリースト
ヤスミンドゥフト　イム　リフト

ここでは、歯音（Zisch–Laute）とエス音（s–Laute）、さらに六度使われたイの音（i–Laute）が句全体を支配しているために、響きの上でどこか閉ざされた感じが出ている。さらに、「閉じられていく」（schließenden）ドアが二度使われた "–ft" を伴って一句が終わっているために、口を忙しく動かさなくてはならない。

（83）（pp.262-263）
Roswitha Erler（ロスヴィータ・エアラー）

Sonnenlicht flimmert	日の光がキラキラとしている
überm Wiesenhang zittert	牧場の斜面にチロチロと
ein Grillenkonzert	虫たちのコンサート

（84）（p.264）
Christine Gradl（クリスティーネ・グラードル）

Blechkarawanen	ブリキのキャラバンが
weisen den Weg nach Süden	南への道を示している
für die Zugvögel	渡り鳥たちのために

これは明らかに、ほとんど本能的に南に向かう人間たちの列を描いている。「詩的ウイット」(poetischer Witz) がイメージを反転させている。つまり、渡り鳥たちは長い、日に照らされた車の列に従うだけでいいのだ。「ブリキのキャラバン」のような現代風の夏の「季語」(kigo) は、次の詩句の中にも見出すことができる—

(85) (p.264)
Volker Haunschild (フォルカー・ハウンシルト)

biotonnenduft	堆肥の香り
und kreissägenidylle	電動のこぎりの騒音
gib schnecken das korn	さて今度はカタツムリたちに餌(薬)をやり給え

この句は、「現代的な」夏の情景を生き生きと映し出して見せている。体に感じられる暖かさ、戸外の自然、夏の庭の小屋の情景がありありと描写されている。「カタツムリ」(Schnecken) は日本でも夏の季語 kigo なのだ！　そこではさまざまなものが匂い、聞こえ、感じられる。

(86) (p.265)
Simone Taubeler (ジモーネ・タウベラー)

Gewitterregen	雷雨
Warmer Geruch vom Asphalt	アスファルトから立ち昇る蒸気
Sommer in der Stadt	街の夏

この作品は、とても雰囲気のある詩である。この句はどの行にも季語 (kigo) に似た言葉がある。一句の中に複数の季節を示す言葉が使われている (いわゆる「季重なり」kigasanari)。これは古典俳句では必ずしも「禁じられて」いたわけではなく、一般的には許されていた。また、この作品から読みとれる感覚に訴えるような、文法的なつながりを持たない文構造 (Parataxe 文の並列) が、日本の俳句の考え方に密接につながっているような印象を受けた。

(87) (p.265)
Gabrielle Schmid (ガブリエレ・シュミット)

独創的なこの句には季語らしい言葉はどこにも見出せないが、明らかに夏の句に入れられるべき作品である—

vor meinem fenster	私の部屋の窓の前に
der tanz der männerbeine	男たちの足が踊っている

auf dem baugerüst　　　　　　　足場の上で

季語の設定をただひとつの、また、決まりきった季節の言葉に限定することが間違いになり得るということをこの作品は示している。つまり、1句全体のもつテーマ、描かれた事象、詩的な「装備」（Inventar）によって季感が生まれる。この句を支配しているのは夏の気配である。そこには暖かさや建築現場の匂いすら感じ取ることができる。素足の、力強い、毛むくじゃらの脚が、窓という枠の中に活写されている。

（88）（p.266）

特に印象的だった春の季節の詩 ―

Maurice Sippel（モーリス・ズィッペル）

Endlich Frühjahrsputz.	やっと春の大掃除
Der Teppich tanzt so beschwingt	カーペットがあんなにも忙しく踊ること
im Takt des Klopfens.	パンパンと叩くタクトに合わせて

これは季節の句としてはとても優れた一句である。埃からの解放、通る風、また、命ある世界への喜びの感情。言うまでもなく、「春の大掃除」（Frühjahrsputz）は将来、「人間の活動」（jinji）の項目に入れられるべき季節の言葉である。

（89）（p.266）

Harald Meis（ハラルト・マイス）

Ein Einkaufszentrum.	ショッピングモール
auf dem Dach des Parkplatzes	駐車場の屋根に
verwelkte Blätter.	たまった枯葉

この句は現代社会の無機質な世界をとてもうまく描いているが、秋と冬のふたつの季節に入れてもいいかも知れない。

（90）（p.267）

次の句は満月の月の出を描いているのだが、「新緑」（frischgrün）という装飾語があるから、明らかに春（あるいはせいぜい初夏まで）の中に入れられる ―

Stefan Müser（シュテファン・ミューザー）

leuchtende frucht am	光っている果実が
frischgrünen baum, nie schien uns	新緑の木に、こんなに近くに見えたことはな

	かった
der vollmond näher	満月

この句は、いわゆる「詩的交換」(poetische Verwechslung) が注目される作品となっている。この技巧は日本詩歌の歴史の中で古来よく使われてきたもので、「花」、「霧」、「霞」、「雪」といったことばの領域では、かなり型にはまったものになっている。「果実」と見立てられた月が「新緑」の木にかかっている。この句の魅力は「見える」(schien) という言葉がもつ二重の意味 (「光る」) を巧みに駆使して、高い表現力を示しているところにある。

四季をとおして観られる自然現象は、日本の古典俳句では、原則としてただひとつの季節の中に「記入」されてきた。「月」(tsuki) という言葉は、他に装飾語がなければ、常に第1番目の秋の満月 (陰暦に従えば8月中旬) を意味する。あれこれ言うことを省略する為に、そのように了解されているのである。ドイツではそのような伝統はない。掲句はそのひとつの良い例であろう。

(91) (p.266)
Kiki Suarez (キキ・ズアレズ)

Ich sehe dich an,	私はあなたをじっと見てるのに
aber finde dich nicht mehr	私の目の中にはもうあなたは
in meinen Augen	いないの

季節が認められない句 (いわゆる「無季の句」muki no ku) は、日本の近代俳句から始まったわけではない。江戸時代にも無季の句は詠まれた。それらの句は、詞華集では「雑」の中に入れられるか、あるいは、「宗教」(shimbutsu) や「恋」(koi) といった項目の中に見ることができる。この作品は恋に属するものとして挙げることができる。このような恋の句によって、無季の俳句はその存在価値をもつことができるのであろう。その存在価値とは、無数の連想を呼びおこす思想と多様な省察の余地を与え、短いが故に禁欲的なまでに厳格な形式の内にイメージを凝縮するところにある。

次に、俳句における休止 (Zäsur) と余韻 (Nachklang, Nachhall) の問題について、若干の考察を加えてみたい。ふたつの異なるイメージや思想を対置させることは、常に読者の連想に働きかける。自然な思考の過程が互いに乱され、両立しないイメージはあたかも波のような言語干渉 (Interferenzen) を生じさせる。優れた句はそのような時に生まれる。次の句はそのような作品である―

（92）（p.268）
Sylvia Heling（ジルビア・ヘリング）

Frühlingsregen fällt	春の雨が降って
formt Ringe auf dem Wasser	水面に輪をつくる
Musik für Fische	魚たちのための音楽

音楽をつくっているのは雫と水の輪の両方である。また、視覚と聴覚をひとつのものにする共感覚（Synästhesie）もこの作品にはある。この句における休止（切れ）は（二行目の最後の）「水」（Wasser）という語のすぐ後にある。作者はそれを示すような何らかの記号をつけているわけではないが。

日本の古典俳句では、言葉の並立、いわゆる「取り合わせ」（toriawase）が重要な役割を演じている。蕉門の一人、森川許六（Morikawa Kyoriku, 1656-1715）は彼の師の考えを発展させ、体系化した。「取り合わせ」においては、対立、対照、互いに相反する素材が問題とされ、さまざまな結合や詩句の意味が呼び覚まされる。「取り合わせ」の典型的な例は次の作品であろう―

（93）（p.269）
Conrad Miesen（コンラート・ミーゼン）

Konzert im Kreuzgang	教会の回廊でのコンサート
Der Falkenruf stürzt mitten	鷹の啼き声が降ってくる
in die Sonate	ソナタのまっただ中に

ミーゼン氏はドイツ俳句協会創設時からの書き手である。「鷹の啼き声」と「ソナタ」、飛翔する鷹の「動き」と啼き「声」の躍動感がうまく表現されている。

俳句（94）－（100）の７句はそれぞれの作品の後に出典を記した。

（94）　Michael Groißmeier, 1935-（ミヒャエル・グロイスマイアー）

Zwischen den Weizenfeldern
Wandern zwei Stohhütte hin
Und plaudern, plaudern.

笠二つ物語りゆく麦畠　　（窪田 薫 訳）

（引用 (aus) : *Haiku*, S.45, Neske, 1982）

一読して蕪村の次の句が思い出される ―

春雨やものがたりゆく蓑と傘

＊参考：R. H. Blyth, Haiku, Vol. Ⅱ、（北星堂）、p.440. 1990 から ―

Spring rain:
An umbrella and a straw - coat
Go chatting together.

グロイスマイアー氏は多くの句集や詩集を出している。ここでは 1 句のみを引用する。これ以外の句は他の章で紹介した。

（95）Martin Berner、1948- （マルティン・ベルナー）
（第 2 代、DHG 会長）

gut gemeint Leuchtkäfer	善意のホタル
aber für Kafka	だがカフカには
reicht dein Licht nicht	君の光は届かない

（aus ; *Bio–Bibliographie der Mitglieder der DHG*, 1994）
（引用：ドイツ俳句協会「会員名簿」1994 年より）

（俳訳）　カフカにも届けとばかりホタルの灯

カフカの『変身』を踏まえていると考えるなら、懸命に光っているホタルの善意も、毒虫に『変身』した主人公のザムザには届かない、ということになるだろうか。しかし、これは深読みだった。1 句の意味を作者自身に問うたところ、単なる情景描写だと言う。つまり、誰かがカフカを読んでいると夕方になって、あたりがだんだんと暗くなる。そこへホタルが光り出して読書を助けてくれるように思えた。それをホタルの「善意」と捉えたとものだという返事だった。ユーモラスな作品ではあるが、「カフカ」の一語が気にはなる。

（96）Georges Hartmann, 1950- （ゲオルゲス・ハルトマン）
（第 3 代、DHG 会長）

Gott schweigt beharrlich.	神は我慢強くだまっている
Die Kerze zu einer Mark	1 マルクのロウソクでは
war wohl zu wenig.	多分少なすぎたのだろう

無季の句で、川柳に近い。作者はブラック・ユーモアが好きなようである。

（aus ; *Bio–Bibliographie der Mitglieder der DHG*, 1994）
（引用：ドイツ俳句協会「会員名簿」1994 年より）

（97）Stefan Wolfschütz（シュテファン・ヴォルフシュッツ）
ドイツ俳句協会・元副会長。協会誌のウエブ・サイト（website）の代表を務めている。

Die Magnolien	ドイツでは
In Deutschland– Die Soldaten	モクレンの花 — アフガニスタンでは
in Afghanistan.	兵士たち

＊モクレンの花が咲いている平和なドイツ。戦争がつづくアフガニスタンでは、兵士たちの鉄かぶとがまるでモクレンの花のようだ。平和を願う神学者の気持ちが読みとれる。皮肉とも、社会的ともとれる作品である。

（aus ; *Dichtertreffen, Bio-Bibliographie der Mitglieder der DHG*, 2010, S.129）

（引用：「詩人たちの出会い」ドイツ俳句協会編、p.22）

（98）Flandrina von Salis, 1923-2017（フランドリーナ・フォン・ザーリス）
（ブアーシャーパー編、57 番目の句も参照されたい）
スイスの詩人
（引用：*Mohnblühten*, –Abendländische Haiku– [1955]）
(Vereinigung Oltner Bücherfreunde VOB)
（『芥子の花──西欧の俳句』60 ページ、555 部、限定版、p.12 より）

Sommergebet	夏の祈り
Glück– wie Morgentau ;	しあわせ — 朝露のような。
Herr, laß ganz mich Schale sein,	主よ、私自身を器（うつわ）にさせ給へ
Es aufzufangen !	露が受けられるように

（俳訳）　朝露を両手で受くる幸せよ

＊参考
入れものが無い
両手でうける　　　　（尾崎放哉、Housai Ozaki）

（99）Peter Rudolf, 1961-（ペーター・ルドルフ）
スイス在住。様々な職業をへて、目下は肢体不自由な老人の介護など、社会的な貢献に携わっている。いくつかの詩集を出しており、ドイツ俳句協会の会員でもある。
次の句は作者から筆者にメールで送られてきたものである —

Die alten Hölzer ächzen	古い薪が喘ぎ
und stöhnen unter Schmerzen	苦痛のもとで呻く
in Föhnsturms großer Last.	フェーンの大きな重荷の中で

（俳訳）吹きおろすフェーンに喘ぐ古き薪

＊フェーンとは、特にアルプスから吹き降ろす乾燥した風のことである。
作者はスイス在住なので、フェーンを実体験している。

（100）Claudia Brefeld, 1956-（クラウディア・ブレフェルト）
ドイツ俳句協会・副会長。同協会の俳画・写真部門を担当。国際的にも活躍。
（引用 :「詩人たちの出会い」Dichtertreffen. DHG 2010）
（ドイツ俳句協会編、p.22 より）

Angelusläuten	（祈りの時刻を知らせる）アンジェルスの鐘
Lerchenschwingen	ひばりの羽音が
tragen die Sonne höher.	日の光を高みへと運ぶ

（俳訳）　入相の鐘や雲雀は日に光る

＊ここで注目されるのは祈りの時刻を知らせるアンジェルスの鐘（Angelusläuten）。マリアによって人の子となったイエスを偲ぶために、13 世紀以来、カトリック教会で鳴らされてきた。いちばんイメージし易いのはフランソワ・ミレーの『晩鐘』（1857-1859）が参考になると作者からの指摘があった。また、この作品では「夕べの鐘」（abendliches Glockenläuten）と解釈しても良いという作者からの回答も得た。

フランソワ・ミレーの『晩鐘』

第5章

オーストリア俳句への道

Der Weg des österreichischen Haiku

1．ゲロルフ・クーデンホーフとその母「ミツコ」

（Coudenhove の読み方については、「クーデンホーフェ」もあるが、一般的には「クーデンホーフ」が多いので、これに統一した）。

インマ・フォン・ボードマースホーフの処女句集『*Haiku*』といい、『ヨーロッパ俳句選集』といい、ドイツ語俳句と日本のドイツ文学とのそもそもの出会いはドイツではなく、オーストリアを通して行われたのであり、そのきっかけをつくった一人がゲロルフ・クーデンホーフ（Gerolf Coudenhove, 1896-1978）であった。かれには『満月と虫の聲』（*Vollmond und Zikadenklänge*, 1955）と『日本の四季』（*Japanische Jahreszeiten*, 1963）という日本詩歌の翻訳書が2冊あって（この他に川柳の翻訳書、*Senryu*, 1966もある）、前者はすべてが俳句（21人、38句）、後者は俳句（855句）と短歌（244首）を四季別に配した詞華集となっている。とくに後者は、スイスのマネッセ出版社の瀟洒な世界文学叢書の一冊として現在も版を重ねているほどに、かなり一般的に読まれているようである。

ところで、ここで訳者の出自に少し触れておきたい。それは、かれゲロルフ・クーデンホーフの母は日本人としてはじめてヨーロッパ貴族に嫁いだ女性で、彼女の名「ミツコ」は現代の日本で広く知られるようになったからである。というのも、彼女の生涯は1973年（昭和48）と1987年（昭和62）の二度にわたってNHKテレビでドラマ化され、彼女の伝記も出版されており（木村毅著『クーデンホーフ光子伝』鹿島出版会、1982）、さらに松本清張の歴史小説『暗い血の旋舞』(日本放送出版協会、1987年)でとりあげられたからである。日本名を青山光子という。

1892年(明治25)青山光子はオーストリア・ハンガリー帝国の代理公使として東京に滞在していたハインリヒ・クーデンホーフ・カレルギー伯爵と結婚し、7人の子供をもうけた―

「こどもたちのなかで、とくに名を成したのは二人の息子である。パン・ヨーロッパ運動を創設したリヒャルト・ニコラウスがその一人。地下鉄のヒーツィング駅のオットー・ワーグナーの設計にかかる美しい駅舎のすぐわきの小公園は、彼を記念してクーデンホーフ・カレルギー公園と呼ばれている。もう一人は、日本の詩歌を心のこもったドイツ語に翻訳したゲロルフである」。[1)]

二男のリヒャルトは、現在のヨーロッパ共同体のそもそもの母体をなしたとも言える「パン・ヨーロッパ」主義の提唱者として世界的に知られた人物であり、日本ではかれの全集が出版されている(『クーデンホーフ・カレルギー全集』全9巻、鹿島出版会、1970年)。その第7巻の『回想録』、第8巻の『美の国』にはクーデンホーフ家の家系のこと、母光子が生まれた日本のこと、さらに、一家の所領地があるボヘミアの村での光子の生活、そして、夫の死後はまわりの親族の異議申し立てを押し切って、みずから夫の遺産後見人となった光子のウィーンの社交界での華やかな生活のことなどが詳しく描かれている。しかし、これら二つの著書にはかなりの事実の誇張や美化があるようで、松本清張も上記の小説の随所でその点を指摘している。そもそも清張のこの小説の意図は、リヒャルトの『回想記』や『美の国』に描かれたものとは違った青山光子像を書くところにあった(松本清張、上掲書、p.122)。しかも、これら二つの著書とは対照的な新資料が見つかったという。それは「1973年5月10日に三男ゲロルフがオーストリアのグラーツで自費出版したもの」であった(同書、p.136)。清張は次のように書いている―

「このゲロルフの文章には、リヒャルトの『自伝』に見るような曖昧さがない。自己の家柄を誇ることもない。文章は地味だが、説得性がある」(同書、p.149)

その名が公園の名前に付けられているほどに、クーデンホーフ・カレルギーと言えば人々はおそらくは「パン・ヨーロッパ」理念の創始者リヒャルト・クーデンホーフを思い浮かべるのだろう。一方、三男のゲロルフはそれに比べると地味であまり目立たない。彼の名は、日本の俳句をドイツ語圏の国々に紹介した人物としても、例えば、フローレンツやグンデルトほどには日本でも知られていない。『美の国』の著者（リヒャルト）は弟ゲロルフについて次のように書いている —

「この弟は、長年にわたって、プラハの日本公使館の秘書であって、日本語を習得していて、また日本の文化問題の専門家として広く知られていたのである。後年、日本の歴史に関する彼の独文訳書が幾冊か出版されている。この弟は、現在ではグラーツ大学の日本語の講師である。私たちは会うたびに、日本のことを話し合った。私にとっては新しくて、かつ興味ある多くのことを、この弟を通じて私はいつも学んだのである。この弟は日本には行ったことがないのであるが、第二次世界大戦までは、この弟を通じて私は第一の故郷との連絡を保っていたのである」（『美の国』、pp.260-261）

あるいは、他の書ではゲロルフのことが次のように記されている —

「息子の一人ゲロルフ・クーデンホーフ＝カレルギー博士は、1922年から1944年までプラハの日本公使館（1939年以来総領事館）に顧問として勤務し、プラハとグラーツで日本語を教えた。日本叙情詩の訳者」[2)]

ところで、七人の子供たちのうちで日本語を理解し、日本文化に興味をもつようになったのはひとりゲロルフだけであった —

「われわれ（＝光子の子供たち）の乳母が日本へ帰国した後では、両親は日本語を話していても、われわれはもはや、日本語を学ばなくなった。われわれが母と話す時は英語を使い、父と話す時はドイツ語を使ったのである」（リヒャルト『回想録』、p.32）

「母は詩歌をつくり、絵を描いた。母のつくる詩は**日本語の四行詩**であって、時々それを翻訳していた」（同書、p.48）

ここでの四行詩とは短歌のことなのだろう。光子はそれを4行に分けて書いたものと思われる。後年になってゲロルフが日本語を習得し、日本詩歌を翻訳することになったのは、光子の影響なしには考えられない。兄のリヒャルトがヨーロッパ共同体の基礎を築いたように、その弟もまたオーストリアないしはドイツ語俳句の発展に寄与したのである。そしてその母体となったのが光子であった。したがって、「パン・ヨーロッパ」理念の母と呼ばれている光子は、同時にまたオーストリア俳句の母であるとも言える。オーストリアに俳句の種を蒔いたのは他ならぬ光子だったのであり、ゲロルフがそれを大きく育て、現在のオーストリア俳句となって花ひらいたと言えるだろう。ゲロルフの『日本の四季』の表紙扉には本書が母光子に捧げられたものであることが記されている。

ウィーン滞在中にヒーツィンガー墓地（Hietzinger Friedhof）にあるクーデンホーフ家の墓を訪ねることができた。墓地に隣接するシェーンブルン宮殿の華やかさに比べて、ここはひっそりとして人影もなかった。立派な墓石の上には白い大きな十字架が立っており、墓石の中央には白く聖母子のレリーフが嵌め込まれている。その下は階段状の台石になっていて、それぞれに先祖の墓碑名が刻まれている。その最下段には次のような文字が読みとれた—

Maria Thekla（Mitsu）Gräfin Coudenhove geb. Aoyama geb. in Tokio 7. Juli 1874, gest. in Wien・Mödling 27. Aug. 1941.

（マリア・テクラ・ミツ・クーデンホーフ伯爵婦人、旧姓青山、1874年7月7日東京に生まる。1941年8月27日ウィーン・メードリングにて死去）（口絵参照）

2．インマ・フォン・ボードマースホーフ (Imma von Bodmershof, 1895-1982)

インマ・フォン・ボードマースホーフの父は低地オーストリアの荘園領主で、形態心理学の創始者として知られたクリスチャン・フォン・エーレンフェルス（Christian von Ehrenfels）である。1895年グラーツに生まれた彼女は少女時代をプラハで過ごし、プラハ大学、ミュンヘン大学等で文学や哲学を学び、ゲオルゲ、ホーフマンスタール、リルケなどの詩人たちや哲学者ハイデッガーとも交友関係があった。1919年にヴィルヘルム・フォン・ボードマースホーフ（Wilhelm von Bodmershof）と結婚、多くの文学賞を受賞し、1969年には学問・芸術名誉勲章第一級を受賞している。1962年には処女句集『ハイク』（*Haiku.* Langen, Müller, München.）が世に出、1970年には第2句集『日時計』（*Sonnenuhr, Stifterbibliothek,* Salzburg.）が、1980年には第3句集『見知らぬ庭で』（*Im fremden Garten.* Arche, Züich）が出版された。そして、彼女の処女句集『ハイク』が我が国の独文学界にはじめてドイツ語俳句の存在を知らしめた。

O diese Haiku !	おおこれらの俳句よ
Wollte abends eins nachsehen –	夜にその一句を調べようとしたが
schon naht der Morgen.	もう朝が白みかけている

（*Sonnenuhr,* S.46）

これは坂西 他 編『ヨーロッパ俳句選集』（1979年）の冒頭にかかげられたインマの句である。そしてこの句には次の句が並べられている ―

ほととぎすほととぎすとて明けにけり　　千代女

これはまことに気の効いた配合ではないか。俳句に没頭する東西の、しかも、時代を異にする二人の女性の詩人の姿がこの二つの詩によって響き合う。では、オーストリアの女性詩人はどのようにして、ドイツ語俳句を創作するようになったのだろう。インマ自身が星野慎一博士（ドイツ文学者、俳句研究家。1909-1998）に語った次のような言葉がある ―

「1947年に私たち（ボードマースホーフ夫妻）は俳句の最初の翻訳を知りましたが、それはたちまち、電光石火のような勢いで広まりました。というのは、それが、ヨーロッパの叙情詩のきまりきった軌道からはずれた行きかたを示しているからです。──同時に、それが、知的なものへの一辺倒と正反対の方向を示しているからです」。[3)]

また、処女句集『ハイク』の表紙側の折りかえしには次のような文章が書かれている ―

「本句集の作品は日本のオリジナルの句の模倣ではなく、著者の創作した俳句である。これらの作品は、極東の詩型の内面的な感動と諧音とを、西欧的な思考法によってもわれわれの表現の世界へ移しうることを証明している。知性と形式的構成が叙情詩を支配している現代において、直観的形象を追求する俳句は、まさにその対極的存在と言うべきである。……」[4)]

彼女は俳句を従来のヨーロッパの詩とはまったく異なる詩、知性によらずに直観によって把えられた形象を描く詩として理解している。彼女はまた、第2句集『日時計』の序文の中で俳句を「一切の非本質的なものを排除する、暗示の芸術（Kunst der Andeutung)、一つの完全な世界を一滴の露（ein Tautropfen）のような小さな形の中に把握する芸術」（S.7）とも呼んでいる。では、このような俳句観を彼女はいったいどのような書物から学んだのだろう。ラーストバッハのボードマースホーフ家に彼女を訪ねられた星野博士によれば、ボードマースホーフ夫妻の蔵書には、日本に関する英独仏の書物の他に、鈴木大拙の禅に関する著書[5)]もそろっていたという[6)]。このことからまず第一にわれわれの関心を引くのは、1947年にかれらが読み、「電光石火のような勢いでひろまった」という「俳句の最初の翻訳」である。それを次にさぐってみることにする。

インマ・フォン・ボードマースホーフの三つの句集のいずれにも、彼女の夫ヴィルヘルムの論文「俳句考」（Studie über das Haiku）が載せられている[7)]。そこにはいくつかの俳句や短歌が引用されており、その典拠となったのは次の二つの訳詩集である ―

1. マンフレート・ハウスマン（1898-1986）：『愛、死、満月の夜』
   Manfred Hausmann: *Liebe, Tod und Vollmondnächte*. S.Fischer, Frankfurt 1951.

本書は学術書ではなく、はじめて詩人によってなされた訳詩集で、1951

年に初版が出され、1960年の時点では55,000部が発行されている。さらに新版がZürichのArche出版社から出ている（1980年）ほどに、一般的によく読まれている翻訳書である。

2. アンナ・フォン・ロートタウシャー（1892-1970）：『黄菊』

Anna von Rottauscher : *Ihr gelben Chrysanthemen.* Walter Scheuermann, Wien.

彼女はオーストリアのシナ学者で多くの翻訳書がある。『黄菊』（1939）はオーストリアで出版された最初の俳句の翻訳書である。

なお、彼女の著作一覧は次の論考に掲載されている—

Hartmut Walravens : *Anna von Rottauscher*, in *Oriens Extremus*, 37 Jahrgang, Heft 2, 1994, S.235-245

さらに「俳句考」にはこれら二つの翻訳書の他に、ヨーロッパに俳句を紹介した書物が3冊挙げられているが[8)]、いずれも出版は1947年以降のことであるから、「最初の翻訳」にはあたらない。少なくとも以上の文献の中では、「最初の翻訳」とは、2のロートタウシャーの『黄菊』ということになる。事実、「俳句考」に引用された13の俳句のうちの11句までが『黄菊』からの引用となっている。ただ、『黄菊』がはたして「電光石火のような勢いでひろまった」かどうか？　この言葉はむしろ1の文献、ハウスマンの『愛、死、満月の夜』にこそふさわしい。星野博士は次のように書いておられる—

「インマ・ボードマースホーフ女史の句集は、マンフレート・ハウスマンの訳詩集とふかい内的な脈絡がある。ハウスマンの仕事が彼女の句集に開眼の誘いをしたことは否定できない事実であろう。また、彼らはともに日本語を学び、日本の風土になじんで、日本語の俳句をつくったのではない。多くの日本詩歌の訳詩を読み、多くの俳諧書を読み、鈴木大拙の禅の書物などを読んで、異邦の詩型の持つ異様な魅力にとらえられたのである。…（略）…フォン・ボードマースホーフ女史は、ハウスマンの果たした役割を創作の句集によって更に一歩すすめたところに、大きな意義をもっている」[9)]

以上のことから、ボードマースホーフが読んだ「最初の翻訳」は1939年出版の『黄菊』の可能性が大であり、彼女に俳句創作への直接のきっかけをつくったのは1951年出版のハウスマンの『愛、死、満月の夜』であったといえる。

したがって、ここでハウスマンの上記の訳詩集について述べておかねばならないが、翻訳に際してハウスマンが採った方法についてのみ触れておく。本書の序文でハウスマンは次のように書いている—

「**和歌**（Uta）や**俳句**（Hokku）は、読者側の感受性と創作性とをとくに要求せねばならぬことは明らかである。なぜならば、それは、**極度に圧縮されたイメージ**（ein überaus verdichtetes Gebild）であるからである。言葉をかえて言うならば、日本語のように、無数の、みずからを越える、象徴的な、ながくかつ複雑な表象系列（Vorstellungsreihen）を生みだす言葉を有する言語においてのみ、また、十全な理解がえられることが確かであるため、**みずからを暗示的に表現することをあえてなしうるような社会**（in einer Gesellschaft, in der man es wagen darf, sich in Andeutungen auszudrücken）においてのみ、そしてまた、ただ一つの花の名をあげることによって、表現しえぬ無量の世界（eine Unsagbarkeit）を描きだしうるような国においてのみ、短詩（Kurzgedicht）は歴史の当初より現今にいたるまで変わらない大きな役割を果たすことができるのである。この言葉とこの凝縮（Verdichtungen）とを、全然予備知識の欠けているドイツ人の心情の世界へ新たに移植しようと思うならば、慎重を期すと同時に、ある程度大胆な手法に訴えなければならない。日本の詩歌をいわば種子（Samenkorn）に還元して、それを種子のまま、ドイツ精神の母なる大地へ植えなければならない。おそらく、そこに、何物かが花咲き、その異邦の香りと魅力（fremdartigen Duft und Zauber）とをもって、少なくとも原産地の風韻（Ahnung）を伝えるであろう」。[10)]

次にわれわれの興味をそそるのは、インマ・ボードマースホーフの俳句の理論的背景をなす夫ヴィルヘルムの「俳句考」であるが、この論考の問題点については、すでに第2章で述べたので、詳細はここでは繰りかえさない。骨子のみを採録する—

「俳句考」は以下の五項目の「構成原則」（Baugesetz）に要約することが

できる。

①すべての俳句は「形象」（Bild）から成り立っており、実際に俳句に描かれた形象は水墨画のそれに近い。

②俳句には「相対立する極」（Polen）が存在する。

③この両極間の緊張関係から一つの「動き」（Bewegung）が生まれる。

④俳句の根本的解釈には、「意味を担ったシンボル」（tragendes Symbol）の知識が必要である。

ヴィルヘルムの「俳句考」以降、最近では季語ないしは季節感への関心が高まり、ドイツ俳句協会では俳句の要件として次の5項目が勧められている[11)]—

① 5−7−7 のシラブルの形式を踏むこと

②自然詩（Naturgedicht）であること

③季語ないしは季節感があること

④現在の体験・状況を詠むこと

⑤内容的にそれと分かる「切れ」があること

ドイツ俳句協会会長ブアーシャーパー女史は、ヴィルヘルムの俳句論を考慮に入れつつ、インマの俳句の一つを次のように解釈している—

Die Kerze verlöscht –	蝋燭の火が消えた
wie laut ruft jetzt die Grille	こおろぎの声がなんと大きく聞えてくることか
im dunklen Garten.	暗い庭に

（*Im fremden Garten*, S.38）

「形象」：消えた蝋燭の火。「季語」：こおろぎの声（夏）。「対立する極」：視覚と聴覚。「動き」：光と眼に見えるものの消滅。それによってはじめてものが耳に聞こえてき、視覚の消滅は聴覚の目覚めを規定しさえする。「切れ」または「切字」：1行目の「消えた」。「深い意味」：明と暗、限られた空間と知覚できない暗闇の広がりへと連想が広がってゆく。また、たとえ眼には見えない極小のものであっても、それを知覚する者はそこから全一なものの存在を悟る[12)]。

また、ドイツの俳句研究家ザビーネ・ゾマーカンプ女史は、季語を採り入れた俳句観にもとづいてインマの俳句の解釈を試みている —

Eis löst sich vom Bach –	小川の氷がゆるむ —
klar aus der Tiefe leuchten	川底からくっきりと光り出す
braungold die Steine.	褐色に輝く石たち

（*Sonnenuhr*, S.12）

「季語：融ける氷。暖かくなった太陽の光によって融けた氷の形象のなかに、冬から春への季節の変わり目が的確にとらえられている。生の流れを象徴する小川がなにものにもさえぎられることなく生々と流れ、澄みきった水底まで太陽の金色の光が届いている。ここでとくに思いおこされるのは、ゲーテの『ファウスト』第一部に描かれた復活祭の散歩の情景であり、氷が融けはじめることと密接につながった、生の蘇りへの人間の思いは普遍的である」。[13)]

Vom Eise befreit sind Strom und Bäche
Durch des Frühlings holden, belebenden Blick;
Im Tale grünet Hoffnungsglück;
Der alte Winter, in seiner Schwäche,
Zog sich in rauhe Berge zurück.

（*Faust*, 903-907 行）

生命を呼びさます、やさしい春のまなざしをうけて、
船を浮かべる大河も野の小川も、氷から解き放された。
谷には希望にみちた幸福がみどり色に萌え出ている。
冬は老いおとろえて、
さびしい山奥へ退いた。

（手塚富雄 訳）

インマの句のすべてに「深い意味」が込められているわけではなく、季節の中にうつろうオーストリアの自然の姿が的確に描写されたものが多い。彼女の処女句集（1962年）が出て60年後の現代のドイツ語俳句では、「対立する極」は「句切れ」として、「シンボルの語」は「季語」として定義づけられ、日本俳句への理解はより深くなっているように思われる。

3．ウィーンでの俳句朗読の夕べ

Wohin des Weges,	風に行方定めぬ
fahle Blätter im Winde ?	枯れ葉
Dir voraus, dir nach !	お前の先になり後になり[14]

Friedrich Heller（フリードリヒ・ヘラー）

1990年秋、近代俳句の故郷、松山で国際俳句大会が催された。本大会は愛媛県主催の第5回国民文化祭の一環をになったもので、世界各国から英語、ドイツ語、フランス語、イタリア語、中国語による俳句が募集された。ドイツ語部門の応募者は15か国から446名、応募句数は1,425句であった。冒頭の俳句はドイツ語部門でグランプリを獲得した句で、作者はオーストリアの郷土作家フリードリヒ・ヘラー氏（Friedrich Heller, 1932-2020）である。ヘラー氏はウィーン郊外のグロースエンツァース村（Groß-Enzersdorf）に住み、詩集や小説の他に当村の歴史と沿革を紹介した著書も書いている。

ウィーン空港に古びたシトロエンを駆って筆者を出迎えてくれたのは、このヘラー氏であった。その晩は、たまたまヘラー氏の作品（*Der unmögliche Onkel*, Malek–Verlag, Krems, 1989）の朗読会があるという。会が催されるヴォルカース村（Wolkersdorf）というワインの産地まではグロースエンツァース村から畑の中の一本道を車で小一時間程の距離であったが、途中、鉄道の踏み切りでは列車が通過するまでにかなりの時間を待たされた。ガタゴトと通り過ぎる列車をやり過ごして、ようやく村らしいところに入ってもあたりは暗く、いったいこんな田舎のどこで文学作品の朗読会がおこなわれるのだろうといぶかしく思っていると、一軒の飲屋らしき建物の前でヘラー氏は車を止めた。看板にはアンツェングルーバー亭（Anzengruber-Stüberl）と書いてある。どうやらウィーンの劇作家アンツェングルーバー（1839-89）ゆかりの酒場であるらしい。ヘラー氏に勧められるままに、生まれて初めて「ワインの水割り」を飲み干すと、店の女性が別室の扉を開けて中へ案内してくれた。まわりの壁一面にアンツェングルーバーの肖像とかれの作品にちなんだ絵が描かれていた。あわただしく酒場をあとにして、車はふたたび暗がりのなかを進み、料理屋のような建物の前で止まった。古びた外観からは想像もできないほどに、一歩中に入れば、室内は綺麗にしつらえられている。おそらくここで村の人達が毎晩集まっては、ワインを飲みながらおしゃべりを楽しむのだろう。会場には立食パーティー用の食べ物やワインが用意され、人々がワイワイガヤガヤと語り合っている。また、この日に朗読される本やこの本の挿絵画家の作品も展示されていた。ヘラー氏が朗読し、ひとつの物語が終わるとチターの演奏があり、また、別の物語が朗読されて、チターの演奏というふうに会がすすめられた。話の内容が大人のための童話なので、朗読の途中で時々聴衆からクスクスと笑い声がもれる。そんなふうにして、何ともなごやかな雰囲気のうちに会が終わった。会がひけてヘラー氏が筆者に言った言葉が今でも印象に残っている —

「多分日本とは違って、このような催しがわれわれの伝統的な楽しみになっているのです」

朗読するヘラー氏

朗読会にて。右から竹田、ヘラー氏

その三日後に、ヘラー氏が所属する文学者サークル（Arbeitgemeinschaft Literatur）主催による俳句朗読の夕べが、ウィーン市内のホール（Marmorsaal des Niederösterreich Landeshauses）で催された。（口絵参照）

当日は、オーストリア各地からおよそ50人近い俳句愛好者が集まり、主催者の挨拶の後、筆者も挨拶をさせられた。ドイツ語を母国語とする人々の前での挨拶はこれが二度目とは言え、胃が痛んだ。プレッセ朗読会と同じやり方で挨拶は簡単に済ませ、自作俳句5句を披露してお茶をにごした。そのなかの一句 —

Durch den Wienerwald	秋嵐
wandert das Herbstgewitter.	ウィーンの森の
Laternen im Dunst.	夕明かり

続いてヘラー氏による俳句の説明があった後、ヘラー氏とウィーンの作家エーディト・ゾマー（Edith Sommer）女史が交互に俳句を朗読した。そのあい間には、ウィーンに住まわれている荒川雅抄さんの琴の演奏が会に趣きを添えた。現在（1991年当時）オーストリアには約60人の俳句作者がいるという。この朗読会ではそのうちの40人の作者から各々2句ずつ出句された句が四季別に朗読された。その一部を次に紹介してみたい。

Frühling	**春の句**
1.	
Am Brunnenrand blüht	泉のほとりに
kühl die Mondwinde und sacht	涼しげに咲く夕顔の花　そっと
wächst das Samenkorn.	ふくらむ花の種

Johanna Jonas–Lichtenwallner（ヨハンナ・ヨーナス−リヒテンヴァルナー）

ヨハンナ・ヨーナス−リヒテンヴァルナー女史（1914-2002）はウィーン市、低オーストリア州、オーストリア国家からそれぞれ名誉勲章を授与された作家で、当時は88歳、ドイツ俳句協会会員でもある。

2.

Im Birkenlaub piepst　　白樺の葉の中でさえずっている
geschwätziges Vogelvolk　　にぎやかな鳥の群れ
Zwitschergeschichten　　ピーチクパーチク世間話

Waltraut de Martin（ワルトラウト・ドゥ・マルティン）

この句の面白さはプ、シュ、ツ、チュといった音によって鳥のさえずりを再現しているところにある。

3.

Der Rittersporn　　飛燕草の花が
baut wieder lichtblaue Wände.　　またブルーの壁をつくってしまった
Bis nachher, Nachbar !　　ではまたね、お隣りさん

Isolde Lachmann, 1940-2006（イゾルデ・ラッハマン）

ラッハマンさんはリンツに住み、句集 *Traunsee*（St. Georgs–Presse, 1977）と *Land, das Stifter liebte*（St. Georgs–Presse, 1988）という詩集がある。明るい陽気なご夫人であった。ドイツ俳句協会会員。

4.

Himmelwärts grünen　　天に向かって芽ぶく
die jungen Zweige im Wald.　　森の若枝
Ein stummes Gebet.　　無言の祈り

Herbert Eugen Kurzweil（ヘルベルト・オイゲン・クルツヴァイル）

クルツヴァイル氏は土木関係の技師をしながら詩を書く。オーストリア作家連盟の会員で、これまでに 8 冊の詩集を出している。上の句は、俳句を含む詩集 *Aus Blütenkelchen*（Edition Tusch Wien, 1988）からの 1 句。

5.

Im Winde wippen　　風に揺れる
blühende Weidenzweige ...　　花咲く柳の枝
laut hämmert der Specht.　　啄木鳥が音たかく木をつつく

Rudolf Dressler（ルドルフ・ドレスラー）

ドレスラー氏はボヘミアに生まれ、多くの国を転々としてさまざまな職業を経験した後、自営業を営みながら、新聞や雑誌に寄稿している。自費出版の著書が多い。ドイツ俳句協会会員。

Sommer	**夏の句**

6.

Ihr bunten Vögel !	色あざやかな鳥たちよ
Was zieht ihr doch dem Himmel	お前たちの衣装は
schöne Kleider an !	何と美しく空に映えることだろう

Elisabeth Schöffl–Pöll（エリーザベト・シェッフル−ペル）

すでに多くの著書がある作者は俳句・川柳集 *Ähren–Worte*（Anna Pichler Verlag, 1992）を出した。上の句はその冒頭の句である。聖書にちなんだ美しい絵が多数挿入されていて、自然を讃えた句の根底には敬虔なキリスト教精神が窺える。

7.

Falter im Mondlicht	月光の中の蛾
nur der Rauch einer Kerze	蝋燭の煙だけが
verflüchtigst sich noch.	まだくすぶっている

Hubert Phil Wagner（フーベルト・フィル・ヴァーグナー）

8.

Sonnige Hügel,	日当たりのよい斜面
Ahnung des Herbstes im Wind.	風の中に秋の気配
Kürbisse lachen.	カボチャが笑っている

Gustav Dichler（グスターフ・ディヒラー）

9.

Die Mönche beten.	僧たちが祈っている

Fischer legen Netze aus.　　漁師が網を広げる
Sonne geht baden.　　太陽がゆあみにゆく

Friedrich Heller（フリードリヒ・ヘラー）

Herbst　　**秋の句**

10.

Einsame Allee －　　人気のない並木道
Bäume geben Nester preis －　　木々は（鳥たちの）巣になる
endloses Fernweh ...　　果てしない彼方へのあこがれ

Brigitte Dorfinger（ブリギッテ・ドルフィンガー）

11.

Das Maisstroh raschelt　　玉蜀黍の葉がガサゴソと音をたてる
Katze geht auf Mäusefang　　猫が鼠捕りに出かける
Gleich wird es dunkel　　やがて暗くなる

Edith Sommer（エーディト・ゾマー）

朗読者の一人ゾマー女史は児童文学の研究で学位を取得、国立図書館司書などを経て、詩や散文の作品を発表している。この句は俳句・川柳・短歌集 *In meinem Traum fliege ich*（Goldschmidt-Druck 発行の叢書 Die Lyrik lebt. Folge 15, 1991）からの 1 句。

12.

Die Lampe flackert.　　ランプの火が揺れる
Und auf den jetzt dunklen Weg　　日暮れの道に落ちた
fällt eine Ähre.　　一本の麦の穂

Kurt F. Svatek（クルト・F・スヴァーテク）

13.

Weiße Sterne sind　　白い星たちが
in dunklen Wein gefallen.　　黒いワインの中に落ちた

Wer trinkt ihn wohl aus ? いったい誰がそれを飲み干すのだろう

Alois Vogel（アーロイス・フォーゲル）

フォーゲル氏は文芸雑誌『ポーディウム』（Podium）の編集長で、プレッセ城作家連盟（第6章を参照されたい）の正会員でもある。

14.

Unstet schwankt dein Flug, 落ちつきなく飛びまわっている
bunter Falter. Trotzdem bist きれいな蝶。やがてお前も
du so bald am Ziel. 目的地に着くというのに。

Emmerich Lang（エマーリヒ・ラング）

芭蕉の「頓て死ぬけしきは見えず蝉の聲」と同趣向の句である。リルケもハイカイと称して蝶の句を一句つくっている。そこでは、まだ春でもないのに早く生まれた蝶が題材になっている。

Winter 冬の句

15.

Pfeifend vom Bergkamm ギザギザの山の尾根から
Schneesturm weiße Schleier weht. 吹雪が白いヴェールを吹きおろす
Oh, wie kalt wird mir ! おお 寒いこと

Brigitte Werosta（ブリギッテ・ウェロースタ）

16.

Zum Werk vollendet これで出来上がり
sind Ast und Blatt und Blüte 枝も葉も花も
in Ikebana. 生け花になって

Isolde Schäfer（イゾルデ・シェーファー）

シェーファー女史（1938-2020）は大の日本贔屓で、「生け花」や絵も描かれる。ドイツ俳句協会会員。ドイツ語俳句と「生け花」との結びつきはけっこう古い。『生け花と俳句』（Erika Schwalm, J. G. Bläschke Verlag, 1981）という

本もあるくらいである。

17.

Im Schattendunkel	空っぽの椅子の
der leere Stuhl, ein Hauch von	暗い影にそっと匂う
Chrysanthemenduft.	菊の香り

Gaby G. Blattl（ガービ・G・ブラットル）

フランクフルトの日独俳句大会（1990 年）でもこの人の句は入選した。俳句にはあつい情熱を寄せ、短歌と俳句を集めた詩集“*Waka*”（St. Georgs Presse, 1990）がある。

18.

Licht in den Fenstern.	窓に光
Leise fließt eine Botschaft	夜の暗闇に
ins Dunkel der Nacht	そっと流れる込む使者

Gottfried W. Stix（ゴットフリート・W・シュティックス）

ローマ大学でドイツ文学の教授を歴任し、オーストリア国家から学問・芸術名誉勲章第一級も授与されている。

19.

Heute früh der Schnee !	今朝の雪
Ganz beladen ist die Stadt	町全体がすっぽりと
mit weißer Stille.	白い静けさにうずもれている

R. J. Koc（R・J・コッツ）

インマ・ボードマースホーフとともに共同の句集を出すほどにコッツ氏の俳句歴は長く、オーストリア俳句界の長老的存在。日本にも短期間滞在の経験があり、広重や北斎の版画を愛する。坂西他編『ヨーロッパ俳句選集』にも多くの俳句が採られている。

おわりに

以上、はなはだふぞろいな内容ではあるが、オーストリアにおける俳句ないしは、俳文芸の状況を旅行記という形をかりて素描してみた。

インマ・ボードマースホーフが『ハイク』を発表して60年を経た今日、学者、画家、一般の職業の人、主婦ひいては子供にいたるまで、さまざまな人々がさまざまな俳句を作っている。愛媛県主催の国民文化祭でのドイツ語俳句は15か国からの応募があったことからも明らかなように、ドイツ語による俳句が作られている国もドイツ、オーストリア、スイスに限らない。東欧や北欧諸国、旧ソヴィエト連邦、イスラエル、アメリカにも作者がいる。かれらはみずからの詩的表現の新しい可能性を俳句の中に探ろうとしているように思われる。それらの活動をすべて視野におさめることは困難である。ドイツ俳句協会や、ベルリン俳句協会、フランクフルトでのハイク・ゼミナール、ミュンヘンの俳句活動などが、今後それらの活動の窓口になることが期待される。

ドイツ語圏で俳文芸のひとつと見なされている**川柳**は、季語や季節の縛りがないだけに、ヨーロッパの伝統的な短詩である**エピグラム**や**アフォリズム**との結びつきが容易となる。キリスト教思想や深遠な哲学をもり込んだ句、あるいは、あまりにも深刻な内容をなまのままで5−7−5に仕立てた句を川柳だと言われると、我々日本人としては戸惑いをおぼえる。俳句にしても、ようやく季語への関心がたかまってきたところである。気候風土の違いもさることながら、季語もふくめて、俳句のそもそもの根が**座の文学**にあるという認識がヨーロッパ諸国には浸透していないようである。したがって、句会もあらかじめ作っておいた句を朗読するといったふうで、兼題を決めてそれにのっとった嘱目の句を作り、それを皆で鑑賞し合って楽しむというところにまでは至っていない。そういう意味では、**連歌**が巻かれるようになったことには大いに期待が持てる。その座から季語も生まれてくるだろう。

もうひとつ気になることは、ドイツの俳論やエッセイに引用される日本俳句のほとんどが**古典俳句**で、**現代俳句**の翻訳・紹介がいまだなされていない、ということである。これは、最近のドイツ語圏の国々における日本学の研究が、社会科学の方面に傾いていて、日本文学の研究者が少なくなっているというところにも原因があるように思われる。日独双方の俳句関係者に残された今後の課題である。

なお、日本の現代俳句のドイツ語訳については、第7章でのべたい。

［注］

・この章は、拙論：「ドイツ・オーストリア俳句紀行」Meine Haiku–Reise durch Deutschland und Österreich, Kenji Takeda（神戸学院大学『人文学部紀要』第6号・原稿、1993年3月）によった。

1）ペーター・パンツァー、ユリア・クレイサ著（佐久間穆訳）『ウィーンの日本』サイマル出版会、1990、p.50.

2）ペーター・パンツァー著（竹内精一、芹沢ユリア訳）『日本オーストリア史』創造社、1984、p.229.

3） 星野慎一「ドイツの処女句集」（下）『俳句』昭和38（1963）年5月号、角川書店、p.139.

4）星野慎一「世界的視野から見た俳句」（その20）『暖流』昭和59（1984）年10月号、p.80.

5）考えられる著書は次の書（『禅と日本文化』）である—

Daisetz Teitaro Suzuki : *Zen und die Kultur Japans*. Rowohlt, Hamburg. 1958.

Daisetz Suzuki: *Zen and Japanese Culture*, Pantheon, New York 1959.

6）星野慎一「欧州の俳人を訪ねて」『俳句』昭和39（1964）年1月号、角川書店、p.131.

7）インマの処女句集『ハイク』が世に出たのは1962年のことであるが、ヴィルヘルムの「俳句考」はすでにそれ以前の1959年に、‘Wort in der Zeit’ という雑誌の中で発表されている—

Gary L. Brower, *Haiku in Western Languages*. The Scarecrow Press, Inc. Metuchen, N. J. 1972, p.117. ただし、この「俳句考」は、処女句集『ハイク』と第2、第3句集とでは、内容はほぼ同じであるが、引用された俳句と参考文献に若干の異動があり、参考文献は『ハイク』出版後に出た翻訳詩集が追加されている。本稿では、「俳句考」のもとのかたちをとどめていると思われる『ハイク』（pp.139-152）に掲載されたものに依拠した。

8）・Karl Petit: *la poesie japonaise*. Edition Syers, Paris 1954.

・Jan Ulenbrook: *Haiku, Japanischer Dreizeiler*. Insel, Frankfurt 1960.
・Daisetz Suzuki（鈴木大拙）: *Zen and Japanese Culture*, Pantheon（『禅と日本文化』), New York 1959.

9）星野慎一「ドイツの処女句集」（上）『俳句』、昭和 38（1963）年 4 月号、角川書店、p.127.

10）Manfred Hausmann: *Liebe, Tod und Vollmondnächte*, S. Fischer, 1960, S.10.
日本語訳は次の書に拠る —
星野慎一「世界的視野から見た俳句」（その 15）『暖流』昭和 59（1984）年 5 月号、p.5.
なお、星野博士の俳句に関する論考は次の書にまとめられている —
『俳句の国際化—なぜ俳句は世界的に愛されるようになったのか—』（博文館新社、1992)。本書は 1995 年、第 43 回日本エッセイスト・クラブ賞を受賞した。
参考：「いかに多分の芸術が日本芸術の外観的な無技巧さの背後に隠されていることか！意味と暗示力に充ち、しかも完璧な無技巧さ——こういうふうにして『永遠的孤絶』の精神が表現されるとき、墨絵と俳句の神髄がある」—
鈴木大拙（北川桃雄 訳）『禅と日本文化』岩波新書、p.189.
以下、「俳句考」と『禅と日本文化』には互いに照応する箇所が随所に読みとれる。
②「分極作用」——大拙、前掲書、p.171.
⑤「いかなる場合にも、禅の方法に多少影響された日本の芸術家は、自分たちの感情を表現するために、最少の言葉や筆触を用いる傾きがある。感情を十二分に表現するときは暗示の余地がなくなる。暗示力は日本芸術の秘訣である」——大拙、前掲書、pp.187-188.

11）Margret Buerschaper : Formen deutscher Haiku-Dichtung an ausgewählten Beispielen. Haiku-Seminar am 26.10.1991 in Frankfurt

12）Margret Buerschaper : Das deutschsprachige Haiku, in : Literatur aus Österreich, 36. Jahrgang, Heft 211, 1991, S.6-7.

13）Sabine Sommerkamp : 10 Saisonwörter des Frühlings in *Sonnenuhr-Löwenzahn*, hrsg. von Fujita Shohen（藤田菖園 編）、Itadori-Hakkosho, Matsuyama（松山）1979、S.59.

14）第 5 回国民文化祭、愛媛 '90『国際 HAIKU 大会記念誌』より。

コラム2

葉道・リヒター、写真展

1993年2月にドイツの写真家ペーター－コーネル・リヒター（Peter-Cornell Richter）氏の作品と、ドイツ語圏の俳文学研究の第一人者、故ホルスト・ハミッチュ（Horst Hammitzsch, 1909-1991）教授の俳句による合同作品展が神戸日独協会主催で開かれた。本稿の副題にある「葉道」（Yōdō、ヨウドウ）とは、ハミッチュ教授の俳号である。この「写俳展」は、お二人の写真と俳句による共著として、すでに1983年に出版されている『丘を越えて』[1)] を土台にして催されたものである。

ハミッチュ教授は戦前の第八高等学校の教授として来日し（昭和16年まで滞日）、帰国後は母校ライプツィッヒ大学の日本学の教授に就任、その後、ミュンヘン、ボッフムの各大学の日本学科設立に寄与し、かれのもとからはドイツ各地で活躍中の多くの日本学の研究者が育った。教授の専門は主として日本の俳文学の研究であったが、研究領域はそれにとどまらず、広く日本文化全般にわたっている。1981年に教授の編集によって出版された『日本ハンドブック』[2)] は、それまでのドイツ語圏の日本学を集大成する大著として画期的なものであった。

リヒター氏は、ミュンヘン大学でハミッチュ教授から日本文化と哲学を学び、このことがその後のリヒター氏の人生と仕事に大きな影響を与えた。かれはフライブルク教育大学の芸術写真学科の設立に尽力し、同地でフリーの写真家として活躍するかたわら、写真理論や写真史の講義を担当した。

本稿は、上記の作品展の前日の、神戸日独協会主催の第11回ドイツ文化講座での筆者の講演原稿に手を加えたものである。

ドイツ語圏の国々で日本の俳句がどのように移入され、さらにそれらの国々で俳句の実作が行われるようになったのかについては、他の章で述べることにする。ここでは、もっぱらハミッチュ教授の句集だけを紹介してみたい。

Horst Hammizsch, 1909-1991（ホルスト・ハミッチュ）業績（俳文学関係のみ）

〈論文〉（斜体は雑誌名）

1. Ein Reisetagebuch des Mtatsuo Basho.（鹿島紀行）
   in : *Nippon*, Jahrgang 1936.
2. Ein Reisetagebuch des Mtatsuo Basho.（野ざらし紀行）
   in : *Nachrichten, Gesellschaft für Natur und Völkerkunde Ostasiens,Nr.75.*

EX. Hamburg. 1953.（東アジアの自然と民俗学研究会、会報）
以下、*Nachrichten* と略。

3. Vier Haibun des Matsuo Basho.（松尾芭蕉、4つの俳文）
Minomushi no batsu, Basho wo utsusu kotoba, Saimon no kotoba, Kyoriku wo okuru kotoba.
（蓑虫の跋、芭蕉を移す辞、柴門の辞（許六離別の詞）、許六を送る詞）
in: *Sinologica, Separatum*, Vol.4, Nr.2,1954.
4. Der Weg des Praktizierens.（Shugyokyo）, ein Kapitel des Kyoraisho.
（修行教、去来抄の一章）in : *Oriens Extremus*. Jargang 1, Heft 2, 1954.
5. Das Sarumino, eine Haikai-Sammlung der Basho-Schule.（猿蓑）
in : *Nachrichten*, Nr.77. 1955.
6. Das Sarashina-kiko des Matsuo Basho.（更科紀行）
in : *Nachrichten*, Nr.79-80.1956.
7. Wegbericht aus den Jahren U-Tatsu, Ein Reisetagebuch des Matsuo Basho.（笈の小文）in : *Sino-Japonica*, 1956.
8. Wakan-und Kanna-renku.（和漢一かな一連句）
Bemerkungen zur Entwicklung und Poetik dieser Form der renga-und haikai-Dichtung（連歌・俳諧詩の形式の発展とその詩学への注釈）
in: *Oriens Extremus*. 5. Jahrgang 1958.
9. Das Yamanaka-Mondo des Tachibana Hokushi, Eine hairon-Schrift des Basho-Schule.（山中問答、立花北枝）
in : *Oriens Extremus*. 7. Jahrgang, 1960.
10. Matsuo Basho an seine Schüler.（祖翁壁書、祖翁口訣、行脚定）
in : *Mitteilungen der deutschen Gesellschaft für Natur und Völkerkunde Ostasiens*. Band XLIV, Teil 3, 1964.
（東アジアの自然と民俗学に関するドイツの研究会、会報）

〈単行本〉

・Horst Hammitzsch (hrsg.), *Japan Handbuch*. Steiner, 1981.
ホルスト・ハミッチュ 編：『日本ハンドブック』
・*Über den Hügel hinaus*. Photographien von Peter-Cornel Richter, Haiku von Yōdō, Herder 1983.（『岡を越えて』、ペーター・コーネル・リヒターの写真と葉道の俳句、ヘルダー社、1983）

本書には、リヒター氏のモノクロの写真34葉とハミッチュ教授の俳句44句が掲せられている。はじめにリヒター氏がかれの作品をハミッチュ教授に見せ、教授がそれに俳句を付けて出来上がったとのことである。本書が成ったきっかけは、その序文で次のように述べられている —

「わたし達は水墨画と俳句について、また、詩と絵画における表出されたものと未だ言い尽くされていないものについて、描写されたものと描写されていないものについて、語り合った。ことばとかたちの調和した響きについて」

本書の冒頭にはお二人の序文が載せられているので、それを要約して、この作品集の意図するところを汲みとってみよう。

「ことばとかたち」（ハミッチュ教授）—

「俳句には水墨画と共通する点があって、それは①**省略**、②**事物の本質の追求**、③**余白**である。

①水墨画は白と黒の世界に限定されており、俳句は5-7-5ですべてを表現しようとする。

②人も事物も宇宙の事象、永遠の生成と消滅の中に組み入れられている。そして、それらのものは、同じ源（みなもと）と、禅で言うところの「空」（die Leere）、「無」（das Nichts）に根ざしている。芭蕉の「松のことは松に習へ」のとおり、「空」、「無」の境地に立って事物とひとつになることによってはじめて、事物の真実に触れることができる。

③水墨画の余白は、未完成のものを示していると同時に、完成されたものを示している。俳句にあっては、それは**余韻**（Nachhall）である。両者はともにそれを鑑賞する者が追体験し、作者と「**ともに創造に参加すること**」（Mit-Tätigsein）が必要とされる」

「瞑想的写真について」（リヒター氏）—

「心の平静、注意力、予期しないものとの出会いに絶えず心が開かれていること、これが創造的瞑想の基盤である。それは、われわれを取りまく喧騒の世界を変貌させ、人間的なものにしてくれる。水の中、空の鳥、これらのものすべてはそのような調和へとわれわれを導いてくれる。手仕事であれ、芸術であれ、教育であれ、人間の創造的行為はすべてそこに至るためのものである。写真にもそれは可能である。瞑想的写真はなんらの先入観も持たない。それは、一枚の葉、錆びた鉄、一片の雲、たわむれる光、薄よごれた雪といった些細な日常的事物を写し出したものである。しかし、それらはわれわれの心をゆたかにしてくれる。瞑想的写真には、簡素なしかし信頼できるカメラと、親しみのある被写体があれば充分である。

瞑想と写真とを結びつけてくれたのは、モノクロ写真であり、禅に詳しい一人の思想家、わが師ハミッチュ教授であった」

ここでは、『丘を越えて』から春、夏、秋、冬の句と写真を一つずつ引用した。句の解釈はドイツ俳句協会・会長ブアーシャーパー（当時）にお願いし、それを参考にした。

〈春の句〉

Erste Kirschblüten !
Vorm regennassen Fenster
wartet der Frühling.

初花や
くもりガラスに
春近し

葉道

作者は部屋の中にいて、窓の外を眺めている。窓ガラスは雨に濡れている。窓からは今年初めての桜の花（初花）が見える。

作者と桜の花の間には窓ガラスと雨という二重の「壁」がある。作者が外に出ていかないのはまだ雨が降っているからかも知れない。作者はこれら二つの透明な「壁」の前にたたずんでいる。「壁」をとおして「初花」だけがかすんで見える。その「壁」は戸外の香りや爽快さを感じとることを、また、風の音や雨の雫の音、鳥の声を聴くことを妨げている。それは、3行目の「春が待つ」という詩句から読みとることができる。

この詩で重要なことは、「待つ」（wartet）という言葉が置かれている位置である。1行目と2行目は外の世界が描写され、3行目の冒頭に置かれた「待つ」は作者の心の状態を表現している。しかし、それは直接的には表現されてはいない。それによって、作者はあくまで状況の外にいるように見える。しかし、外で待っている者がいるならば、その者は迎え入れられ、客となり、もてなされる。にもかかわらず、その間には窓ガラスと雨という二つの「壁」があるのだ。この「壁」を打ち破り、閉ざされた鬱とおしさから解放されて、「初花」を楽しむ。さらに、新たにやって来るものへの期待感に心を開くということは、読者に委ねられているのである。

〈夏の句〉

Ein Sommerabend !
Wer hat die Stille gestört
des stummen Wassers ?

夏の夜や
静もる湖に
水の音

葉道

最初の行からは、夏の宵に経験できるさまざまなことが連想される。それは、暖かな風であり、蚊の唸りであり、遠ちこちで鳴いているコオロギの声、また、トンボの羽音である。作者の心はこれらの事象にすっかり浸りきっている。かれは鏡のようになめらかに凪いだどこかの湖のほとりにすわっていて、湖の表面には光や靄や物の影が映っている。

このような外の世界と作者はひとつになり、一部分になっていた。そして、外界との合一がひとつの静けさを作っていた。そこへ突然、水がはねる音が聞こえてきたのだ。2行目の切字「乱した」(gestört) は、そのような状況が変化したことを示している。「水」は同時にわれわれの魂の暗い深みをも表している。

この詩から想起される芭蕉の「蛙の句」では、静けさに気づかせたものは、水の中に飛び込んだ蛙であるが（*この解釈には問題があるかも知れないが、ブアーシャーパーの解釈として、このままにしておく）、この詩では音の正体への言及はない。それ故に、作者の心の平安を乱したものが果たして外の世界のものなのか、それとも、作者自身の内部から生じたものなのかを推測することは、読者に委ねられているのである。

〈秋の句〉

Blätter und Gräser-
Zarter erscheinen sie nun
beim Nebel im Herbst.

葉と草を
やさしく見せて
秋の霧

葉道

秋の情景が描かれている。2行目の「現れる」(erscheinen) という動詞がキー・ワードであって、それは二つの意味を持っている

①現実世界の再現ではなく、真実なものの映像、真実なものの一部分が「現れる」ことを意味している。これと関連しているのが「霧」という言葉である。霧は真実の姿の輪郭をぼかし、それにヴェールをかぶせる。「霧」によって「葉っぱと草」はそのもの自身よりもやさしい姿となる。

②「姿を現す、見えてくる」ということを意味している。「秋」という言葉がこのことと関連している。季節の推移によって、自然もまたその姿を変える。「秋」を「人生の秋」、「生の成熟」の象徴としてとらえるならば、この詩に込められた深い意味を読み取ることができる。「葉っぱと草」は私たちを取り巻くもの、私たちの心を動かしているすべてのものの象徴である。以前は重要で目標とするに値するように見えた (erscheinen) ものも、今ではその明確な形と輪郭を失ってしまった。なぜそれがそれほどまでに大切なものに見えた (erscheinen) かが、今となってはもう理解できないほどに遠くに過ぎ去ってしまった。そして今、立ちあらわれる (erscheinen) ものはより深く理解され、深い慈しみをもって眺められる。それは、「やさしく」、好もしいものとなってあらわれる (erscheinen) のである。「葉っぱと草」というささいなものも、深い意味をもつようになるのである。

〈冬の句〉

Verschneit ist die Spur.
War’ s Abschied, war’ s Rückkehr –
wer kann es sagen？

人の世の
生死(しょうじ)分かたぬ
雪の跡

葉道

この詩に描かれているものは、降ったばかりの雪の中でもうはっきりと識別できない何かの跡（Spur）である。足跡がまだかすかに残っている。しかし、その輪郭は新雪に覆われて、それがどちらの方向に向いているのかがわからなくなっている。

その「方向」は「別れ」（Abschied）と「帰還」（Rückkehr）という言葉によって暗示される。誰かがやって来たのか、それとも、立ち去ったのか。愛が始まったのか、それとも、愛が終わったのか。誰かが生まれたのか、それとも、亡くなったのか。

３行目の問いかけ「誰がそれを言えよう？」とは、人間存在の限界に触れている。すなわち、人の足跡が消えてしまう果てしない雪の広野と、果てしない時間の広がりがある。人の足跡の始まりと終わりが私たちには分からないのと同じように、果てしない時間の始まりも終わりも見きわめることはできないのだ。

「足跡」（Spur）という言葉は私たちの人生をも象徴している。このような果てしない「時間」の中で、地上に存在する果てしない「道」を私たちはしばしの間歩いてゆく。そして、わずかな足跡を残してゆく。その足跡がどれ位あとまで残るものやら、それは誰にもわからない。そして、たとえそれが誰か他の人の道しるべになればと願っても、やがては「雪に消えて」（verschneit）しまうのだろう。そして、その方向を見定めることは誰にもできなくなるのである。

むすびにかえて

今回の写俳展の原稿を書いている最中に、ドイツ語俳句・連歌界の指導者カール・

ハインツ・クルツ氏（Carl Heinz, 1930-93）の訃報が届いた。ブアーシャーパー会長から「もう長くはない」と聞かされていた矢先のことであった。ドイツ語俳句界はハミッチュ、クルツという偉大な理論的指導者と実践者を相ついで失ったが、ドイツ俳句協会、ベルリン俳句協会、ミュンヘン、フランクフルトでの俳句活動など、ドイツ語俳句は堅実に歩みつづけている。

最後に、この写俳展の模様をドイツ俳句協会季刊誌に報告した[3)]ので、それを引用してむすびにかえたい。

PETER C. RICHTERS FOTOAUSSTELLUNG VON DER HAIKU-DICHTUNG YŌDŌS

Die Ausstellung wurde von der japanisch-deutschen Gesellschaft in Kobe in Japan vom 18. bis 23. Feburuar 1993 veranstaltet. Es handelt sich bei Bildern um die Fotos zu dem Haiku-Buch von Horst Hammitzsch „*Über den Hügel hinaus*“, das im Jahr 1983 bei Herder in Freiburg erschien.
Zu der Ausstellungseröffnung hielt ich einen Vortrag über die “Geschichte und den gegenwärtigen Stand der deutschen Haiku-Dichtung“. Er begann mit der Rezeptionsgeschichte von K. Florenz bis G. S. Dombrady, stellte dann die erste Haiku- Dichterin in deutschsprachigen Ländern, Imma v. Bodmershof vor und widmete sich dann dem gegenwärtigen Stand der deutschen Haiku-Dichtung.
Dabei erwähnte ich die Deutsche Haiku Gesellschaft, den ersten deutsch-japanischen Haiku-Kongreß in Frankfurt und Bad Homburg sowie den internationalen Haiku-Wettbewerb in Matsuyama in Japan 1990.
Ich bedauere, daß nur wenig Zeit blieb, um Haiku von heute vorzustellen.
Die Zuhörer waren sehr interessiert, der Vortrag schloß mit einem Haiku von Yōdō und dessen Interpretation von Margret Buerschaper :

Verschneit ist die Spur.
War's Abschied, war's Rückkehr –
wer kann es sagen ?　　　　Yōdō

Die Ausstellung begann mit der Begrüßung durch Herrn Prof. Kurosaki, dem Vorsitzenden der JDG Kobe, dem man auch die Beschaffung der Ausslellung verdankte. Der Genaralkonsul von Kobe war auch anwesend, er bagann seine Begrüßung mit dem folgenden alt - japanischen Haiku:

Wärmer wird's mit jedem
Pflaumenzweig,
der neu erblüht. Ransetsu

(Übers. von Dietrich Krusche)

梅一輪一輪ほどの暖かさ 服部嵐雪

Dieses Haiku war sehr passend, weil man diese Zeit in Japan mit Pflaumenbüten den Vorfrühling fühlt.
Dann begrüßte Herr Richter die Anwesenden :
"Ich biete Ihnen hier Motive, die man überall in der Welt finden kann: Wasser und Fels, Wolken und Pflanzen. Meine ganz besondere Liebe in der Photographie gehört diesen Themen aus der Natur. Dann gerade bei der Arbeit an ihnen verspüre ich immer wieder die unmittelbare Übereinstimmung mit ihrer Gesetzmöglichkeit. Jedes dieser Motive, sei es auch noch so gering, ist für mich ein Ausdruck jener Kraft, die das Leben beseelt. Das heißt, daß das Motiv wesendlich mehr bietet als lediglich Form und Oberfläche. Da ist noch etwas ‚Unsichtbares', das ich in dem gewünschten Bild zum Ausdruck bringen will, eine Art von Lebendigkeit, die wir Atmosphäre nennen können oder einfach auch nur Poesie, geschaffen vom Zauber des Lichts."
In einigen Zeitungen wurde die Ausstellung als etwas Seltenes dargestellt und sie hatte mehr Erfolg, als man erwartet hatte. Dieser Erfolg trägt dazu bei, daß die Ausstellung auch in Itami (伊丹) stattfindet. Itami liegt nahe bei Kobe, hier wurde Onitsura (鬼貫), ein Haijin der Edo-Zeit geboren. Man nennt ihn den anderen Basho West-Japans.

Als ich diesen Artikel schrieb, erhielt ich die Trauerbotschaft vom Tod unseres lieben Herrn Prof. Carl Heinz Kurz. Weil mir sein nahes Ende von Frau

Buerschaper mitgeteilt worden war, wollte ich ihn unbedingt noch einmal sehen, seine Stimme hören und im März zu ihm fliegen, um ihn, wenn auch nur kurz, noch einamal zu besuchen. Nun ist daraus nichts mehr geworden. Carl Heinz Kurz ist jetzt wie Yōdō zu einem Teil der Natur und einem Stern geworden, der uns alle führt.

（＊日本語訳、ただし、一部変更）

「葉道（ヨードー）の俳句とペーター C. リヒターによる写俳展によせて」

この写俳展は 1993 年 2 月 18 日から 23 日に神戸日独協会で催された。

写俳展開催の機会に筆者（竹田）は「ドイツ語俳句の歴史と現状」についての講演を行った。カール・フローレンツからドムブラディーによるドイツでの日本の俳句の受容史にはじまり、ドイツ語圏で最初の俳句詩人、イムマ・ボードマスホーフを紹介した。その際、筆者はドイツ俳句協会（DHG）にも触れると共に、フランクフルトとバート・ホンブルクにおけるはじめての俳句大会、ならびに、1990 年の松山での国際俳句大会についても述べた。あまり多くの句を紹介できなかったことは残念だったが、聴講された方々には興味をもっていただいた。講演の最後に葉道教授の 1 句を引用した —

Verschneit ist die Spur.	足跡に雪が降り積もっている
War's Abschied, war's Rückkehr –	それは別れだったのか、帰還だったのか—
wer kann es sagen ?	誰がそれを言えよう？
	人の世の生死（しょうじ）分かたぬ雪の跡
	（俳訳：竹田）

写俳展は神戸日独協会の黒崎　勇会長（当時、甲南大学教授）の挨拶ではじまり、神戸領事も出席され、挨拶の中に次の俳句を引用された —

Wärmer wird's mit jedem	梅一輪
Pflaumenzweig,	一輪ほどの
der neu erblüht.	暖かさ

Ransetsu, übers. von Dietrich Krusche（服部嵐雪、D. クルーシェ 訳）

梅の花が咲きはじめる頃、日本では早春となり、この句は時宜を得たものであった。

次にリヒター氏が聴講した人々に次のような挨拶をした —

「ここにお目にかけるものは、世界のどこででも見られる題材です。つまり水や石であり、雲や植物です。私が写真で特に好んでとりあげるものは自然からの題材です。このようなテーマを仕事にすることによって、まさに自然の原理と自分との一致を直接に感じるとることができます。また、このような題材はたとえ些細なものであっても、人間の生を生きいきとしたものにしてくれ、それを表現する力を私に与えてくれます。つまり、このような題材の本質は単なる形式や表面的なものではありません。それは『目に見えない』何かです。それこそ私が表現したいものなのです。それは雰囲気とも言える一種の生気であり、また、光が織りなす力によって生み出された詩でもあります」。

この展示会は珍しい催しとして、いくつかの新聞でも取り上げられ、予想以上に多くの成果を得た。それに寄与したのは、この展示会が伊丹でも行われたことである。伊丹は神戸からも近く、江戸時代の俳人、上島鬼貫（1661-1738）の生誕の地で、西の芭蕉と呼ばれた人でもあったから。

筆者がこの記事を書いていた時、カール・ハインツ・クルツ教授の訃報が届いた。「もう長くはない」とブアーシャーパー会長から聞いていたので、ドイツに飛び、今一度、彼に会って、たとえ短時間でも彼の声を聴きたいと思っていたが、どうしようもなかった。ドイツ俳句を導くカール・ハインツ・クルツはハミッチュ教授と同様に自然と星の一部になってしまわれた。

［注］

『岡を越えて』（ヘルダー社、1983）

（ペーター・コーネル・リヒターの写真と葉道の俳句について）

Über den Hügel hinaus.

Photographien von Peter-Cornel Richter, Haiku von Yōdō, Herder 1983.

（神戸学院大学『人文学部紀要』第７号、1993年10月30日発行による）

1）*Über den Hügel hinaus*. Photographien von Peter-Cornell Richter/ Haiku von Yōdō, Herder, 1983.

2）Horst Hammitzsch (hrsg.), *Japan Handbuch*. Steiner, 1981.

3）Vierteljahresschrift der Deutschen Haiku-Gesellschaft. Jhg.6, Nr.21. S.42-43,1993.

第6章

ドイツ連歌とカール・ハインツ・クルツ

Das deutsche Renga und Carl Heinz Kurz

クルツ氏（Carl Heinz Kurz, 1920-93）は、これまで日本ではあまり知られていないので、一つの連歌の例と彼のことを簡単に紹介したい。

1．歌仙『檜の森のパイプオルガン』の巻 Unterm Orgeln der Fichten

ブレーメンとオスナブリュックのほぼ真ん中にフェヒタ（Vechta）という小さな町がある。ローカル線の駅があるにはあるが、列車は日に数える程しか停まらない。ここにたどり着くまでが大変であるが、しかし、町の中に入るとドイツの他の町とそれほど変わるところはなく、日常生活がことさら不便というわけではない。小規模ながらオスナブリュック大学の分校として6学部を擁する大学もある。郊外に出ると広大な農場が広がり、豊かな緑の中に北ドイツ特有の赤レンガで造られた立派な農家が点在している。

ここにドイツ俳句協会が設立されたのは1988年のことであった。会長はマルグレート・ブアーシャーパー（Margret Buerschaper, 1937-2016）女史で、彼女は教育大学を卒業後、フェヒタで小学校の教師をしながら再度当地の大学に学び、1987年には日本の俳句、川柳、短歌、連歌とドイツ短詩との関係ついての論文（*Das deutsche Kurzgedicht in der Tradition japanischer Gedichtform Haiku, Senryu, Tanka, Renga.* この論文は1987年 Verlag Graphikum から出版された）で修士号を得た。それ以前から彼女は何冊かの詩集を出版しており、詩作を通じてハールツの郷土詩人カール・ハインツ・クルツ氏と知り合った。そして彼との出会いが彼女と俳句をつなぐきっかけとなった。

クルツ氏はすでに1970年代から、ガウケ出版社（Gauke Verlag）や彼の妻ヴィッペルト夫人が経営するイム・グラーフィクム出版社（Im Graphikum Verlag）から夥しい数の俳句、短歌、連歌集を出している。「ドイツの俳人」（Margret Buerschaper : *Carl Heinz Kurz. Ein deutscher Haijin*. Im Graphikum 1988）と呼ばれる彼は大の旅行好きで、世界各国で接した自然や風物が彼の詩と俳句、短歌の中に結晶している。そして、このクルツ氏の協力によってドイツ俳句協会も設立されたのであった。

協会は13か国からの約200名の会員から成っている（1993年当時）。協会が発行している俳句文学の普及のための季刊誌は、句作や討論、情報交換の場となっている。また、2年ごとにドイツ各地で大会も開かれている。1991年の第2回大会では在外研究で当協会に滞在されていた立正大学の小谷幸雄教授が特別講演をされた。小谷教授は以前からクルツ氏とも親交があり、何度かドイツ語で連歌を巻かれている。

ちなみに、ドイツの俳句愛好者の間では連歌も盛んに作られている。たいていは短連歌で、それらは多数の小冊子として出版されている。それらを集大成したものとしてクルツ氏の編になるドイツ短連歌集がすでに3巻出ている（『獨逸連歌大鑑』1987年、『獨逸連歌小鑑』1988年、『獨逸連歌参鑑』1989年、いずれもイム・グラーフィクム出版社）。また、日本の俳人との交流の機会がある度に歌仙や半歌仙が巻かれたり、文通によって百韻も試みられている。日本側からドイツ連歌の普及に寄与されたのは荒木忠雄氏（当時・ケルン日本文化会館館長、1932-2000）である。荒木氏は季語や座の観念に欠けるドイツ語俳句ないしは俳文芸の軌道修正をはかるべく、『ドイツ俳句理論エッセイ集』（*Deutsche Essays zur Haiku–Poetik*, 1989）や『ドイツ連句選集』（*Gemeinsames Dichten. Eine deutsche Renku Anthologie*. 1990）を出された。1990年秋にドイツにおいてはじめて日本の俳人とドイツ語圏の俳句作者との俳句大会が催されたのも、荒木氏の尽力によるものであった。

ドイツ俳句協会に着いて間もなく、ブアーシャーパー女史のもとにクルツ氏から筆者宛に手紙が届いた。9月13、14日（1991年）にあなたと小谷教授を私の山荘「オイレンヴィンケル」（Eulenwinkel,「フクロウ亭」といった意味）に招待したい。そこで皆でRengaをやろう。そして、翌15日には恒例のプレッセ朗読会（Plesse-Lesungen）が催されるが、そこで少しばかり挨拶をしてもらいたい。その際に自作の俳句をいくつか披露してもらえればありがたい、といった文面であった。Rengaとはあのドイツ語による連歌のことなのか、そして、「プレッセ朗読会」とはいったい何なのか。連歌は日本ですらやったことはないし、また、大勢のドイツ人の前で挨拶するなんて、青天の霹靂だ。どぎまぎしていると、そばでブアーシャーパー女史がにやにやしながら言った、「心配しなさんな、それまで時間はたっぷりとあるし、私がついているから」。

それから10日あまりの間、フェヒタの教会の日曜日のミサを見学したり、日帰りでミュンスターからゾーストの町を見てまわった折に、少しずつ俳句らしいものを作った。また、ブアーシャーパー女史に連れられて、エリカの花が咲いている荒野や古墳を見てまわったり、北ドイツ特有の湿地（Moor）の風景に接したことは貴重な体験となった。モアーからはピート（Torf）が採取される。四方数十キロにわたってモアーが広がっているばかりであった。これも句作の種になった。

とうとうハールツ山中のクラウスタール・ツェラーフェルト（Clausthal-Zellerfeld）という村にあるクルツ氏の山荘を訪ねる日がきた。午前中にフェヒタを立ち、アウト・バーンは避けて、できる限り国道や田舎の道を走る。なだらかな丘陵を走っていると畑の中にゆったりと煙が立ち昇っている。「Kartoffelfeuer（じゃがいもの葉を焼く煙）は秋の季語よ」とブアーシャーパー女史が言った。句作への予備知識である。途中ネズミ取りの男の町ハーメルンに立ち寄り、エッシャースハウゼン（Eschershausen）という小さな町にあるヴィルヘルム・ラーベ（Wilhelm Raabe, 1831-1910、『雀横町年代記』の作者）の生家を横に見て、やがて車はいよいよ山道へと分け入ってゆく。車道のかたわらでエンジン音とは別の何やら奇妙な物音が聞こえてくる。バッタが鳴いているのであった。山の木はすべて檜（Fichte）で、ここもまたシュヴァルツヴァルト（黒い森）である。「緑の狩人」（Zum grünen Jäger）というレスト・ハウスで休憩にした。メニューには「赤ずきんちゃん」(Rotköppchen)という名前のアイスクリームが載っていて、それを何人かのお年寄りが食べていた。ブアーシャーパー女史はさっそくそれを句(川柳?)に仕立てた—

Beim „grünen Jäger“:	赤ずきん
Großmutter sitzt auf der Bank.	てふアイス食(タ)ぶ
„Rotköppchen“ essen !	おばあちゃん

Margret(マルグレート)

Eulenwinkel. フクロウ亭の絵

ようやくオイレンヴィンケルに着いた時は、晩夏の太陽がすでに西の空に傾いていた。山荘は鏡のようになめらかに澄んだ小さな湖に面してして、家の中はいたる所にフクロウの絵や置き物で飾られている。これで山荘の名の由来が知れた。

クルツ氏とは1990年の日独俳句大会で挨拶を交わしただけで、親しく話をするのはこれがはじめてのことである。クルツ氏が日本に興味を持つようになったのは、賀川豊彦(1888-1960。伝道者、社会運動家。いくつかの作品が翻訳されており、ヨーロッパ諸国でもよく知られている)の著作を通じてであるという。巨大な体躯とそこから響く大きな声に圧倒されそうになるが、何ともやさしい心の持ち主で、そばにいるだけで心がなごんでくるようで、70歳を過ぎたとは思えぬ若々しさがあった。その夜の7時すぎからいよいよ連歌が始まった。捌き(Renga-Meister)はブアーシャーパー女史である。ドイツ語で5-7-5、7-7と即興で付けていくのは外国人にとっては不可能に近い。それらしいことを作文すると、それをブアーシャーパー女史がかなったシラブル数に直してくれる。ようやく初折裏の途中(16句目)が終わった時は夜もだいぶ更けていた。

翌日はせっかくここまで来たのだからというわけで、ブアーシャーパー女史にハールツの山とゴスラーの町を案内していただいた。山の展望所からははるかかなたにブロッケン山が見えた。ゲーテの『ファウスト』のヴァルプルギスの夜の舞台で有名なこともさることながら、つい最近までは東西ドイツの国境を象徴していた山である。展望所の売店には箒を持った大きな魔女の人形が立っていて観光客を歓迎してくれる。

ゴスラーの町にて、魔女の人形と

旧東ドイツからのバス・ツアーがおおぜい来ていた。女史に勧められるままに、小谷教授と筆者は車を離れ、ハールツ山地を縫って流れるオカー渓谷に沿って小一時間程ハイキングをした。急流ではさかんにカヌーの練習が行われていた。ゴスラーは遠く神聖ローマ帝国の代々の皇帝の庇護のもと、銀鉱山で繁えた町だけに、町のそこここに残っている華麗な商人の家が人目を引く。また、「皇帝の居城」(Kaiserpfalz) とよばれる建築物は壮大であった。土曜日の午後で何かの催しがあるのか、市役所前の広場は露店が出てにぎやかで、傭兵衣装に身を包んだ人物が徘徊していた。

そして、この日も夕方から前日の連歌を続け、名残裏の34句目までを巻き、残る35句目(花の定座)はその座に居合わせないヴィッペルト夫人に文字どおり花を持たせ、そして挙句はクルツに任せることにし、一応満尾したものとして一同解散となった。帰国後、ブアーシャーパー女史に問い合わせた結果、今回の歌仙は以下のようになっていた。

日本の連歌の愛好家にはとんだお笑い草かも知れないが、月の定座3句も花の定座2句も一応、日本の歌仙の式目どおりに作られている。試訳を添えてドイツ連歌の一端を紹介してみたい。

夏の歌仙。ハールツにあるクラウスタールの「フクロウ亭」訪問の機会に

Sommer–Kasen im „Eulenwinkel“ bei Clausthal im Harz aus Anlaß des Besuches von Yukio Kotani（小谷幸雄）und Kenji Takeda（竹田賢治）

Begonnen am 13.09.1991 um 19:30 Uhr（はじまり、1991 年 9 月 13 日、19 時 30 分）

Beendet am 15.09.1991 um 18:00 Uhr（おわり、1991 年 9 月 15 日、18 時）

Teilnehmer: Margret Buerschaper, Yukio Kotani, Carl Heinz Kurz, Kenji Takeda, Anna–Helene Wippert.

（参加者：マルグレート・ブアーシャーパー、小谷幸雄、竹田賢治、カール・ハインツ・クルツ、アンナ・ヘレーネ・ヴィッペルト）

Renga–Meisterin: Margret Buerschaper

（捌き：マルグレート・ブアーシャーパー）

歌仙『檜の森のパイプオルガン』の巻

Unterm Orgeln der Fichten

マルグレート・ブアーシャーパー（ブ）、小谷幸雄（コ）、竹田賢治（タ）、カール・ハインツ・クルツ（ク）、アンナ・ヘレーネ・ヴィッペルト（ヴ）

左から：クルツ、小谷、ブアーシャーパーの各氏

Ouvertüre:		（序曲）
1. S Ein Birkenrauschen in der Mittagsstille–Weg durch die Heide	夏	白樺のそよぐ荒野をつづく道 （ブ）
2. S unter glühender Sonne, hin zu den Harzer Bergen	夏	炎帝の下はるかハルツへ　（ク）
3. S/V kommen drei Gäste, einen Kasen zu dichten. Der See ist noch hell ...	夏／雑	やれ着きぬ歌仙の客に暮れぬ湖 （タ）
4. V Die Eulenbilder schmücken heimelig das ganze Haus.	雑	家を飾るやフクロウの群れ　（コ）
5. M/H Erstes Welklaub fällt, während auf Fichtenwipfeln der Sichelmond tanzt.	月／秋	はや落葉三ヵ月遊ぶ檜のこずえ （ブ）
6. H Am Fenster stehn wir und schaun in die Tiefe dieser Nacht.	秋	夜の深さを眺むる窓辺 （ク）
Erster Satz–erster Teil:		（第１楽章、第１部）
7. H Nach fünf Monaten sehne ich mich nach Japan, wo Grillen zirpen ...	秋	コオロギの鳴く故国のあこがるる （コ）
8. H/V Heuschrecken schneiden Gräser, wie unser Auto den Wind,	秋／雑	バッタ草切る車風切る （タ）
9. V/L flatternde Haare winken den Himmeln zu und ziehen Sterne an.	雑／恋	なびく髪天を仰ぎて星を友 （ク）
10. V/L Den Pfad durch dunkle Felder ertasten wir Hand in Hand.	雑／恋	暗き小径を手に手を取りて　（ブ）
11. V Du findest jetzt ein neues Land – die Mauer brach –	雑	壁破れ汝の未来はひらかれて

Zukunft ist offen –		(タ)
12. V/W den neuen Hundertmarkschein kenn ich im Winter gewiß.	雑／冬	新札は早や去年の冬に (コ)

Erster Satz–zweiter Teil: (第１楽章、第２部)

13. M/W Über Schneewehen hängt ein silberner Schimmer und ruft nach Engeln.	月／冬	天使呼ぶ吹雪の中のほの明かり (ク)
14. W/V Bald, zu Weihnachten, flackert Feuer im Kachelofen,	冬／雑	やがて聖夜よ暖炉の火燃ゆ (タ)
15. V Erwachsene und Kinder vertiefen sich in Computerspiele –	雑	親も子もコンピューターに首ったけ (コ)
16. V Bräuche haben sich leider aus der Tradition entfernt,	雑	良き習慣はすたれゆけれど (ブ)
17. B Blumen werden zu Trockensträußen gebunden, mit Bändern verziert	花	とりどりにドライフラワー束ねては (ヴ)
18. F und überstehen lange Winterwochen ohne Not.	春	冬の幾夜を耐えにけらしな (ク)

Zweiter Satz–erster Teil: (第２楽章、第１部)

19. F Beim Tauwetter jetzt hört man laut Wasser rauschen – und Motorräder	春	雪とけて瀬音と競ふバイク音 (タ)
20. F/V haben die Skier ersetzt, durchheulen enge Kurven.	春／雑	山のカーブをスキーさながら (ブ)
21. V/L Die Geschwindigkeit, großer Mut und Eleganz ziehen Mädchen an.	雑／恋	かっこいい姿に魅かる娘たち (コ)

22.	V/L Schaut man genau hin: Paare sind Hexen und Dämonen.	雑／恋	見れば悪魔と魔女のカップル	(タ)
23.	V/L Nach dem Abendkuß schleicht er heimlich sich davon in die Eckkneipe.	雑／恋	おやすみのキッスの後はこっそりと	(ブ)
24.	V bei den Bieren hat er dann Reuetränen vergossen.	雑	ビール飲みつつ男泣きする	(コ)

Zweiter Satz–zweiter Teil: (第２楽章、第２部)

25.	V/H Aus den Wäldern her tönt das Orgeln der Fichten – knacken die Äste;	雑／秋	檜の森のオルガンの音や枝折れて	(ク)
26.	V/S die dürre Sommerzeit hat sie der frischen Kraft beraubt.	雑／夏	夏の乾きに生気奪はる	(ブ)
27.	V/S Die Kanufahrer schießen durch die Stromschnellen der klaren Oker ...	雑／夏	オカー川早き流れにカヌー漕ぐ	(タ)
28.	V/S siebenmal umkippen und achtmal aufstehen: Praxis !	雑／夏	七転び八起きこれぞ練習	(コ)
29.	M/H nach Hause wanken, wenn durch lichte Kronen die Mondbahnen glänzen –	月／秋	よろよろと家路につけば月明り	(ブ)
30.	H ihr Schein spiegelt sich auf dem herbstkühlen Clausthaler See.	秋	クラウスタールの湖輝きぬ	(ク)

Epilog: (終曲)

31.	H Federweißer mit Zwiebelkuchen–Genuß am Fuß der Kaiserpfalz –	秋	御城下やタマネギケーキに新酒添へ	(ブ)
32.	V/H Landsknechte marschieren beim	雑／秋	鐘に合はせて傭兵の行	

	Glockenspielklang auf und ab.		く　（タ）
33.	V　Eine Geldfrage, Wohlleben und Dekadenz – durch Gast–Arbeiter ?	雑	幸不幸外国人の労働者　（コ）
34.	V　Gast–Dichter am Renku sind uns jederzeit willkommen –	雑	連句の客はいつも歓迎　（ブ）
35.	B/F　mit jungem Grün und frischen Blüten schmücken wir unsere Wohnung	花／春	みずみずし花と緑で飾る家　（ヴ）
36.	F　und empfangen die Freunde vom Frühjahr bis in den Herbst.	春	友迎へては春から秋へ　（ク）

＊＊＊

Carl Heinz Kurz, 1920-1993（カール・ハインツ・クルツ）氏の略歴と業績

（編著のみ。単著は除く）

1920年11月26日　ドイツ、ツェラーフルトに生れる。ゲティンゲン、プラーク、ノッティンガム、オレンジの各大学で学ぶ。歴史、文学、教育学。3種の国家試験合格。マドラス大学哲学修士、オレンジ大学哲学博士。

クルツさんからの葉書（1991）

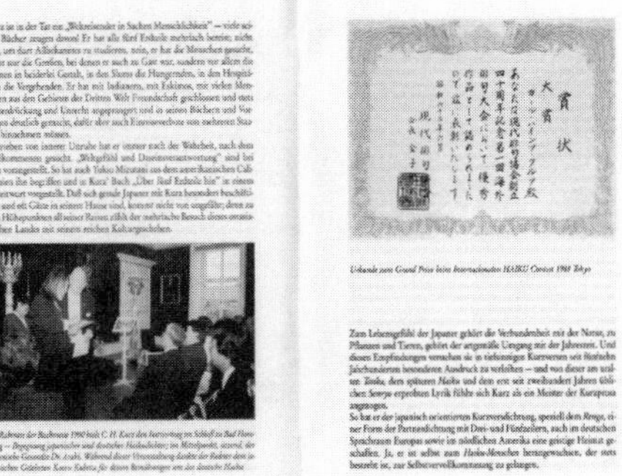

1991年、日独俳句大会、バート・ホンブルクで表彰されたクルツ氏。

（引用：Karl Mench, hrsg, Weltreisender *In Sachsen Menschlichkeit*. 1992. Im Graphikum. pp.6-7）

タスコン、マドラス、タイペイ各大学の名誉博士。アメリカに於いて教師、講師、教授。フリーのライター、思想家。世界各地を旅行。30冊を超える著書、200万部を売る。37種の言語に翻訳される。国際的な称号や受賞多数。(『ドイツ俳句大鑑』Verlag Graphikum, 1990より。窪田 薫 訳による)

前のページの写真は筆者(竹田)に届けられた葉書。略歴が書いてあり、これは上の窪田訳と同じ。

〈俳句関係〉

1. *Weit noch ist mein Weg ... –Jahreszeiten–Haiku Anthogie* (1986, Im Graphikum.)
『我が道はまだ遠く──四季の俳句集』(40人の作者による各5句。計200句)

2. *Das Grosse Buch der Haiku–Dichting* (1990, Im Graphikum.)
『獨逸俳句大鑑』
以下はすべて、窪田 薫 訳による。
統計資料(p.7)
22か国、555名。西ドイツ424、オーストリア52、スイス18、**日本14**、東ドイツ10、オランダ7、スウェーデン5、アメリカ5、イスラエル3、ポーランド2、ソ連2、ユーゴ2、ベルギー2、オーストラリア1、スペイン1、デンマーク1、ブラジル1、アイルランド1、ルーマニア1、フランス1、トルコ(アルメニア)1[1)]。

「本書の眼目は、ドイツ語圏に於ける日本の短詩型文学に由来する三行詩作者のすべてを紹介することにある。作品の質だとか、何が真の俳句であり、何が単なる川柳にすぎないか、などの問題をあげない。本書では、ドイツ語テキスト三行詩の作品と作者が紹介され、ドイツ語による俳句制作の広大な野原が興味を抱く読者に公開され繰り広げられているのである」

序文(マルグレート・ブアーシャーパー)より(p.13)
(窪田 薫 訳、旧仮名づかいや漢字は現代風に書き変えた。ゴチックも竹田)
「俳句は**自然詩**(Naturgedicht)であり、季節に言及する(Jareszeitenwort、季

語）。それは明瞭な句切れによって分けられ、意味深長な単語（Schneidewort、切れ字）によって感動を惹き起こす二つのイメージ、二つの反対の極の上に一つの緊張を構築する（これは、W. ボードマースホーフの俳句論である。竹田）。俳句は閉ざされた詩ではない。俳句はより深い残響効果（Nachwirkung）を狙い、表現されていないもの（das Unausgesprochene）をはじめて躍動させる先験的（transzendental）関係に照準を定める。

抒情的自我とか、その自我の見たものの解説・説明などは重要ではない。自然の出来事が不意に言葉の中に流れ込んでくる、その**瞬間**が重要なのである。

川柳は内容を問わない、何を詠んでも構わない。日常生活の中のあらゆる出来事、あらゆる意見、感情、平凡なこと、異常なことをお喋りする公開井戸端会議みたいなものである。川柳とは民衆の言葉である。人間の生活・経済・政治等々を、軽薄に、皮肉とユーモアたっぷりに、シャレを交え、賛歌にして表現したものである。

（中略）

ある詩が、俳句か川柳かということは、それほど「重要だ」と私は思わない。表現の適切さ、体験の質の方が、より重要である。この様に豊富な選集（――広範囲にわたり555人もの詩人の協力があったが、これはドイツ語圏に、俳句が如何に深く根差しているかを物語る――）に於いては、繰り返し読むならば、読者はその時の気分や季節により、好みの句が変わるということもあろう。繰り返し読む読者にはしばしば新しい観照や影響が生じ、又、多くの色々な風景と自然の美しさが提供されることであろう」。

3. *Das Kleine Buch der Haiku-Dichting*（1992, Im Graphikum.）
『獨逸俳句小鑑』
統計資料：19か国、185名。185句。

4. *Das Dritte Buch der Haiku-Dichting*（1992, Im Graphikum.）
『獨逸俳句参鑑』
統計資料：13か国、185名。185句。

〈**連歌関係**〉（すべて二人の作者による短連歌。）

1．*Das Grosse Buch der Renga–Dichting*（1987, Im Graphikum.）

『獨逸連歌大鑑』

（序文：マルグレート・ブアーシャーパー）（pp.13-14）

（窪田 薫 訳、旧仮名づかいや漢字は現代風に書き変えた。竹田）

「此の『獨逸連歌大鑑』は、日本からドイツ語圏に伝えられ実作された連歌形式の作品を、西欧文壇に紹介しようという最初の試みである。

カール・ハインツ・クルツ博士は長期間にわたり、或いは文通、或いは会合、或いは連歌師としての数多くの旅行によって、連歌という詩の普及にあたってこられた。おそらく博士は連歌師という古典的な敬称がふさわしい唯一のドイツ人であろう。博士は詩人達に此の連歌という共同制作の詩形に興味を待たせ、啓発し、指導し、数多くの実作をもたらしたのである。

（中略。宗祇をはじめとして、宗鑑、貞徳による連歌および俳諧の歴史が述べられている。竹田）

連歌には句数つまり長さによって色々の種類がある。ドイツで最もポピュラーなのは2句つなぐ**短連歌**（Partnerdichtung）と、3句つなぐ**三つ物**（Partnerdichtung zu dritt）である。日本では36節からなる**歌仙**（Kasen）が、芭蕉以来のいわばスタンダードである。

444名の詩人が此の連歌集に参加している。**発句**（Vorgaben）はすべてC. H. クルツによって書かれ、**付句**（die entsprechende Erläuterrung）の依頼は、航空便により地球を駆けめぐった。かくして獨逸連歌萌芽期の記念碑的なアンソロジーが誕生したのである。読者諸氏が繰り返し繙読され、その度に何か新しい発見をなされることを期待したい」。

2．*Das Kleine Buch der Renga–Dichting*（1988, Im Graphikum.）

『獨逸連歌小鑑』（英訳：ヴェルナー・マンハイム、Werner Manheim）

統計資料：152名が参加。多くの国々に依頼された作者の3行詩にC. H. クルツが付句とタイトルを付けた。

3．*Das Dritte Buch der Renga–Dichting*（1989, Im Graphikum.）

『獨逸連歌参鑑』（英訳：ヴェルナー・マンハイム、Werner Manheim）

統計資料 : 24 か国、304 名による 152 篇の短連歌。

4. *Das Grosse Buch der Senku–Dichting*（1992, Im Graphikum.）
『千句大鑑』（英訳：ヴェルナー・マンハイム、Werner Manheim）
統計資料：44 か国、1,000 名が参加。

5. *Das Zweite Buch der Senku–Dichting*（1992, Im Graphikum.）
『千句續鑑』（英訳：ヴェルナー・マンハイム、Werner Manheim）

6. *Das dritte Buch der Senku–Dichting*（1993, Im Graphikum.）
『千句参鑑』（英訳：ヴェルナー・マンハイム、Werner Manheim）
統計資料：11 か国、207 名が参加。

〈短歌関係〉

1. *Das Buch der Tanka–Dichtung*（1990, Im Graphikum.）
『独逸短歌集』

2.「プレッセ朗読会」（Plesse–Lesungen）について

ゲティンゲン近郊のボーフェンデン（Bovenden）という町の郊外にプレッセ城はある。城といっても、現在ではレストランと地下に市民のための集会所がある建物や塔などが残っているばかりで、外観は廃墟に近い。遠く 1192 年の文書の中にこの城の存在が確認されている。Plesse という名は『白い山』を意味し、Blesse（鼻梁に白斑のある牛や馬）に由来するという。遠目にはこの城がそう見えるからであろう。30 年戦争後は城主もいなくなり、廃墟となった。1801 年にはザクセン・ワイマールの枢密顧問官となっていた 52 歳のゲーテがここを訪れている[1)]。

この城でクルツ氏と他の二人の作家アドルフ・ゲオルク・バルテルス（Adolf Georg Bartels, 1978 年没）、ルドルフ・オットー・ヴィーマー（Rudolf Otto Wiemer）の三人が中心となって「プレッセ城作家連盟」（Autorenkreis Plesse）が結成されたのは 1964 年のことであった。1991 年の時点での正会員は世界各国（ドイツの他には、スイス、ギリシア、オランダ、ルーマニア、アメリカ、ポーランド、イスラエル、オーストラリア、イギリス、イタリア、日本、デンマーク、オ

1991 年度の冊子の表紙

Plesse-Lesungen 1991

筆者が参加した 1991 年の一部

ーストリア、フランス）の 27 人の作家や学者から成り、会を小さく保つために、会員数は 27 人に限られている。日本からはドイツ民謡とドイツ語俳句研究家の坂西八郎教授が選ばれており、ドイツ俳句協会会長のブアーシャーパー女史も正会員のうちの一人となっている。このサークルの目的は、これらの会員を通じて文学における国際交流に寄与しようとするところにある。毎年 9 月の第 3 日曜日に会員や招待者による朗読会が催され、1976 年以来、この朗読会の記録はボーフェンデン市の援助によって年鑑『プレッセ城朗読会』（Plesse-Lesungen）として出版されている。ブアーシャーパー女史の推薦によるものであろうか、筆者は「通信会員」なるものに選ばれ、挨拶と自作の俳句を朗読しなければならないことになった。

正会員の集まりは朗読会の前日にプレッセ城で行われ、朗読会は一般の聴衆のためにボーフェンデン市役所のホールで行われた。会場にはその日に朗読する作家や他の会員の著書が展示され、また販売されてもいた。集まった聴衆は 60 名ばかりであった。

1991 年の朗読者はクルト・オスカー・ブフナー（Kurt Oskar Buchner）、エーディト・ビーヴェント（Edith Biewend）、ヴェルナー・マンハイム（Werner Manheim）、上記のルドルフ・オットー・ヴィーマー、それに筆者であった。

1912 年生まれのブフナー氏は児童文学者として出発し、当時はブラウ

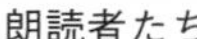
朗読者たち

挨拶、竹田

ンシュヴァイクの近くにあるギフホルン（Gifhorn）という町で詩や小説の他にラジオドラマやエッセーを書いている。多くの文学賞を獲得し、当作家連盟の早くからの会員である。当日はバラード集 „*Entscheidungsstunden*“ から „Belsazar“、„Die ganze Erde ist voller Toter“、„Abschied“、„Nacht vor dem Abschied“ が朗読された。小さな体からは予想もできないような太い、力づよい声による朗読であった。

ビーヴェント女史は1923年にノルトライン・ヴェストファーレン州に生まれ、同州の功労賞を与えられた作家で、現在は南ドイツのオーストリア国境に近いケーニヒスゼーという湖の畔に住んでいる。1978年に当作家連盟の会員となったが、朗読会への参加はこれが初めてだという。もの静かで上品な老女で、長編小説 „*Als noch die Stürme tobten*“ の一部を朗読した。

マンハイム氏は1915年ポーランドのリサ（Lissa）に生まれ、青年時代をベルリンで送った後アメリカに渡り、音楽学の博士号を取得し、アメリカの大学で音楽や文学を教えた。当作家連盟の通信会員である彼はすでに何度かこの朗読会に出席しており、俳句、短歌、川柳、連歌の詩集も出版している[2]。いくつかの川柳と、英独両言語による詩が朗読された。

この作家同盟の創始者のうちの一人であるヴィーマー氏は1905年にチューリンゲンに生まれ、実業学校の教師、演劇批評や図書館司書の経験もあり、小説や詩の他に児童文学も書いている。ゲティンゲンに住み、同市から名誉勲章を授与されている。作品集 „*Der drei-fältige Baum*“ から „Lili und das Schwimmfest" が朗読された。

本来ならば、朗読された作品のすべてをここに紹介すべきところであるが、ドイツ川柳の例として、マンハイム氏の川柳（3行からなる短詩と言った方が良い）のみを引用しておく。**川柳**はドイツ語圏では俳句、短歌、連歌とともに短詩型文学の一部とみなされており、ドイツ語俳句の多くの作者は川柳も作っている。形式は俳句と同様に5−7−5のシラブル数にのっとっている。

Noch ruht die Wiese, und wie der Wanderer naht, entflattern Schatten.	草原はまだ静けさの中に憩っている 人の歩みに連れて 飛び立つ鳥の影
Die Tageswellen verschlucken die Gedanken, die nachts geboren.	日常の波が 夜ごと生まれた さまざまな思いをのみ込む
Auf morscher Brücke, die ich selbst erbaut habe, wandelt mein Schicksal.	自分の手でかけた 朽ちた橋を 我が運命が渡ってゆく
Auf leisen Sohlen, ohne dich zu beachten, schleicht die Zeit vorbei.	お前を気にもとめず そっと去ってゆく 時の足跡
An losem Faden hängt unsre Gerechtigkeit. Vorurteilt reißt ihn.	たるんだ糸に ひっかかっている我々の正義 偏見がその糸を絶ち切る

最後に、クルツ氏が出版された彼の俳句集『薄明の道』（*Wege im Dämmerlicht*, Im Graphikum 1990）から1句を引用して、この年の朗読会が閉じ

られた —

Gesicht im Regen,
zwei Minuten Aufenthalt –
irgendwo am Strom ...

雨の中の顔
見えたのは二分間 —
この流れの岸辺のどこかで

（付記）ついでに、挨拶の際に筆者が披講した 5 つの拙句を以下に記しておきたい —

1. Bei dem guten Wein, träumerischer werde ich – Reise in den Herbst...	酒飲めば 夢見心地の 旅は秋
2. Den Buddhisten lenkt der Zufall in die Messe... Stille Herbstreise	旅なれや ミサに出会ふも 秋日和
3. In der Wallfahrtszeit – rötlich Mariens Wangen vor dem Kerzenlicht	巡礼に マリアの頬の 赤らみて
4. Fahrt durch die Harzberge... Heuschrecken schneiden Gräser wie Autos den Wind.	草を切る バッタ我らは 風を切る
5. Im Septembermoor – unsere langen Schatten streifen Grasbüschel [3)]	秋近し 湿原をゆく 影ふたつ

朗読会の後で、クルツ氏と竹田

「プレッセ朗読会誌」1976年の表紙。この城の概観が分かる

筆者の手元にあるプレッセ・朗読会（Plesse Lesungen）の年鑑は1976年から2007年間での32冊（ただし、一部は欠）。つまり、1993年にクルツ氏が亡くなってからも、この朗読会は32年間続いたことになる。

2022年6月に突然、Steffen Marciniak氏からメールが届き、この会（Plessekreis）がつづいていることが分かった。雑誌は本としてすでに9冊出版されているという。会長はHarald Gröhler氏（PENクラブ会員）ということだった。

［注］

拙論「ドイツ・オーストリア俳句紀行」（Meine Haiku-Reise durch Deutschland und Österreich）（神戸学院大学『人文学部紀要』第6号、1993年による）

1）参照：Carl Heinz Kurz : Burg Plesse. Verlag Otto Zander, Herzberg (Harz)-Pöhlde, 1977.

2）・*Schatten über Blütentau*. Im Graphikum 1987.
　・*Im Atem der Nacht*. Im Graphikum 1989.
　・*Einsam zieht die Zeit*. Im Graphikum 1990.

3）引用。aus: *Plesse-Lesungen 1991*. Seite.22-23

第7章

独訳された現代日本の俳句

Gegenwärtige japanische Haiku, ins Deutsch übersetzt.

1.『かわむこう』より

『かわむこう』(*Jenseits des Flusses*)、フリードリヒ・ヘラー編 (hrsg. von Friedrich Heller)、Edition Doppelpunkt, Wien, 1995. 12句。
協力：内田園生 (国際俳句交流協会会長)、草間時彦 (俳人協会会長)

本書は、ヘラー氏から筆者 (竹田) への呼びかけで、内田氏と草間氏のご協力によって、日本側から17人、オーストリア側から17人、各々5句を出句し、計136句の日独両言語による句集である。

日本語の俳句の直訳を竹田が行い、これをもとに、ヘラー氏がかなり自由な俳句にしたてたもので、必ずしも原句に忠実な作品にはなっていない。誤訳もある。本来なら17人の俳人の作品を載せたいところであるが、比較的うまく訳されたと思う作品だけを挙げてみた—

(1) 春愁の我に二つの影法師 (千原草之)
Obzwar noch Frühling
begleitet mich Wehmut auf
all meinen Wegen. Soshi Chihra

(2) ダニューブのさざなみもまた春の水 (江國 滋)
Wellengekräusel.
Selbst die Donau will blühen

und täuscht Knospen vor. Shigeru Ekuni

(3) 紫陽花のパリーに咲けば巴里の色 （星野 椿）
Die Hortensien
zu Paris erweisen sich
als Trikolore. Tsubaki Hoshino

(4) 空といふ自由鶴舞ひやまざるは （稲畑汀子）
Himmel, o Freiheit !
Der Kranich zieht unentwegt
in die Ferne. Teiko Inahata

(5) バイブルに鞣(なめ)し香(か)のある深雪(みゆき)かな （石原八束）
Es riecht nach Leder –
bei Kerzenschein die Bibel.
Und draußen fällt Schnee. Yatsuka Ishihara

(6) 梅咲いて庭中に青鮫が来ている （金子兜太）
Die Pflaumen blühen.
Im Garten schwimmen demnächst
blaue Haifische. Tota Kaneko

(7) 生国はいづこと問はれて遠花火 （黒田杏子）
Ich wurde gefragt,
woher ich gekommen bin.
Sieh das Feuerwerk ! Momoko Kuroda

(8) 冬の夜のスープに散らす青パセリ （草間時彦）
Am Winterabend
geb' ich Petersilie

auf meine Suppe　Tokihiko Kusama

（9）永平寺そば屋につづく雪解みち　（町　春草）
Der Schlammpfad führt vom
Eiheiji–Tempel zum
Soja–Nudelladen.　Shunso Machi

（10）ただ灼けて玄奘の道つづきけり　（松崎鉄之介）
Der Weg von Hsüan Tsang
führt in die Unendlichkeit
durchs glühende Feld.　Tetsunosuke Matsuzaki

（11）紅梅や枝々は空奪ひあひ　（鷹羽狩行）
Baum voller Sehnsucht.
In den Himmel brennen sich
all seine Blüten.　Shugyo Takaha

（12）落葉焚く火の衰へて闇深し　（内田園生）
Erloschen sind nun
die Feuer des Blätterwerks.
Tief wird das Dunkel.　Sonoo Uchida

＊これとは別に拙句を1句。
秋冷や古城に眠るワイン樽　（竹田賢治）（独訳は作者）
Der kühle Herbst kommt –
Im Keller der alten Burg
schläft nun das Weinfaß　Kenji Takeda

（『独逸俳句小鑑』, *Das kleine Buch der Haiku–Dichtung*,
hrsg. Carl Heiz Kurz, Im Graphikum, 2 Auflage 1992, S.42, に所収）

2.『比較俳句論』より

渡辺 勝『比較俳句論──日本とドイツ』（角川書店、1997年）。13句。

1998年の俳人協会評論賞を受賞した本書は、とても優れたドイツ語俳句に関する研究書である。

海外で紹介されてきた日本の俳句がもっぱら古典俳句に限られていることに気がついた著者は、みずから、現代の日本俳句のドイツ語訳を試みている。

全部で28句。選ばれた句はどれもよく知られた作品で、著者の工夫と優れた見識を読みとることができる。

作者は、正岡子規、夏目漱石、高浜虚子、村上鬼城、飯田蛇笏、前田普羅、原石鼎、尾崎放哉、種田山頭火、杉田久女、中村汀女、星野立子、橋本多佳子、水原秋桜子、高野素十、山口誓子、阿波野青畝、永田耕衣、平畑静塔、中村草田男、石田波郷、加藤楸邨、西東三鬼、飯田龍太、金子兜太、森澄雄、細見綾子、能村登四郎。

紙面の都合でよく知られたいくつかの句のみを挙げてみる（pp.198-205）──

(1) 遠山に日の当たりたる枯野かな　（虚子）
Auf einem fernen Berg
Liegt jetzt das Sonnenlicht
Sonst nur dürre Flur.　Kyoshi Takahama

(2) 菫程な小さき人に生まれたし　（漱石）
Möge ich wieder
So klein wie ein Veilchen
geboren werden !　Soseki Natsume

(3) 芋の露連山影を正しうす　（蛇笏）
Tarofeld voller Tau –

der Gebirgszug richtet jetzt
seine Umrisse. Dakotsu IIda

(4) 咳をしてもひとり （放哉）
Auch beim Husten allein. Hosai Ozaki

(5) 鉄鉢の中へも霰 （山頭火）
Hagel auch in meine eiserne Schale
für Almosen. Santoka Taneda

(6) 外にも出よ触るるばかりに春の月 （汀女）
Komm nach draußen !
Der Frühlingsmond ist nah genug,
fast berührt zu werden. Teijyo Nakamura

(7) 雪はげし抱かれて息のつまりしこと （多佳子）
Es schneit jetzt heftig
damals erstickte ich fast,
von ihm stark umarmt. Takako Hashimoto

＊いわゆる 4S から。

(8) 啄木鳥や落葉をいそぐ牧の木々 （秋桜子）
Hämmern der Spechte –
Laub auf der Wiese beeilt sich
mit dem Abfallen. Shuoshi Mizuhara

(9) 方丈の大庇より春の蝶 （素十）
Aus dem großen Vordach
der Klause flattert herunter
ein Frühlingsfalter. Sujyu Takano

（10）夏草に汽缶車の車輪来て止る　（誓子）
Im Sommergras kommen
die Räder der Lokomotive
jetzt zum Stillstand.　Seishi Yamaguchi

（11）聖母の名負ひて五月は来りけり　（青畝）
Den Namen Marias,
der Mutter Gottes, tragend,
ist der Mai gekommen.　Seiho Awano

（12）つひに戦死一匹の蟻ゆけどゆけど　（楸邨）
Schließlich gefallen ;
eine Ameise krabbelt
und krabbelt.　Shuson Kato

（13）湾曲し火傷し爆心地のマラソン　（兜太）
Gebogen,
verbrannt,
Marathon im Explosionszentrum.　Tota Kaneko

3．『俳句 ― 500 年の詩』より

2017 年に、日本の俳諧と俳句の歴史を概観できる画期的なアンソロジーが出版された。

Haiku, Gedichte aus fünf Jahrhunderten, Japanisch / Deutsch.
Ausgewählt, übersetzt und kommentiert
von Eduard Klopfenstein und Masami Ono–Feller unter Mitwirkung von Kaneko Tota und Kuroda Momoko. Reclam, 2017.

『俳句――500 年の詩』（日独）選、訳、注釈：エドゥアルト・クロッペンシュタイン、マサミ・オノ－フェラー。

協力：金子兜太、黒田杏子（レクラム社、2017）

本書は宗鑑から皆吉司までの305句を選び、元の句をローマ字で表記し、そのドイツ語訳、作者の紹介、さらにその句の解釈を付けたもの。本書はドイツ語圏の俳句作者に日本の俳句を知ってもらうには格好の本となった。内藤鳴雪以降の作者は105名となっている。

ここからもいくつかの現代俳句を引用してみよう。25句。

引用にあたっては、ドイツ俳句協会（DHG）のペーター・ルドルフ（Peter Rudolf）氏をとおして、編者のクロッペンシュタイン（Eduard Klopfenstein）教授、ならびに、レクラム（Reclam）社のガブリーレ・ザイフェルト（Gabriele Seifert）さんから好意的な許可をいただいた。各氏に心から感謝したい。

各句の冒頭に付けた番号は、上記の本の通し番号。

204. 柿くへば鐘が鳴るなり法隆寺　（正岡子規）
Ich beiße in eine Kaki
Ein Klang–ein Glockenschlag
vom Horyu Tempel　Shiki Masaoka（p.214）

209. 去年今年貫く棒の如きもの　（高浜虚子）
Altes neues Jahr
wie von einem Stock durchbohrt ...
etwas dergleichen　Kyoshi Takahama（p.219）

221. 湯豆腐やいのちのはてのうすあかり　（久保田万太郎）
Heißer Tofu –
am Ende des Lebens
ein fahles Schimmern　Mantaro Kubota（p.231）

222. 花衣ぬぐやまつわる紐いろいろ　（杉田久女）
Das Blütenschau–Kleid
lege ich ab–und stehe umschlungen
von vielfarbigen Bändern　Hisajo Sugita（p.232）

223. 青蛙おのれもペンキぬりたてか　（芥川龍之介）
Grünes Fröschchen !
》Frisch gestrichen《
auch du ?　Ryunosuke Akutagawa（p.233）

224. 冬菊のまとふはおのがひかりのみ　（水原秋櫻子）
Winterchrysanthemen
schimmernd–umhüllt nur
vom eigenen Licht　Shuoshi Mizuhara（p.234）

229. 金剛の露ひとつぶや石の上　（川端茅舎）
Aus Diamant
ein einziger Tropfen Tau
auf einem Stein　Bosha Kawabata（p.239）

237. 水枕ガバリと寒い海がある　（西東三鬼）
Wasser–Kissen
eisiges Schwappen unter dem Kopf
kalt ist das Meer　Sanki Saito（p.247）

239. 夢の夜に葱を作りて寂しさよ　（永田耕衣）
In dieser Traumwelt
pflanze ich ein paar Lauchzwiebeln
Einsames Leben !　Koi Nagata（p.249）

248. 蝶墜ちて大音響の結氷期　（富沢赤黄男）
Ein Schmetterling stürzt...
mit gewaltigem Knall
in die Eiszeit
Kakio Tomizawa（p.258）

252. しんしんと肺碧きまで海の旅　（篠原鳳作）
Weiter weiter ...
bis sich die Lunge blau färbt
Fahrt übers Meer
Hosaku Shinohara（p.262）

255. 徐々に徐々に月下の俘虜として進む　（平畑静塔）
Schritt für Schritt für Schritt
geht es voran–im Mondlicht
kriegsgefangen
Seito Hirahata（p.265）

264. 戦争が廊下の奥に立ってゐた　（渡辺白泉）
Aufrecht stand der Krieg
in der hintersten Ecke
des Korridors
Hakusen Watanabe（p.274）

270. 塩田に百日筋目つけ通し　（沢木欣一）
Auf den Salzfeldern
hundert Tage Furchen ziehn
ohne Unterbruch
Kin'ichi Sawaki（p.280）

272. 除夜の妻白鳥のごと湯浴みをり　（森澄雄）
In der Neujahrsnacht –
Weiß wie ein Schwan
meine Frau im Bade
Sumio Mori（p.282）

281. 金魚また留守の心に浮いてをり　（深見けん二）

Wieder ein Goldfisch
im Herzen schwebend –
in seiner Abwesenheit　Kenji Fukami（p.291）

282. 身をそらす虹の絶巓処刑台　（高柳重信）

Regenbogen, der sich rücklings nach oben biegt
bis zum Scheitelpunkt
–ein Galgen　Shigenobu Takayanagi（p.292）

285. あらぬ方へ手毬のそれし地球かな　（川崎展宏）

Der Ball beim Spielen
weggespickt in die falsche Richtung
–dieser Erdball !　Tenko Kawasaki（p.295）

290. 妻告ぐる胎児は白桃程の重さ　（有馬朗人）

Meine schwangere Frau verkündet:
Das Kind ist jetzt etwa so schwer
wie ein weißer Pfirsich　Akito Arima（p.300）

293. 落椿とは突然に華やげる　（稲畑汀子）

Kamelienblüten
fallen ab–und plötzlich ein Fest
von leuchtenden Farben　Teiko Inahata（p.303）

297. 書物の起源冬のてのひら閉じひらき　（寺山修司）

Ursprung des Buchs –
Im Winter : das Auf–und Zuklappen
der Handflächen　Shuji Terayama（p.307）

299. 白葱のひかりの棒をいま刻む　（黒田百杏子）
Weißer Lauchstängel –
diesen Lichtstab schneide ich
jetzt in Stücke
Momoko Kuroda（p.309）

300. 皐月闇口あけて来る赤ん坊　（坪内稔典）
Aus dem Dunkel des Regenmonds
kommt es, offenen Mundes
–das Neugeborene
Toshinori Tsubouchi
（p.310）

303. 電動鋸すきとほる刃の涼しさよ　（長谷川櫂）
Gezähntes, durchsichtig
blitzendes Blatt der Elektrosäge
lässt mich schaudern vor Kälte
Kai Hasegawa（p.313）

304. 未来より滝を吹き割る風来たる　（夏石番矢）
Aus der Zukunft ein Windstoß
fährt in den Wasserfall, teilt ihn
bläst ihn zu Staub
Ban'ya Natsuishi（p.314）

コラム3

〈書評〉渡辺 勝『比較俳句論──日本とドイツ』（角川書店、1997）

（俳誌『游星』、No.20. 1998、pp.138-140 による）

ドイツ語による俳句の存在をわれわれが知ったのは1963年のことであった。オーストリアの女性詩人イムマ・ボードマースホーフ（1931-82）の処女句集『ハイク』（1962年）が出版され、これを星野慎一（1909-98）教授が紹介されたのであった。その後、教授は「世界的視野から見た俳句」を俳誌『暖流』に41回にわたって連載され、これは『俳句の国際性』（1995年、博文館新社）という1本になって世に出、1995年のエッセイスト・クラブ賞を受賞した。その間、坂西八郎他によるはじめてのドイツ語俳句のアンソロジー『ヨーロッパ俳句選集』（1979年、デーリィマン社）が編まれ、いくつかのドイツ語俳句に関する書も公にされた。1992年には日本独文学会でもドイツ語俳句ははじめてシンポジウムのテーマに取りあげられた。それでも日本独文学会でこの方面の研究者は数えるほどしかいない。渡辺 勝（1932-2013）もそのうちのお一人で、上のシンポジウムの発表者であった。もっとも、氏のご専門はヘッセやドイツの詩であるが。

1997年に角川書店から出版された表記の書は、俳句作者でもある氏が長年携わってこられたドイツ語俳句に関する研究をまとめられたものである。本書の体裁は瀟洒だが内容は濃く、そして豊かである。しかし、本書はかた苦しい研究書ではなく、ドイツ文学、比較文学、日本文学の研究者だけではなく、俳句や詩歌に関心のある方々にも、そして、誰よりもドイツの俳句作者に読んでいただきたい本である。

「筆者にとっての関心事は何よりも、いわゆる日本的なものが異質的なものと出会うとどのような衝撃を生ずるか、という問題を比較文学的に検証することであった」。

（『比較俳句論』「あとがき」より）

なぜなら、日本の俳人の海外吟行が盛んとなり、一方では多くの外国人も俳句をつくるようになった今日、加藤楸邨（1905-93）の次のことばが想起されるからである ─

「俳句は日本の風土の中で生まれ育ったものだから、日本の中だけで充分だという考え方では、俳句は生きつづけるわけにはゆかなくなる。俳人が日本の中に閉じこもっても世界の方でおしこんでくる。そんなとき俳句はやはりしっかりとした骨骼を持っていないと生きつづけることができなくなるであろう」。

（『死の塔』毎日新聞社、1973、p.28）（『比較俳句論』「あとがき」より）

以上のことをふまえて、ドイツにおける俳句受容史、受容上の諸問題、9人のドイツの俳人が紹介され、また、俳論、短歌論からゲーテやリルケなどの詩が考察されている。日本では入手が困難なドイツ語俳句全般にわたる資料も手際よくまとめられているし、現在進行中の日独俳句交流会のことも述べられている。

外国人が日本の俳句について言及する時にきまって引用するのは芭蕉、蕪村、一茶といった古典俳句で、これにはいささか食傷気味である。これは、海外での日本の俳句ないしは文学の研究者、紹介者が少ないことに大きな原因があろうが、一方では、わが国の俳句専門家にも責任の一端があるのではないだろうか。かつて、本書の著者はドイツ文学者、高安国世（1913-84）が独訳した現代俳句（übertragen von Takayasu Kuniyo und Manfred Hausmann, *Herbstmond und Ruf der Regenpfeifer*. Theseus-Verlag. 1990. に所収）に触れて、次のように言っている —

冬菊のまとふはおのがひかりのみ　　秋桜子
Winterchrisanthemen,
von keinem andern Licht umdämmert
als vom eigenen.（p.109）
亡き友肩に手をのするごと秋日ぬくし　　草田男
Die warme Herbstsonne
liegt auf meiner Schulter
wie die Hand des toten Freunds.（p.110）

もっとこうした作品が紹介されていい。（『埼玉大学紀要』、1984）

本書の巻末に載せられた子規をはじめとする 28 人の現代俳人の句の著者自身によるドイツ語訳はそのこころみであり、本書の特色のひとつと言える。

日本の俳人の海外詠と外国語の俳句でもっともやっかいな問題は季語の問題であろう。これは虚子渡欧（1936〈昭和 11〉年）以来の懸案事項である。詩作にたいする考え方の相違、自然観や風土のちがいなどから、外国語の俳句に季語の必要性を説くのは無理があるというのがおおかたの見解である。これについて著者は次のように言っている —

「日本の自然、生活習慣、詩的伝統と結びついた季題ないし季語の受容は、そのような、民族の美的コノテーションを具体的な景物にあまり与えてこなかったドイツにおいては、簡単に解決されない問題として未だに残っている。季題は俳句にとって不可欠なものなのか、それとも季語に代わる核になるべき言葉（たとえば愛とか神とか死、または知られた地名、人物など）を据えるのかは、今後考究すべき問題であろう」。

（『比較俳句論』p.131 より）

「ドイツ語俳句を見ていると、『物』に依らず抽象的な省察が勝ち過ぎる作品が目につき、**エピグラムやアフォリズム**に類したものになっているのが多い。そこでは言葉が、感覚的に広く触発するより、むしろ知的洞察による論理の展開や帰結により多く用いられてきた。しかし、彼らの作る短詩を俳句と名乗るからには、エピグラムやアフォリズムに化さないために、**『寄物陳思』**という創作方法を勧めていくことが必要かと思う。その意味でもドイツ歳時記の編纂が役だつであろう。なぜなら、それは嘱目の『事物』に触れることをうながすからである。**『季』**という観念が従来必然的ではなかった彼らに、日本の季題とか季語を押し付けるというのではなく、芭蕉の言う『物に入りいてその微の顕て情感ずる』（『三冊子』）消息である」　（『比較俳句論』p.138 より）

そこで著者はひとつの提案をする —

「こうした（「**薔薇**」という言葉のような）ヨーロッパ人の美意識と感性に訴える共通のキーワードが選び取られていけば、もともと**自然と親しいドイツ文学**であるだけに、『ドイツ歳時記』も夢ではないと思われる」　（『比較俳句論』p.139 より）

事実、ドイツではだいぶ以前から季語選定がこころみられており、それをもとにした「ドイツ歳時記」の刊行が期待される。

本書は俳人協会評論賞（1998）を受賞した。

第8章

四季の詩〈独・日〉45の詩

45 Vier- Jahreszeiten-Gedichte, deutsch und japanisch.

春・夏

はじめに

山本健吉氏によれば、日本の季語は五箇の景物（春の「花」、夏の「時鳥」、秋の「月」と「紅葉」、冬の「雪」）を核として、そのまわりに和歌の題、連歌・俳諧・俳句の季題、さらにその外側に季節のことばとしての季語がとりまくひとつの年輪を形成している。それは万葉以来の長い詩歌の伝統の中から自然に育ってきたもので、これらのことばは中心に向かうほど制限し、選択するゾレン（Sollen）の性格が濃く、外に向かっては無限に拡大し、増加するザイン（Sein）の様相を呈している。しかも伝統的な季題、季語はすでに「生の素材」ではなく、それ自身が「季節の本意」を担った一種の「美的形成物」となっている。一方、年輪の外辺部では季節のことばとしてのさまざまな季語がひしめき合っている。これが氏の

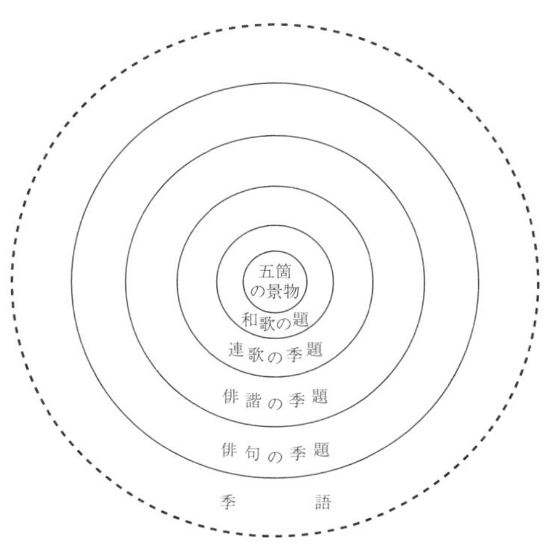

山本健吉 編『最新俳句歳時記』新年
（文春文庫、1977、p.211）

指摘するところの季語の年輪である[1)]。

ドイツでは季節にかかわる題詠詩は存在しなかった。したがって、約束事としての季題、季語も生まれなかった。外国ではそもそも詩とは個人がつくるもので、「座の文学」や共同の詩は日本独特のものであった。しかし、最近では日本の詩人と外国の詩人による「連詩」が試みられ[2)]、ドイツ語圏の俳句愛好家は「連歌」も楽しんでいる。こうした動きの中から、やがてドイツ語による季題、季語が生まれてくることはあり得るだろう。日々の生活にかかわる季節のことばはドイツ語にも多数あるが、しかしそれらがドイツ語俳句ないしは連歌の季題や季語として定着するには、日本の季語の年輪の成長と同様に長い年月がかかるであろう。それは、それらのことばがドイツ語俳句に読み込まれ、読み込まれる中で「制限」され、「選択」される必要があるからである。

季語、あるいは季節のことばの選定には、ドイツ語俳句そのものから選ぶのがもっとも適していることはいうまでもない。多くの季語は、第4章の「現代ドイツ語俳句選集」で選ばれたとおりである。

季語の選定には今ひとつの方法があると思う。日本の季題、季語の発端が万葉以来の季節の詩歌にあったように、季節を歌ったドイツ語の詩（仮に、「季節の詩」と名付けておこう）やいわゆる「自然詩」（Naturlyrik）、その中でも人々によく知られた「季節の詩」や「自然詩」の中の季節のことばは季題や季語となる可能性を秘めているのではないかと思われる。本稿の目的はそのような季節のことばを探し出すことにある。

本稿でとられた方法

そこで問題となるのは「よく知られた詩」の選定である。筆者の手もとには限られた数の詩歌集しかないが、数は限られていてもその中で多く採られている詩が「よく知られた詩」の基準になるのではないかと考える。本稿で資料にした詩歌集を出版年代順に記してみると次のとおりである—

① Ernst Lissauer, *Der heilige Alltag*. Im Propyläen Verlag. Berlin. 1926.

② Heiz Kächele, *Dank den Jahreszeiten*. Verlag der Nation. Berlin. 1962.

③ Hajo Jappe, *Tages-und Jahreszeiten im deutschen Gedicht*. Schöningh. Paderborn,1963.

④ Heinz Czechowski, *Zwischen Wäldern und Flüssen*. Mitteldeutscher Verlag. Halle, (Saale).1965.

⑤ Robert Hippe, *Die Jahreszeiten im deutschen Gedicht*. C.Bange Verlag. Hollfeld / Obfr. 1973.

⑥ Anton Friedrich, *Geh aus mein Herz und suche Freud*. Diogenes. Zürich. 1979.

⑦ Anne Heseler, *Das liebe lange Jahr*. Insel. Frankfurt am Main. 1980.

⑧ Hans Bender, *Das Herbstbuch*. Insel. Frankfurt am Main. 1982.

⑨ Hans Bender / Hans Georg Schwark, *Das Winterbuch*. Insel. Frankfurt am Main. 1983

⑩ Constantin Rühm, *Herz tröste dich*. Herder. Freiburg/Basel / Wien. 1984.

⑪ F. A. Fahlen, *Ludwig Richter's Familienhausbuch*. fourier. Wiesbaden. 1984.

⑫ Diethard H. Klein / Heike Rosbach, *Das altdeutsche Lesebuch*. Marion von Schröder. Düsseldorf. 1984.

⑬ Alexander von Bormann, *Die Erde will ein freies Geleit*. Insel. Frankfurt am Main. 1984.

⑭ Hans Bender, *Das Sommerbuch*. Insel. Frankfurt am Main. 1985.

⑮ Hans Bender / Nikolaus Wolters, *Das Frühlingsbuch* Insel. Frankfurt am Main., 1986.

⑯ Hanspeter Brode, *Deutsche Lyrik*. Suhrkamp. Frankfurt am Main. 1990.

⑰ Ludwig Reiners, *Der ewige Brunnen*. C. H. Beck. München. 1990.

⑱ Eckart Kleßmann, *Die vier Jahreszeiten*. Philipp Reclam. Stuttgart. 1991.

これら18種類のアンソロジーの特色は、全体か一部の章が四季別に分けられた詩の掲載にあてられていることである。そこで、これらのアンソロジーに採られた頻度の高い詩、つまり「よく知られた詩」を選び出し、この中から季節のことばを探し出してみたい。言いかえれば、第4章の「現代ドイツ語俳句選集」の中の季節のことばを「よく知られた詩」の中で確認することが本稿の目的である。さらに、上記の選集で紹介できなかった季節のことばもこれらの詩によって補うことにした。ただし、詩については俳句の引用のように3行で済ませることができないので、詩節のすべてを引用することはできない場合もある。以下では、まず春と夏の詩を扱うことにした。

採用された頻度が比較的高かった詩は次のとおりである。

	順位	作者	作品名	採用された回数
春の詩	1	Mörike	Er ist's.	12
	2	Uhland	Frühlingsglaube.	11
	3	Mörike	Im Frühling.	8
	3	Hofmannsthal	Vorfrühling.	8
	4	Goethe	Mailied.	7
	5	Goethe	Frühzeitiger Frühling.	5
	5	Claudius	Der Frühling.	5
	5	Stadler	Vorfrühling.	5
	6	Goethe	Osterspaziergang. aus Faust.	4
	6	Hebbel	Vorfrühling.	4
	6	Hölty	Frühlingslied.	4
	6	Lenau	Liebesfeier.	4
	6	Storm	April.	4
夏の詩	1	Hebbel	Sommerbild.	10
	2	Gerhardt	Geh aus, mein Herz ...	6
	2	Trakl	Sommer.	6
	2	Benn	Einsamer nie.	6
	3	Meyer	Schwarzschattende Kastanie.	5
	4	Storm	Juli.	4
	5	Eichendorf	Mondnacht.	3
	5	George	es lacht.	3
	5	Hesse	Höhe des Sommers.	3
	5	Huchel	Sommerabend.	3
	5	Klopstock	Die Sommernacht.	3

	5	Liliencron	Sommernacht.	3
	5	Storm	August.	3
	5	Storm	Sommermittag.	3
	5	Trakl	Sommerneige.	3
	5	Liliencron	Schöne Junitage.	3

以上の詩が春と夏の「よく知られた詩」の目安になるかと思われる。ここでは紙面の関係から上位5つの詩から引用することにした。ただし、そこから適切な季節のことばを引き出せない詩は割愛した。また、採られた頻度が低くても、あきらかにひとつの季語が採りだせる詩は引用することにした。引用した詩は、すでに翻訳のあるものはこれを利用させていただき、翻訳の見当たらないものは拙訳を試みた。引用の順序は、頻度順によらずに季節の推移に従った。**太字**は季語になり得ることばである。また、個々の季語についての説明は第4章の「現代ドイツ語俳句選集」に述べたので、できる限り省略した。

それぞれの作品に日本文学や日本史関係の項目を参考までに付け加えた。これは異質なものに見えるかも知れないが、例えば、ゲーテが日本ではどんな時代の人かを知るのも一興かと思う。

1．春の詩

ドイツの春の到来は「復活祭」（Ostern。春分の日の後の最初の満月の次の日曜日）を待たねばならない。キリストの復活は長い冬の支配からの人々の解放と再生のよろこびでもある。ゲーテ（1749-1832）の『ファウスト』（"*Faust*"）から復活祭の情景を歌った人口に膾炙した一節をまず引用してみよう —

◆参考：松尾芭蕉：1644-1694、与謝蕪村：1716-1783。
1690年、ドイツの博物学者、エンゲルベルト・ケンペル（Engelbert Kaepfer, 1651-1716）来日。ゲーテは蕪村の時代と重なり、芭蕉とケンペルは同時代の人になる。

（1）「ファウスト」Faust

Johann Wolfgang von Goethe（ヨハン・ヴォルフガング・ゲーテ）

生命を呼びさます、やさしい春のまなざしをうけて、
船を浮かべる大河も野の小川も、氷から解き放された。
谷には希望にみちた幸福がみどり色に萌え出ている。
冬は老いおとろえて、
さびしい山奥へ退いた。
そして逃げながら、
パラパラとあられをふりまいて、
青んでゆく野に氷の疵をのこそうとする。
だが日はもういっさいの白いものを見逃してはおかぬ。
あらゆるものに日は、伸び出ようとする力、育つ力をあたえ、
いたるところに生きた色彩をまき散らす。
とは言え、花はこのあたりにまだ咲かないので、
日はそのかわりに晴れやかに着飾った人々をまねき集めるのだ。
どうだ、振り返って、この高みから
町のほうを眺めてみるがいい。
古びた暗い市の門から、
色とりどりの人の波が、あとからあとからと繰り出してくる。
だれもが今日は思いきり日を浴びたいのだ。
この人たちは主の復活を祝っているのだが、
それはこの人たち自身が復活したからだ。
低い家のうっとうしい部屋から、
手職や商いの日常の束縛から、
重苦しくかぶさる屋根や破風の下から、
両側の家並みがもたれあっているような狭い通りから、
教会の気づまりな暗闇から、
みんなが光へと出てきたのだ。
まあ見るがいい。あんなに活発な群衆は
野に畑に散ってゆくのだ。

川面ではたくさんの小舟がにぎやかに騒ぐ人々を載せて、
上へ下へ、右へ左へ、漕ぎ交わしている。
いまあの最後の舟が、沈むばかりに人を積んで
岸を離れるところだ。
あの遠い山の小径からさえ
華やかな着物の色が合図している。
もう村のほうからどよめきが聞こえてくる。
これこそ民衆のほんとうの天国だ。
老いも若きも歓びの声をあげている、
「ここではおれも人間だ。人間らしく楽しんでいいのだ」と。

（手塚富雄 訳）[3)]

Osterspaziergang

Vom Eise befreit sind Strom und Bäche
Durch des Frühlings holden, belebenden Blick
Im Tale grünet Hoffnungsglück ;
Der alte Winter, in seiner Schwäche.
Zog sich in rauhe Berge zurück.
Von dorther sendet er, fliehend, nur
Ohnmächtige Schauer körnigen Eises
In Streifen über die grünende Flur ;
Aber die Sonne duldet kein Weißes :
Überall regt sich Bildung und Streben,
Alles will sie mit Farben beleben ;
Doch an Blumen fehlt's im Revier :
Sie nimmt geputzte Menschen dafür.
Kehre dich um, von diesen Höhen
Nach der Stadt zurückzusehen !
Aus dem hohlen, finstern Tor
Dringt ein buntes Gewimmel hervor.
Jeder sonnt sich heute so gern.

Sie feiern die **Auferstehung des Herrn** ;
Denn sie sind selber auferstanden :
Aus niedriger Häuser dumpfen Gemächern,
Aus Handwerks–und Gewerbesbanden,
Aus dem Druck von Giebeln und Dächern,
Aus der Straßen quetschender Enge.
Aus der Kirchen ehrwürdiger Nacht
Sind sie alle ans Licht gebracht.,
Sieh nur sieh ! wie behend sich die Menge
Durch die Gärten und Felder zerschlägt,
Wie der Fluß in Breit' und Länge
So manchen lustigen Nachen bewegt,
Und bis zum Sinken überladen,
Entfernt sich dieser letzte Kahn.
Selbst von des Berges fernen Pfaden
Blinken uns farbige Kleider an.
Ich höre schon des Dorfs Getümmel,
Hier ist des Volkes wahrer Himmel,
Zufrieden jauchzet groß und klein :
Hier bin ich Mensch, hier darf ich's sein.

（"*Faust*", 903-940 行）

復活祭は太陰暦（月の満ち欠けを基準とする）によっているので年によって異なる**移動祝祭日**となる。2 月の謝肉祭（カーニバル）もこの復活祭を起点として定められている。謝肉祭から復活祭にいたる一連の行事をまとめると次のようになる。「謝肉祭」—「聖灰水曜日」（「謝肉祭」の翌日。この日から復活祭の前日の聖土曜日までが「四旬節」で、40 日間の精進潔斎の日々が続く。）—「枝の主日」（復活祭の一週間前の日曜日）—「聖金曜日」—「聖土曜日」—「復活祭」。「枝の主日」から「聖土曜日」の一週間は「受難の週」（復活祭を待つ週）と呼ばれる。

復活祭にまつわるこれらの行事と関連する詩を二つ選んでみた。

(2)「椰子の枝の主の日に」Am Palmsonntag

Annette von Droste–Hülshoff, 1797-1848（ドロステ＝ヒュルスホフ）

◆参考：1823年、ドイツの学者、シーボルト（Philipp Franz von Siebolt, 1796-1866）来日。

朝のつゆがおりかけている
椰子はまだ青いだろうか
はやく　みずみずしい葉をかざして
主をおむかえに出てゆこう！
主はわたしらの家に　部屋に
はいりたがっておられるのだ
すでに善男善女たちは
賛美歌をうたって出ていってる！　　（石丸静雄 訳）[4)]
（以下　略）

Der Morgentau will steigen !
Sind denn **die Palmen** grün ?
Auf, laßt mit hellen Zweigen
Uns ihm entgegenziehn !
Er will in unser Haus,
In unsre Kammern kommen ;
Schon ziehen rings die Frommen
Mit Lobgesang heraus.
………

（aus : *Das Frühlingsbuch*. S.58）

作者は19世紀の代表的な女性詩人で、敬虔なカトリック信者として晩年は時代と世間から離れた孤独な生涯を送った。この詩は、キリストのイエルサレム入城を人々が椰子（やし）の葉で歓迎したことをふまえている。寒冷地のドイツでは椰子の代わりに柊、杜松、柳、樅などの常緑樹が使われる。「椰子」（Palm）そのものがこの祝祭日を連想させる季語となる可能性を持っているのではないかと思われる。ドロステには「復活祭」にちなんだ詩として、上の詩の他に “Am Grünendonnerstag”、“Am Karsamstag”、“Am Ostersonntag” がある。

(3)「復活祭を待つ週」Karwoche

Eduard Mörike, 1804-1875（エドゥアルト・メーリケ）

◆参考：1801 年、本居宣長没。1867 年、正岡子規生。1882 年、『新体詩抄』。

おお、聖なる苦難をまのあたりに見た貴い週よ、
おんみは春のこの喜びにおごそかな響きを点ずる、
そして**若返った日ざし**によって
十字架の黒い影を地上にひろげる。

おんみは無言でおんみのうすぎぬをなびかせる、
春はいよいよ芽ぐんでくる、
すみれは花を待つ樹々の下にかおり、
鳥たちはみなよろこびの歌をうたう。

おお　歌うのを待て。緑の野の鳥たちよ。
いま遠く近く鐘はおごそかに鳴る、
天使たちは声低く挽歌をうたう、
歌うのを待て、空高く飛ぶ鳥たちよ。　　（手塚富雄 訳）[5)]

（以下　略）

O Woche, Zeugin heiliger Beschwerde !
Du stimmst so ernst zu dieser Frühlingswonne,
Du breitest im **verjüngten Strahl der Sonne**
Des Kreuzes Schatten auf die lichte Erde

Und senkest schweigend deine Flöre nieder ;
Der Frühling darf indessen immer keimen,
Das Veilchen duftet unter Blütenbäumen,
Und alle Vöglein singen Jubellieder.

O schweigt, ihr Vöglein auf den grünen Auen !
Es hallen rings die dumpfen Glockenklänge,
Die Engel singen leise Grabgesänge ;
O still, ihr Vöglein hoch im Himmelblauen !
………

（aus : *Das Frühlingsbuch*, S.57）

この詩からも窺えるように、復活祭前の一週間（「復活祭を待つ週」、「受難の週」、Karwoche）はおごそかな気持と喜びの感情がこもごも人の心を去来する。「聖金曜日」（Karfreitag）は十字架にかけられたキリストを偲ぶ悲しみと慎みの日であるが、明くる「聖土曜日」（Karsamstag）をもって「四旬節」（Fastenzeit）は終わり、沈黙していた鐘がミサのグロリアとともに鳴り響く。この詩からは詩のタイトル（「復活祭を待つ週」Karwoche）とともに、「若返った日ざし」（der verjüngte Strahl der Sonne）、「すみれ」（das Veilchen）を季語として選ぶことができるだろう。

「復活祭」は早春の宗教的行事であるから、これと関連する詩には季節感はあるが、自然そのものを謳歌したものは少ない。それに比べると、「復活祭」に続く五月を歌った詩には自然と生命のよろこびをたたえた詩が多い。待ちかねたように植物がいっせいに花を咲かせる「妙なる五月」である。それとともに恋愛を歌った詩が多い。再びゲーテの詩から。

（4）「五月の歌」Mailied

Johann Wolfgang von Goethe（ヨハン・ヴォルフガング・ゲーテ）

なんと晴れやかな

自然のひかり。
日はかがやき
野はわらう。

花々は
枝に噴き
数知れぬ歌声は
しげみにみなぎる。　　　　　　　　　　（手塚富雄 訳）[6)]

Wie herrlich leuchtet
Mir die Natur !
Wie glänzt die Sonne !
Wie **lacht die Flur !**

Es dringen Blüten
Aus jedem Zweig
Und tausend Stimmen
Aus dem Gesträuch
………

（aus : *Das Frühlingsbuch*, S.163）

『若きヴェルテルの悩み』で一躍ヨーロッパで有名になる前の若きゲーテの絶唱である。この詩は九節から成っており、引用した最初の二節では美しい自然への喜びの感情が吐露されているが、第四節目からは恋人フリーデリケへの愛が謳歌される。「野はわらう」（die Flur lacht）からは日本の季語「山笑ふ」が思い出され、「数知れぬ歌声は／しげみにみなぎる」は「囀（さえず）り」に相当するだろうか。この詩にはベートーヴェンが曲をつけている。

シューマンの歌曲集『詩人の恋』の最初の歌でも五月と恋が主題となっている。詩はハイネの『歌の本』によっている。

（小林一茶：1763-1827。ハイネには「ひねくれ一茶」が対応するかも知れない）

（5）「妙なる五月に」Im wunderschönen Monat Mai

Heinrich Heine, 1797-1865（ハインリヒ・ハイネ）

蕾ひらく
妙なる五月
こころにも
恋ほころびぬ

鳥うたふ
妙なる五月
よきひとに
想ひかたりぬ　　（井上正蔵 訳）[7)]

Im **wunderschönen Monat Mai**,
Als **alle Knospen sprangen**,
Da ist in meinem Herzen
Die Liebe aufgegangen.

Im **wunderschönen Monat Mai**,
Als **alle Vögel sangen**,
Da hab ich ihr gestanden
Mein Sehnen und Verlangen.

（aus：*Buch der Lieder*, Insel, 1975. S.69）

先にメーリケの「復活祭を待つ週」を引用したが、最初の頻度表によると、上位五つの詩の中にはメーリケの詩が二つ（“Er ist’s” と “Im Frühling”）入っている。後者からは季語となり得ることばは見つけられないので、ここでは前者のみを引用する。この詩にもシューマンやヴォルフが曲をつけている。

(6)「春だ」Er ist's

Eduard Mörike, 1804-1875（エドゥアルト・メーリケ）

春が青いリボンをつけて
ひらひら風にそよがしている。
なつかしい香りが
あたりいっぱいにほのめいて心をときめかす。
すみれはもう光の夢をみている。
— お聞き、遠くから竪琴の音。
春だ。ほんとうに春だ。
春の声が聞こえるのだ。　　　　（手塚富雄 訳）[8)]

Frühling läßt sein blaues Band
Wieder flattern durch die Lüfte ;
Süße, **wohlbekannte Düfte**
Streifen ahnungsvoll das Land
Veilchen träumen schon,
Wollen balde kommen.
– Horch, von fern ein leiser Harfenton !
Frühling, ja du bist's !
Dich hab ich vernommen !

（aus : *Das Frühlingsbuch*, S.9）

「**なつかしい香り**」（wohlbekannte Düfte）は日本の「風薫る（五月）」を連想させる。次の詩では、「**そよかぜ**」（die linden Lüfte）、「**さわやかな香り**」（frischer Duft）が読み込まれている。

(7)「春の信仰」Frühlingsglaube

Ludwig Uhland, 1787-1862（ルートヴィッヒ・ウーラント）

◆参考：1862年に森鷗外、1867年に夏目漱石、生まる。

そよかぜが目をさまして
さらさらと夜を織り昼を織り
隈もなく四方の地に創りなす
おお、**さわやかな香り**、おお、あらたな調べ！
さあ、哀れな心よ、思いわずらわぬがいい！
いまは、すべてが、すべてが変ってこよう

世界は日ましに美しくなり
その極まるところがわからない
花々は果てしなく咲きつづけ
どんなに深い谷も咲き匂う！
さあ、哀れな心よ、苦しみを忘れるがいい！
いまは、すべてが、すべてが変ってこよう　　（国松孝二 訳）[9)]

Die linden Lüfte sind erwacht,
Sie säuseln und weben Tag und Nacht,
Sie schaffen an allen Erden.
O **frischer Duft**, o neuer Klang !
Nun, armes Herze, sei nicht bang !
Nun muß sich alles, alles weden.

Die Welt wird schöner mit jedem Tag,
Man weiß nicht, was noch werden mag,
Das Blühen will nicht enden.
Es blühen das fernste, tiefste Tal :
Nun, armes Herz, vergiß der Qual !
Nun muß sich alles, alles wenden.

（aus : *Das Frühlingsbuch*, S.114）

次の詩は季節感を「**春風**」(Frühlingswind) に託した官能的な詩となっている。「**アカシアの花**」(Akazienblüten) は5月から6月に開花する。

(8)「早春」Vorfrühling

Hugo von Hofmannstahl, 1874-1929(ホーフマンスタール)

◆参考：上田 敏：1874-1916。与謝野晶子、1878-1942。樋口一葉：1872-1896。
島崎藤村：1872-1943。正岡子規：1867-1902。

葉のない並木道を
はしりすぎる**春の風**
そのそよぎにひそむ
ふしぎなものの　くさぐさ

むせび泣く声の
ほとりに　風はふるえ
ほつれみだれた髪に
そっと身をすり寄せ

アカシアの花を
はらはらと散らし
息づき燃える
四肢のほめきを冷やし
(以下　略)　　(川村二郎 訳)[10)]

Es läuft **der Flühlingswind**
Durch kahle Alleen,
Seltsame Dinge sind
In seinem Wehn.

Er hat sich gewiegt,

Wo Weinen war,
Und hat sich gewiegt,
In zerrüttetes Haar.

Er schüttelte nieder
Akaziensblühten
Und kühlte die Glieder,
Die atmend glühten.
………

（aus : *Das Frühlingsbuch*, S.35）

5月1日には村の広場ではまっすぐな樅の木や白樺でつくられた「**五月柱**」（Maibaum）が立てられ、そのまわりで人々が踊ったり歌ったりして（Bändertanz）（「リボンのダンス」）、その年の豊かな収穫と神の祝福を願う。

五月柱（Maibaum）
（Foto-Bildarchiv Huber）

リボンのダンス
（Bändertanz）

（Foto, aus : G. Amberg, Ansichtskarte, 絵はがきより）

次の歌は古くから親しまれてきた民謡である —

（9）「冬は去った」Der Winter ist vergangen

(i) 冬が去って、**五月の日ざし**になると
花々が咲きでて、心がはずむ。
あちらの谷間では楽しげな声がひびき
ナイチンゲールや森の小鳥が歌ってる。
(ii) 僕は**五月の枝**を伐りに出かけた、緑の野を越えて。
僕の大好きな恋人にまことの心を贈るために。
そして彼女を呼ぶ、窓辺に立ってくれるよう、
五月の枝を花で飾ってくれるよう。

(i) Der Winter ist vergangen,
ich seh des **Maien Schein**,
ich seh die Blümlein prangen,
des ist mein Herz erfreut !
Sofern in jenem Tale,
da ist gar lustig sein,
da singt **die Nachtigalle**
und manch Waldvögelein.
(ii) Ich geh, ein' **Mai** zu hauen,
hin durch das grüne Gras,
schenk meinem Buhl die Treue,
die mir die Liebste was,
und bitt, daß sie mag kommen,
all vor dem Fenster stahn,
empfang'n den Mai mit Blumen,
er ist gar wohlgetan.

aus : Anne Diekmann hrsg *Das große Liederbuch*, Diogenes. 1975. S.47.
Text : Nach einer niederländischen Handschrift von 1537
Merodie : Nach dem Lautenbuch von Joh. F. Thysius, um 1600

もともと「五月柱」とは、5月1日に樅や白樺の若枝（「五月の枝」Maien）を若者が恋人の家の戸口に立てかけて愛のしるしとする、という風習にもとづいている。娘はその木を花で飾り、二人は一夜を共にする。この歌の3節目と4節目では、町の城門を閉ざす夜警の声がひびき、やがて朝が来ると、若者は変わらぬ愛を誓って去っていく。

マイエンを手にした男女
（植田重雄、『ヨーロッパの祭と伝承』講談社学術文庫、1999、p.165）

5月中旬には時おり「寒のもどり」があって、人々はそれを「氷の三聖人」（die Eisheiligen）と呼んでいる。聖 Marmertus, Pankratius, Servatius の3人。die drei gestrengen Herren（「3人の厳格なお方」）とも言う。あるいは、「5月の霜」とも言われる。北ドイツでは5月11、12、13日。ドイツ南部では、さらに14～15日の聖 Bonifatius が加わる。この頃、急に寒い日がある。（『新現代独和辞典』三修社、による）

次の詩はその様子をよく伝えている―

（10）「氷の三聖人」Die Eisheiligen

Max Hermann–Neisse, 1886-1941（マックス・ヘルマン–ナイセ）

◆参考：1882年、『新体詩抄』。1941年、太平洋戦争始まる。

カチカチに凍ったひげの**氷の三聖人**が立っている。
冷たい風がひげを梳かし　ひげには雪の粒ができている。

花咲く春の庭にかれらは突然やって来る。
冬のお伴の落伍者として　孤独なよそ者として。

しかし　かれらが途方に暮れているのはほんのひと時。
やがて　かれらは花の小径へと突進する。
長居もできず希望も持てないかれらゆえ
無闇やたらと悪さをする。

カスターニエの花の蝋燭を吹き飛ばし
色とりどりの花壇を踏み散らし
柔らかな無垢のつぼみを嘲笑しつつ傷めつける。
ばけもののような歯をむき出して若芽に襲いかかる。

このような狂乱のさなかに突然
かれらの力は消えうせる。
そして　最初の暖かい風が
短かった妄想を嘘のように吹き消してしまう。

Die Eisheiligen stehen mit steif gefrorenen Bärten,
aus denen der kalte Wind Schneekörner kämmt,
früh plötzlich in den blühenden Frühlingsgärten,
Nachzügler, Troß vom Winter, einsam, fremd.

Eine kruze Weile nur sind sie hilflos, betroffen,
dann stürzt die Meute auf den Blumenpfad
Sie können nicht, sich lang zu halten, hoffen ;
so wüsten sie in sinnlos böser Tat.

Von den Kastanien reißen sie die Kerzen
und trampeln tot der Beete bunten Kranz,

dem zarten, unschuldsvollen Knospenglück bereiten sie hohnlachend Schmerzen,
zerstampfen junges Grün in geisterhaft verbißnem Kriegestanz.

Plötzlich mitten in all dem Toben und Rasen
ist ihre Kraft vertan,
und die ersten warmen Winde blasen
aus der Welt den kurzen Wahn.

（aus: *Das Frühlingsbuch*, Seite, 168-169, Insel）

2．夏の詩

「夏の歌」Sommerlied
いでよ我が心よ　喜びを探せ
愛するこの夏に
汝が神が恵み給ふた
（以下　略）

バロック時代の詩人パウル・ゲルハルト（Paul Gerhardt, 1607-1676）の15節からなる上の詩は、9節に短縮されてアルニムとブレンターノの『少年の魔法の角笛』に採られ、さらにその後、アウグスト・ハルダー（August Harder, 1775-1813）によって4節からなる歌謡となって人々に親しまれるようになった[11)]。近代的な自然感情が歌われているように見えるこの詩の根底にあるものは、深い宗教的感情である。

この詩からは季節のことばとして、水仙（Narziß）、チューリップ（Tulpe）、雲雀（Lerche）、ナンチンゲール（Nachtigall）、ヒヨコ（Glucke, Kücken）、鳩（Taub）、コウノトリ（Storch）、燕（Schwalbe）、鹿（Hirsch, Reh）、小川のせせらぎ（das rauschende Bach）を抽出できるが、冒頭に引用した次の一節が、夏の季節感を人々に呼びさます詩句になっていると思う。

Geh aus, mein Herz, und suche Freud
in dieser schönen Sommerzeit
an deines Gottes Gaben !
（以下　略）

6月もまたキリスト教にかかわるさまざまな行事が催される月である。復活祭後40日目の「キリスト昇天祭」（Himmelfahrt Christi）、その10日後の「聖霊降臨祭」（Pfingsten）、さらに「聖体拝受」（Fronleichnam）（カトリック）と続き、「洗礼者ヨハネの祭」（Johannisfest）をもって「夏至」（Sommersonnenwende）を迎える。聖霊降臨祭はクリスマス、復活祭とともにキリスト教の3大行事の一つである。神の子イエスが生まれ（クリスマス）、人間の罪を贖なって受難し、十字架上で死を遂げるが、3日後に復活する（復活祭）。そののち昇天してゆく時（キリスト昇天祭）、人間に聖霊を賜物として与える。そしてこの聖霊がこの世に信仰心と教会を誕生させた。これを祝うのが聖霊降臨祭である。中世の説話を踏まえたゲーテの叙事詩『ライネケ狐』（„Reineke Fuchs"）は聖霊降臨祭の自然描写ではじまる —

（11）
楽しいまつりの**聖霊降臨祭**がやってきた
野や森は緑となり花が咲き、丘や高台、やぶや生垣で
活気づいた小鳥が陽気な歌をうたっていた
もやにけぶった谷間の牧場には草花がもえ
空はうららかに輝き、地ははなやかに色どられた　（板倉鞆音 訳）[12]

梅雨を知らないドイツの6月は早くも夏の気配である。そして、「夏至」の日は「洗礼者ヨハネの祭」（Johannisfest, Johannistag）の日でもある。その昔、村の若者たちは広場や山の上に藁束を積み上げて火をつけ、そのまわりで歌ったり、踊ったりしてこの日を祝った。恋人同士が手に手をとって火の上を跳んだり、火の輪をくぐったりもした（「ヨハネの火祭」Johannisfeuer）。火の上を跳ぶ際に、娘たちは願かけにこんな唱えの詞（ことば）を言った —

（12）

夏至よ　夏至です
あたしがやけどをせぬように
はやくお嫁にいけるよう
だからぐるぐる踊ります

ホタルさん光れ　明かりをともせ
すてきな六月やってきた

森の**カッコウ**時告げて
ヨハネス様を呼んでいる
人の心と**六月の風**は
すぐに変わってしまうもの

Sonnawend, Sonnawend,
Daß mich nit's Feuer brennt,
Daß ich bald z' heirate kumm,
Drum tanze ich um.

Glühn Johanniswürmchen helle
schöner Juni ist zur Stelle.

Der Kuckuck kündet teure Zeit,
wenn er nach **Johanni** schreit.
Menschen und Juniwind
ändern sich geschwind.

（aus : *Das Sommerbuch*, S.33）

ヨハネの火祭り（ギデヌス作）
（植田重雄『ヨーロッパの祭と伝承』
講談社学術文庫、p.228. 1999）

ラトビアのヨハネの火祭り
（写真提供はザビーネ・ゾマーカンプ女史）

＊「カッコウ」が出てきたので、これに関係する詩を引用しておこう。第4章、19番目の俳句でも引用したが、以下が詩の全文である。—

（13）「春の占い」Frühlingsorakel

（Goethe, 手塚富雄『ゲーテ詩集』角川文庫、1967、pp.112-114）

「春の占い」
占い鳥よ、呼子鳥！
花の歌い手、郭公鳥！
春のさかりに
花のさかりのうら若い
二人の願いをきいてくれ、
二人の希望がかなうなら
おまえの声をきかしてくれ、
ククー　ククーと、
いくつもいくつも　ククー　ククーと。

占い鳥よ、呼子鳥！
好いて好かれたこの二人、
晴れて沿う日を待ちわびる、

心もきよく身もきよく
神のみまえにすすむ日を。
まだその時は来ないのか、
お言い、いつまで待てばよい。
鳴いた　ククーと、もひとつクークーと。
ただそれきりだ、鳴きやんだ。

それはぼくらのせいじゃない、
わずかこれから二年の辛抱。
けれど夫婦となったとき
授かるだろうか、かわゆい子宝。
いいかい、たくさん授かると
おまえの歌が告げるなら
どんなにぼくらは嬉しかろう。
ほら一つククー　二つククー
まだ鳴くククー　ククー　ク

もし聞きちがいでなかったら
六つにそれほど欠けてない。
ところで本気でたのんだら
知らしてくれるかぼくらの寿命も。
いうまでもない、ぼくら二人は
末の末まで生きるがのぞみ。
ク　ククー、ク　ククー
ク　ク　ク　ク　ク　ク　ク　ク　ク

生きることは大きい祝祭、
数の上では計れずとも。
それで二人が連れ添うかぎり
愛の真実もつづくだろうか。

万一愛に終わりがあれば
世に花はない、幸もない。
おや　ク　ククー、ク　ククー
ク　ク　ク　ク　ク　ク　ク　ク　ク　ク
　（優雅に　限りなく）

Frühlingsorakel（Goethe）
Du prophet'scher Vogel du,
Blütensänger, o' **Coucou** !
Bitten eines jungen Paares,
In der schöhnsten Zeit des Jahres,
Höre, liebster Vogel du,
Kann es hoffen ; ruf ihm zu :
Dein Coucou, dein Coucou,
immer mehr Coucou, Coucou,

Hörst du ! ein verliebtes Paar,
Sehnt sich herzlich zum Altar ;
Und es ist, bei seiner Jugend,
Voller Treue, voller Tugend.
Ist die Stunde denn noch nicht voll ?
Sage, wie lange es warten soll ?
Horch ! Coucou, ! Horch ! Coucou, !
Immer stille ! Nichts hinzu !

Ist es doch nicht unsre Schuld !
Nur zwei Jahre noch Geduld !
Aber, wenn wir uns genommen,
Werden Pa, pa, papas kommen ?
Wisse, daß du uns erfreust,

Wenn du viele prophezeist.
Eins ! Coucou ! Zwie ! Coucou !
Immer weiter Coucou, Coucou Cou.

Haben wir wohl recht gezählt ;
Wenig am Halbduzend fehlt.
Wenn wir gute Worte geben ;
Sagst du wohl, wie lang wir leben ?
Freilich, wir gestehen dir's,
Gern zum längsten trieben wir's,
Cou, Coucou, Cou, Coucou,
Cou, Cou, Cou, Cou, Cou, Cou, Cou, Cou, Cou.

Leben ist ein großes Fest,
Wenn sich's nicht berechnen läßt.
Sind wir nun zusammen blieben ;
Bleib denn auch das treue Lieben ?
Könnte das zu Ende gehn ;
Wär' doch Alles nicht mehr schöhn.
Cou Coucou, Cou Coucou :|:
Cou, Cou, Cou, Cou, Cou, Cou, Cou, Cou, Cou.

（Mit Grazie in infinitum.）

（aus : Johann Wolfgang Goethe, *Sämtliche Gedichte*. Insel Verlag, Seite 64-65, 2019）

「ヨハネの火祭り」の詩をもうひとつ。

（14）「ヨハネの火」Johannisfeuer

Max Dauthendey, 1867-1918（マックス・ダウテンダイ）

◆参考：河東碧梧桐：1873-1937。

山の上を火が走り
妖怪のような影を
夜の闇と空間に投げかける。
炎が大木のように明るく立って
赤い翼が燃えあがる。
山々からは竜が飛んでくる
山の騒ぎをとめるものはもはやない。
炎が歌のようにゆらめいて
太陽がこの闇夜に昇ったのだ。

Auf den Bergen reiten Feuer,
Werfen sich wie Ungefeuer
In die Nachtluft, in den Raum.
Flammen stehen hell als Baum,
Rote Flügel sich entfachen,
Aus den Bergen fliegen Drachen,
Nichtz hält mehr den Berg im Zaum.
Flammen sich wie Lieder wiegen –
Sonne hat die Nacht erstiegen.

（aus : *Das Sommerbuch*, S.28）

マックス・ダウテンダイは日本ともかかわりのある作家で、第一次世界大戦前（1906 年）に日本を訪れ『琵琶湖八景』（*Die acht Gesichter am Biwasee*, 1911 年）を書いている。

ここでどうしても引用しておきたい詩がある。それは、日本でもよく知られたゲーテの「野ばら」である。バラはドイツでは 6 月の花とされるからだが、この詩に関連することがらを少し述べておきたいからでもある。まずは日本語と原文を引用する —

（15）

HEIDERÖSLEIN（Goethe 作詞）	野ばら
Sah ein Knab' ein Röslein stehn,	野にひともとの薔薇が
Röslein auf der Heiden,	咲いていました。
War so jung und morgenschön,	そのみずみずしさ　美しさ。
Lief er schnell, es nah zu sehn,	少年はそれを見るより走りより
Sah's mit vielen Freuden.	心はずませ眺めました。
Röslein, Röslein, Röslein rot,	あかいばら
Röslein auf der Heiden,	野ばらよ
Knabe sprach: ich brech dich,	「お前を折るよ、
Röslein auf der Heiden !	あかい野ばら」
Röslein sprach : ich steche dich,	「折るなら刺します、
Daß du ewig denkst an mich,	いついつまでもお忘ないように。
Und ich will's nicht leiden.	けれどわたし折られたりするものですか」
Röslein, Röslein, Röslein rot,	あかいばら
Röslein auf der Heiden.	野ばらよ。
Und der wilde Knabe brach	少年はかまわず
's Röslein auf der Heiden;	花に手をかけました。
Röslein wehrte sich und stach,	野ばらはふせいで刺しました。
Half ihm doch kein Weh und Ach,	けれど歎きやためいきもむだでした、
Mußt' es eben leiden.	ばらは折られてしまったのです。
Röslein, Röslein, Röslein rot,	赤いばら
Röslein auf der Heiden.	野ばらよ。　（手塚富雄 訳）

この詩はシューベルトをはじめとして、ウェルナーなどによって作曲され、明治初期には日本にも紹介され、学校の唱歌として歌い継がれてきた。

それは次のような歌詞だった―

『花鳥』（明治初年に移入された頃の歌詞）

山ぎはしらみて、雀はなきぬ。
はや疾(と)くおきいで、書(ふみ)よめわが子。
書よめ吾子(わがこ)、ふみよむひまには、
花鳥めでよ。

書よむひまには、花鳥めでよ。
鳥なき花咲、たのしみつきず。
楽みつきず、天地(あめつち)ひらけし、
始(はじめ)もかくぞ。

（坂西八郎 編『ゲーテ「野ばら」考』岩崎美術社、1987年、pp.91-92。）

ドイツ語俳句研究家でもある坂西氏は、本書で『野ばら』は世界で91曲も作曲されていることをまとめている。

上記の歌詞は「ふみ」を読み、「花鳥」を「めで」（愛で）るというもっぱら教育的な観点からつくられた内容で、少年と「野ばら」とのやりとり、恋愛を歌ったゲーテの詩の意味はまったく無視されている。これに異議を唱え、原詩の意味を保ちつつ、メロディーにもうまく載せられる歌詞としたのが、近藤逸五郎（朔風）である。

『野なかの薔薇』（近藤朔風 訳、1909年）

シューベルト作曲による原詩（ドイツ語）の読み。1番のみ。

童(わらべ)は見たり、	ザー　アイン　クナープ　アイン　レースライン　シュテーン
野なかの薔薇(ばら)。	レースライン　アウフ　デア　ハーイデン
清らに咲ける、	ヴァール　ゾー　ユング　ウント　モルゲンシェーン

その色愛でつ、　　　　リーフ　エア　シュネル　エス　ナー　ツー
ゼーン
飽かずながむ。　　　　ザース　ミット　フィーレン　フローイデン
紅におう、　　　　　　レースライン　レースライン　レースライン
ロート
野なかの薔薇。　　　　レースライン　アウフ　デア　ハイデン

手折りて往かん、
野なかの薔薇。
手折らば手折れ、
思出ぐさに、
君を刺さん。
紅におう、野なかの薔薇。

童は折りぬ、
野なかの薔薇。
折られてあわれ、
清らの色香、
永久にあせぬ。
紅におう、野なかの薔薇。

（堀内敬三・井上武士『日本唱歌集』岩波文庫、1958年、p.136）

日本語とドイツ語がどれほどうまく対応しているかをシューベルトのメロディーで少しだけ示してみると —

ザー　アイン　クナープ　アイン　レース　ライン　シュテーン
わー　ら　べー　は　みー　たー　りー
レース　ライン　アウフ　デア　ハーイ　デン
のー　な　かー　の　ばー　ら
……………………

このように、朔風訳で歌うと原詩とその意味とリズムがぴったりと照合

する。

そこで近藤朔風（さくふう）（1880〈明治13〉-1915〈大正4〉年。享年36歳）について簡単に述べておきたい。

朔風は但馬国出石藩（兵庫県豊岡市出石町）に藩儒、つまり儒学者の家、桜井家の5男として東京で生まれた。父の勉（つとむ）は気象測候所の創始者であった。12歳で叔父の近藤家の養子となった。幼少期から勉学に秀でた朔風は、音楽にも興味を持ち、1901（明治34）年に東京音楽学校の選科生となり、翌1901年には東京外国語学校に入学した。経済的にめぐまれていた朔風は、外国の楽譜を手に入れ、在学中から音楽的才能を発揮し、歌劇の翻訳やワーグナーの紹介などをしている。1908年にはハインリッヒ・ハイネ（Heinrich Heine, 1797-1856）の詩にフリードリッヒ・ジルヒァー（Friedrich Silcher, 1789-1860）がメロディーをつけた『ローレライ』（Die Lorelei）（なじかは　知らねど……）を、1909年にはヴィルヘルム・ミュラー（Wilhelm Müller, 1794-1827）の詩にフランツ・シューベルト（Franz Schubert, 1797-1828）が作曲した『菩提樹』（Der Lindenbaum）（歌曲集、『冬の旅』Die Winterreiseの中の1曲）（泉に沿いて　茂る菩提樹……）、同年に『野中の薔薇』を翻訳し、音楽雑誌で紹介した。朔風訳の歌曲はこの他にもたくさんあるが、どの曲も名訳で、これらの歌曲は現在でも朔風訳によって歌い継がれている。西欧音楽の日本への窓口となった音楽取調掛（とりしらべかかり）（1879〈明治12〉年、設置）の所長だった井沢修二（1851-1917）や、ドイツに留学してヨーロッパの音楽を体験し、それをもとに、みずからも作曲した滝廉太郎（1879-1903、享年23歳）には伝記がある。それに比べると朔風に関する研究論文も少なく、したがって、伝記もなく、彼の名は一般にはあまり知られていないように思われる。

なお一点。朔風は訳詩をもっぱらとしていたが、作詞とされている曲がある。それはウーラント（Ludwig Uhland, 1797-1862）の「夢」（Der Traum）という詩にシューマン（Robert Schumann, 1810-1856）がメロディーをつけた曲で、朔風はこれに「暗路（やみじ）」というタイトルを付けている。訳詩の内容はウーラントの元の詩とはまったく異なり、明らかに朔風の作詞である。この歌曲も日本では比較的よく知られた作品で、全文は次のとおりである —

「おぐらき　夜半（よわ）を　ひとり　ゆけば　雲より　しばし　月はもれて

ひと声（一般に歌われている「人声」はあきらかに間違い。「人」では「ほととぎす」の特徴がでてこない。「一声」である） いづこ 鳴く ほととぎす 見かえる ひまに すがた 消えぬ 夢かと ばかり なおも ゆけば またも 行く手に 闇は をりぬ」

朔風が作詞し、紹介した時点ではメロディーはシューマンのものなので問題はない。しかし、現在、日本で流布している歌曲集では、朔風訳はそのままなのだが、ライトン（William Thomas Wrighton, 1816-1880. イギリス。）の作曲で、もとの詩もまったく別物（*Herbrigt smile huunts me still*, 1856）になっている。いつからこうなったのかも不明だという（坂本麻実子「近藤朔風とその訳詩考」『富山大学教育学部紀要 A』No.50、1997、pp.11-27）。まさに朔風の「**暗**（やみ）**路**（じ）」は謎の「闇路」なのである。

日本で出版されている世界名歌曲集には上に挙げた歌曲には朔風の名が記されているにもかかわらず、彼の名はあまり注目されてはいないのではないだろうか。また、たいていの歌曲集には作曲家と訳詩者の名前は記されているが、どういうわけか、作詞者つまり詩人の名前は載せれらていない。

脇道に逸れたが、これらのことを指摘するのはこの章では適切ではないのを承知の上で取り上げてみた次第である。

かつてのヨーロッパの人々の生活を知る手だてとして「**時祷書**」がある。そこには各月の祝祭日や貴族の年間行事、農民の季節ごとの作業や生活が絵に描かれている。多くの「時祷書」では、6月は「干し草刈り」(Heuernte) が共通のモチーフになっている。 （口絵参照）

ヘルマン・ヘッセは時宜にかなった詩を残してくれた —

（16）「六月の風強き日」Windiger Tag im Jini

Hermann Hesse, 1877-1962（ヘルマン・ヘッセ）

◆参考：高浜虚子：1874-1959。

湖は鏡のように動かず
急な斜面では
細い草が銀色に波うっている

悲しくまた不安に
タゲリが空に鳴き
つぎつぎと孤を描く

向こう岸から聞こえてくる
大鎌の音　そして　なつかしい**草の香り**

Der See start wie Glas,
Am steilen Hügelhang
Weht silbern das dünne Gras.

Jammernd und todesbang
Schreit ein Kiebitz in der Luft,
Taumelt in zuckenden Bogen.

Vom anderen Ufer herübergeflogen
Kommt **Sensengeläut** und sehnlicher **Wiesenduft**.

（aus : Heinz Köchele, hrsg. : *Dank den Jareszeiten*. Verlag der Nation. 1962.S.79）

「大鎌の音」（Sensengeläut）、「草の香り」（Wiesenduft）は「干し草刈り」を表す季語である。

7月は「麦の収穫」（Kornernte）の時である。金色の麦の穂を波打たせながら麦畠を風が通り抜けてゆく。その様子を見て昔の村人は、穀物霊の「麦おばさん」（Roggenmuhme）がやってきて、麦を守ってくれているのだと言った。今では農薬に追いやられたが、こがね色の麦畠にはかつて朱色の「芥子」（Mohn）の花や青い「矢車菊」（Kornblume）が揺れていた。（口絵参照）

（17）「畑の精」Feldgeist

Friedrich Schnack, 1888-1977（リードリヒ・シュナック）

◆参考：飯田蛇笏：1885-1962。水原秋桜子：1892-1981。

麦がパチパチ音をたてて風になびく
暑い真昼の畑に。
わたしは見た　火が通った跡を
芥子の花が燃えているのを。
それはわたしが通りかかった
一時と二時の間のこと。

赤い魔法の花の花盛り
それをしたのは**畑の精**。
大鎌、ムクドリ、コオロギも
魔法にかかったこの畑を守っているだろう。
もしも君が通りかかるなら
一時と二時の間に。

In der heißen Mitttagsflur,
Wo die Halme knisternd wehn,
Hab ich eine Feuerspur,
Hab ich **Mohn** in Brand gesehen,
Als ich ging vorbei
Zwischen eins und zwei.

Roter Zauberblumen Flor
Hat ein **Flurgeist** hier bestellt,
Sense, Star und Grillenchor
Hüten sein verwunschnes Feld,
Wenn du gehst vorbei

Zwischen eins und zwei.

（aus : *Das Sommerbuch*, S.64）

（18）「麦おばさん」Roggenmuhme

Jürgen Eggebrecht, 1898-1982（ユルゲン・エッゲブレヒト）

うだるような夏の真昼
羊飼いは昼寝をし
犬が羊の群れを守って
そのまわりで吠えたてている。

麦の穂波の中に
見え隠れするのは
矢車菊の青い目。
まるで光でできたような。

Mittags, wenn der **Sommer** brütet
Und der Schäfer schläft
Und der Hund die Herde hütet,
Kreisend sie umkläfft,

Lungen aus dem **Roggenplane**,
Ährenüberdacht,
Blau die Augen der **Zyane**
Wie aus Licht gemacht.

（aus : *Das Sommerbuch*, S.65）

麦の収穫や芥子の花を歌った詩としては、この他にヘルマン・ヘッセの「七月に生まれし子ら」(„Julikinder")、エルンスト・シュタードラーの「夏」(„Sommer")、C. F. マイアーの「収穫の前」(„Vor der Ernte") などがある。

7月はさまざまな「木苺類」(Beeren)や「茸」(Pilze)が採れる時期でもある。

(19)「七月」Juli

Theodor Storm, 1817-1888(テーオドーア・シュトルム)

◆参考:1827年、小林一茶、没。1882年、『新体詩抄』。1889年、『於母影(おもかげ)』。

風の中には　ゆりかごの歌
陽はあたたかく　地を照らし
麦はゆたかに　穂波たれ
やぶでは**木の実**が　あかくふくらみ
天のめぐみが地に重い —
うらわかい妻よ、なにを思いにしずんでいるか?　　(藤原 定 訳)[13]

Klingt im Wind ein Wiegenlied,
Sonne warm herniedersieht,
Seine Ähren senkt das Korn,
Rote Beere schwillt am Dorn,
Schwer von Segen ist die Flur –
Junge Frau, was sinnst du nur?

(aus: *Das Sommerbuch*, S.56)

次の詩はスイスの詩人コンラート・フェルディナント・マイアーの作品で、カスターニエの木を描いたものとしてよく知られた詩である。少し長くなるが全文を引用してみる。

(20)「黒い蔭するカスタニエの木」Schwarzschattende Kastanie

Conrad Feldinand Meyer, 1825-1898(C. F. マイアー)

◆参考:1898年、正岡子規、『歌よみに与ふる書』

黒い蔭するカスタニエの木よ。
風にはためくわが夏の天幕(てんと)よ。
お前は波に、廣く張り渡した枝を下ろし、
お前の葉は水を求め水を吸ふ。
黒い蔭するカスタニエの木よ。
港では腕白どもが**水遊び**だ、
喧嘩したり大はしゃぎで叫んだり。
すると幼児らは輝くばかりに眞白に
お前の葉や枝の格子の内で泳いでゐる。
黒い蔭するカスタニエの木よ。
そして港にも岸にも黄昏がこめ
夕べの舟がさぶさぶと通りすぎると、
舟の赤い角燈から射るような光が洩れ出、
きれぎれの文字をつづって
波のうねりを越えて来る。
そしてお前の葉蔭へもぐると
謎のやうなその炎の文字は消えてしまふ。
黒い蔭するカスタニエの木よ。

（高安国世 訳）[14]

Schwarzschattende Kastanie,
Mein windgeregtes Sommerzelt,
Du senkst zur Flut dein weit Geäst,
Dein Laub, es durstet und es trinkt,
Schwarzschattende Kastanie !
Im Porte **badet** junge Brut
Mit Hader oder Lustgeschrei.
Und Kinder schwimmen leuchtend weiß
Im Gitter deines Blätterwerks,
Schwarzschattende Kastanie !
Und dämmern See und Ufer ein

Und rauscht vorbei das Abendboot,
So zuckt aus roter Schiffslatern
Ein Blizt und wandert auf dem Schwung
Der Flut, gebrochnen Lettern gleich,
Bis unter deinem Laub erlischt
Die rätselhafte Flammenschrift,
Schwarzschattende Kastanie !

（aus : *Das Sommerbuch*, S.90）

カスターニエの木は五月から六月に蝋燭(ろうそく)のような形の花を枝一面につけ、秋には栗に似たつややかな実がなる。この実は食べられず、日本のドングリと同じように子供達の遊びの材料になる。カスターニエは、花をとるならば夏の季語に、実をとるならば秋の季語になるだろう。そのどちらに「季節の本意」があるかは日本人には決めにくい。季語としてはおそらく「カスターニエの花」とか「カスターニエの実」としなければならないだろう。

この詩は夏の湖畔にゆたかに葉を繁らせたカスターニエの姿を描いたものである。「黒い蔭するカスタニエの木よ」ということばが4度も使われていることに注目したい。詩人はこの木を擬人化し、この木に呼びかけてもいる。それほどまでに詩人はカスターニエの木に愛着をもっている。昼間の喧騒が去り、静かな夕べのカスターニエのたたずまいはくろぐろとして、湖面にゆれる舟の明かりがどことはなくもの憂い。

（21）「夏の絵すがた」Sommerbild

Friedrich Hebbel, 1813-1863（フリードリヒ・ヘッベル）

◆参考：1827 年、一茶没。1831 年、良寛没。1867 年、子規生。

夏の最後の　薔薇のすがたを私は見た。
それは　今にも血を流しそうに赤かった。
それで私は行きずりに　おののきながらこう言った―

「これほどまでに生き切っては　死がま近い！」と。

暑い昼間に　そよとの風もなかった。
白い一羽の**蝶**だけが　ひっそりと飛んで来た。
その羽ばたきが　空気を揺るがすというほどでもなかったのに
薔薇の花は　それを感じて散った。　　　　　　　　　（片山敏彦 訳）[15]

Ich sah des Sommers letzte **Rose** stehn,
Sie war, als ob sie bluten könne, rot；
Da sprach ich schauernd im Vorübergehn：
So weit im Leben, ist zu nah am Tod !

Es regte sich kein Hauch am heißen Tag,
Nur leise strich ein weißer **Schmetterling** ;
Doch, ob auch kaum die Luft sein Flügelschlag
Bewegte, sie empfand es und verging.

（aus : *Das Sommerbuch*, S.171）

夏の詩としては、手もとにある詩歌集に採られた頻度がもっとも高い詩である。薔薇の最盛期は「薔薇の月」（Rosenmonat）とも呼ばれる6月であるが、この詩に描かれた薔薇はそれでもなく、また、「庭園の遅咲きの薔薇は冬を待たせている」[16] という諺にみえる薔薇でもない。8月の陽の光の中にはすでに凋落のきざしが見える。そんな中に咲いた「夏の最後の薔薇」（des Sommers letzte Rose）である。ヘッベルは19世紀後半を代表する劇作家で、男女の微妙な心理の動きをテーマとした多くの作品を残した。

先にシュトルムの「七月」という詩を引用したが、シュトルムにはこの他にも月名をタイトルにした詩がいくつかあって、そこには月々の生活がそのまま詩に読み込まれている。「八月」という詩には次のような変わった副題が付いていて、実直な詩人を思わせてどことなくユーモラスである。

（22）「八月」－広告－（August –Inserat–）

Theodor Storm, 1817-1888（テーオドーア・シュトルム）

このごろ小生方の**リンゴ**や**ナシ**を
ぬすもうとねらっておられる　青年がたよ
そういう折りには　ご用心のうえ　できますことなら
そのそばの　**ニンジン**や**エンドウ**畑を
ふみにじったりなさらぬように
ひたすらここに願いあげます。　（藤原 定 訳）[17]

Die verehrlichen Jungen, welche heuer
Meine **Äpfel** und **Birnen** zu stehlen gedenken,
Ersuche ich höflichst, bei diesem Vergnügen
Womöglich insoweit sich zu beschränken,
Daß sie daneben auf den Beeten
Mir die **Wurzeln** und **Erbsen** nicht zertreten.

（aus : *Das Sommerbuch*, S.171）

次に「透明な青の世界のなかに、現世から遠く離れて死の影をみつめながら魂の声をあげた」[18] オーストリアの詩人、トラークルの詩をひとつ。ここには多くの季語が見出せる。

（23）「夏」Sommer

Georg Trakl, 1887-1914（ゲオルク・トラークル）

◆参考：1887 年、言文一致体の創設。1911 年、北原白秋『思ひ出』。

夕暮に声もたえた
森の**郭公**。
重くうなだれる穀物
赤い**罌粟**（けし）。

黒い嵐がいろめいている
丘のうえに。
古い**こおろぎ**の歌が
野原で死ぬ。

わずかに戦(そよ)ぐこともない
栗の葉むら。
螺旋(らせん)階段のうえを
おまえの衣(きぬ)ずれがとおる。

静かに蝋燭がともっている
暗い部屋に。
銀の手が
そのあかりを消した。

風も　星もない夜。　（平井俊夫 訳）[19]

Am Abend schweigt die Klage
Des **Kuckucks** im Wald.
Tiefer neigt sich das Korn,
Der rote **Mohn**.

Schwarzes Gewitter droht
Über dem Hügel.
Das alte Lied der **Grille**
Erstirbt im Feld.

Nimmer regt sich das Laub
Der Kastanie.

Auf der Wendeltreppe
Rauscht dein Kleid.

Stille leuchtet die Kerze
Im dunklen Zimmer ;
Eine silberne Hand
Löschte sie aus ;

Windstille, sternlose Nacht.

（aus : Georg Trakl, *Die Dichtungen*. Otto Müller Verlag, Salzburg. S.162）

最後に晩夏を歌ったものとして、現代の代表的女性作家リカルダ・フーフ（Ricarda Huch, 1864-1947）の詩を引用しておこう。

◆参考：1938 年、中原中也、『在りし日の歌』。1941 年、高村光太郎、『智恵子抄』。

（24）「月しろきジャスミンの花」Mondenweisser Jasmin

月しろきジャスミンの花よ
おまえはやさしくたよりなげに香る
ああ　日々の過ぎ去ることのなんと早いこと
美しかった夏の凋落がはやくも近づく

すべては色あせ　衰える
花も　また人も
あれほどあつく願ったことが
とおいかすみとかき消えた

誇らしげな力もいつかは沈み
太い幹もくだけ散る
そして　夜　消えゆくもの

それはあまくきよらかな愛の光

Mondenweißer **Jasmin**,
Duftest so zärtlich bang.
Ach, wie die Tage fliehn !
Schon naht des schönen Sommers Untergang.

Alles verblüht, verweht,
Blumen und Menschen auch.
Was wir so heiß erfleht,
Schwindet dahin wie ferner Höhenrauch.

Einst sinkt stolzeste Macht,
Herrlichster Stamm zerbricht,
Und es erlischt in Nacht
Auch der Liebe süßes, heiliges Licht.

（aus: *Das Sommerbuch*, S.173）

おわりに

以上の詩の中には、オスカー・レルケ、ヴィルヘルム・レーマン、ペーター・フーヘルあるいはハインツ・ピオンテークといった現代自然抒情詩人の作品が欠けている。ここからも、多くの季節のことばを探し出すことは可能である。しかし、かれらの作品がまさに現代詩であるが故に、より広範囲なひとびとに知られるためには、まだ多くの時間が必要とされるだろう。ゲーテ、メーリケ、シュトルムといったよく知られた詩人たちにくらべると、かれらの詩が最初にあげたアンソロジーに採用された頻度が低いことは仕方がないところである。秋と冬の詩については次の項で述べる。

［春・夏 注］

以上は、次の拙論によった—

ドイツ歳時記詩論 I ——季節の詩（春・夏）より——

Ein Versuch zum Deutschen Jahreszeitenlexikon –Anhand deutscher Lyrik des Frühlings und Sommers –

（神戸学院大学『人文学部紀要』第 11 号、1995 年 10 月）による

1） 山本健吉 編『最新俳句歳時記』（新年）、文春文庫、1977、pp.123-212。

2） この活動の中心になっているのは詩人大岡 信氏で、たとえば、次のような成果がある。

・大岡 信、トマス・フィッツシモンズ『揺れる鏡の夜明け』筑摩書房、1982。

・大岡 信『ヨーロッパで連詩を巻く』岩波書店、1987。

・大岡 信、カリン・ギヴス、川崎 洋、グントラム・フェスバー『ヴァンゼー連詩』岩波書店、1987。

・Makoto Ooka / Sintarou Tanikawa / H. C.Artmann / Oskar Pastior : *Vier Scharniere mit Zunge*. Renner, 1988.

・大岡 信、谷川俊太郎、H. C. アルトマン、O. パスティオール『ファザーネン通りの縄ばしご——ベルリン連詩』岩波書店、1989。

・大岡 信・谷川俊太郎・ガブリエレ・エッカルト・ウリ・ベッカー「フランクフルト連詩」『ヘルメス』No.29、岩波書店、1991。

3） 『ファウスト』中公文庫、1974 年、pp.70-72。

4） 『世界名詩大成 6 ドイツ編 I 』平凡社、1960、p.373。

5） 『手塚富雄 全訳詩集 II 』角川書店、1971、pp.321-322。

6） 『ゲーテ詩集』角川書店、1967、p.84。

7） 『歌の本』（上）岩波書店、1971、p.135。

8） 『手塚富雄 全訳詩集 II 』角川書店、1971、p.299。

9） 『世界名詩大成 6 ドイツ編 I 』平凡社、1960、P.216。

10） 『ホフマンスタール詩集』小沢書店、1994、pp.11-12。

11） Heinz Rölleke, *Das Volsliederbuch*, S.123. Kiepenheuer & Witsch,1993.

12） 『ゲーテ全集』第 8 巻、人文書院、1961、p.7。

13） 『シュトルム詩集』角川文庫、1974、p.98。

14） 『マイヤァ抒情詩集』岩波文庫、1976、pp.10-11。

15） 『世界名詩大成 6 巻 ドイツ編 I 』平凡社、1960、p.409。

16） 植田重雄『ヨーロッパの心』丸善ライブラリー、1994、p.174。

17） 『シュトルム詩集』角川文庫、1974、p.99。

18）　手塚富雄・神品芳夫『ドイツ文学案内』岩波書店、1993、p.274。

19）『トラークル詩集』筑摩書房、1967、pp.199-200。

⁘ 秋・冬 ⁘

はじめに

本稿で使われた資料ととられた方法は前稿（「季節の詩（春・夏）より」とかわらない。あつかった対象は秋と冬の詩で、前稿に挙げたアンソロジーの中に採用された頻度が高かった詩は次のようになる。

	順位	作者	作品名	採用された回数
秋の詩	1	Mörike	Septembermorgen.	10
	2	Salis–Seewis	Herbstlied.	9
	2	Hebbel	Herbstbild.	9
	3	Rilke	Herbsttag.	8
	3	Trakl	Verklärter Herbst.	8
	4	Goethe	Herbstgefühl.	6
	4	Hölderlin	Hälfte des Lebens.	6
	4	Meyer	Fülle.	6
	4	Storm	Herbst.	6
	4	George	komm in den totgesagten park.	6
	5	Storm	Oktoberlied.	5
	5	Benn	Astern.	5
冬の詩	1	Claudius	Ein Lied hinterm Ofen zu singen.	9
	2	Keller	Winternacht.	8
	2	Trakl	Ein Winterabend.	8
	3	Lenau	Winternacht.	5
	4	Eichendorf	Winternacht.	4
	5	Eichendorf	Weihnachten.	3
	5	Ringelnatz	Stille Winterstraße.	3
	5	Hebbel	Winterlandschaft.	3
	5	Stadler	Winteranfang.	3
	5	Trakl	Im Winter.	3
	5	Bachmann	Nebelland.	3

以上の詩から本文で引用した作品は、秋の詩からは7つ、冬の詩からはわずかに4つのみとなった。冬の詩の引用が少なくなった理由は、上の表からも読みとれるように、上位3つの詩以外の頻度が低いためである。そこで、これ以外の冬の詩の引用は、上の表には載っていないが、季節に結びついた年中行事をテーマとしたものを選んだ。これも前稿と同様である。また、前稿では季節の詩の羅列に終始した恨みがあるので、本稿ではできる限り詩の解釈も加えることにした[1)]。ゴチック体が季語となり得ることばである。

1．秋の詩

(1)「九月の朝」September–Morgen

Eduard Mörike, 1804-1875（エドゥアルト・メーリケ）

霧の中に世界はやすらい
森も牧場もまだ夢を見ている
このヴェールが落ちれば　やがて
空はどこまでも青く
秋の力にみちたおだやかな世界が
あたたかい金色につつまれて流れゆくだろう　　　（森 孝明 訳）[2)]

Im **Nebel** ruhet noch die Welt,
Noch träumen Wald und Wiesen :
Bald siehst du, wenn der Schleier fällt,
Den blauen Himmel unverstellt,
Herbstkräftig die gedämpfte Welt
In warmen Golde fließen.

（aus : *Das Herbst Buch*, S.27）

秋の詩の中で上に掲載したアンソロジーに採用された頻度が最も高かった詩である。9月はまだ夏の名残をとどめている。「霧」（Nebel）は秋をあらわす季節のことばであるが、ここに描かれた霧は晩秋から初冬のうっとうしく立ち込める濃霧ではなく、日の出とともに消えてしまう。それほどに、まだ太陽の光には力がある。

ブレヒトには霧を使った次のような皮肉な短詩がある。

(2)「霧に覆われて」Nebel verhüllt

Bertolt Brecht, 1898-1956（ベルトルト・ブレヒト）

◆参考：1905年、北原白秋、『邪宗門』。1924年、築地小劇場、設立。
1925年、堀口大学、『月下の一群』。1956年、三島由紀夫、『金閣寺』。

霧に覆われて
通りも
ポプラも
農家も　そして
大砲も

Nebel verhüllt
Die Straße
Die Pappeln
Die Gehöfte und
Die Artillerie.

（aus : *Das Herbstbuch*, S.181）

◆参考：神品芳夫、『詩と自然』、小沢書店、1983、pp.154-155）
ブレヒトには『タイヤ交換』、『煙』など、俳句に近い短詩がある。

季節は単純に時間の推移だけから成り立っているわけではない。それぞれの季節は、歳時記では4つに区分され、秋なら3秋、初秋、仲秋、晩秋となる。初秋には夏の名残りがひそみ、短い秋には、はやくも冬の気配がしのび寄る。リルケのよく知られた次の詩にはそれが描かれている。

（3）「秋日」Herbsttag

Rainer Maria Rilke, 1875-1926（ライナー・マリーア・リルケ）

◆参考：1882 年、新体詩抄。1889 年、『於母影』。

1905 年、永井荷風、『ふらんす物語』。

1917 年、萩原朔太郎、『月に吠える』。

1918 年、室生犀星、『抒情小曲集』。

1926 年、川端康成『伊豆の踊子』。

主よ、今こそその時です。夏はまことに偉大でした。
日時計の上にあなたの影を投げ、
曠野に風を吹かしめたまえ。

最後の果物がみのるように命じて下さい。
もう二日、彼らに南国の日を恵み、
すこやかにみのらせ、最後の甘き果汁を
熟れた**葡萄の酒**となしたまえ。

今　家をつくらぬものには　もはや家は出来ません。
今　孤独のものは　ながく孤独のままでしょう。
夜中にめざめ　書物を読み、ながい手紙を書いて、
木の葉の吹き散るときには、
ここかしこ　並木のなか、静心なくさ迷うことでしょう。

（星野慎一 訳）[3)]

Herbsttag

Herr : es ist Zeit. Der Sommer war sehr groß.
Leg deinem Schatten auf **die Sonnenuhren**,
und auf den Fluren laß die Winde los.

Befiehl den letzten Früchten voll zu sein ;

gieb ihnen noch zwei südlichere Tage,
dränge sie zur Vollendung hin und jage
die letzte Süße in den schweren **Wein**.

Wer jetzt kein Haus hat, baut sich keines mehr.
Wer jetzt allein ist, wird es lange bleiben,
wird wachen. lesen, lange Brief schreiben
und wird in den Alleen hin und her
unruhig wandern, wenn es die Blätter treiben.

（aus : *Das Herbstbuch*, S.9）

秋を詠んだリルケの詩にはこの詩の他に、これもよく知られた「秋」（“Herbst”）があって、ともに1902年にかれがロダンを慕ってパリに赴いた直後にあいついで作られた。「広野」と「果物」、すなわち、自然は神にかかわる領域であるが、大都会に身をおいた孤独な人間（ここでは詩人自身）は自然と神から離れた存在である。しかし、ここには魅力的な季節のことばが二つでている。「**日時計**」（Sonnenuhr）と「**葡萄酒**」（Wein）。冬が長い北ヨーロッパでは「日時計」がくっきりとした影をつくる日は貴重である。ドイツでは壁に「日時計」を埋め込んだ一般の家すら見かける。「日時計」はリルケのこの詩によって、春や夏よりもむしろ秋の季語になるかも知れない。

この詩に見られるように、ひとは自然の中の秋に人生の秋を重ねあわせる。「生のなかば」に立ったヘルダーリンは、秋のさなかに冬を先どりしている。

（4）「生のなかば」Hälfte des Lebens

Friedrich Hölderlin, 1770-1843（フリードリヒ・ヘルダーリン）

◆参考：本居宣長（1730-1801）。1783年、与謝蕪村没。1827年、小林一茶没。

黄に熟れる**梨**は枝にたわわに

茨は咲きみちて
陸（くが）は湖に陥ちる。
むつまじい白鳥よ、おんみらは
くちづけに酔い痴れて
頭（こうべ）をひたす、
きよらかな静かな水に。

しかしわが悲傷（かなしみ）は！　どこに
わたしは花を摘もう、冬になれば。どこに
日の光を
地上の蔭を　求めよう。
囲壁はつめたく
ことばなく立ち　風吹けば鳴る、
屋根の風見は。　　　　　　　　　　　　（手塚富雄 訳）[4)]

Mit gelben **Birnen** hänget
Und voll mit **wilden Rosen**
Das Land in den See,
Ihr holden Schwäne,
Und trunken von Küssen
Tunkt ihr das Haupt
Ins heilignüchterne Wasser.

Weh mir, wo nehm ich, wenn
Es Winter ist, die Blumen, und wo
Den Sonnenschein,
Und Schatten der Erde ?
Die Mauern stehn
Sprachlos und kalt, im Winde
Klirren die Fahnen.

(aus : Eckart Kleßmann, *Die vier Jahreszeiten*, Reclam, S.146)

後半生を精神的薄明のうちに過ごした詩人ゆえに、詩の中の述懐には悲痛な響きがこもっている。しかし、こう見るのは後の世の我々の後付けかも知れない。むしろ詩人の嘆きは、個人をこえた人間一般の悲しみのようにひびく。すなわち、第一連の人間以外の生き物の、死を意識しないかのような生への謳歌が、第二連の限りある生をになった人間の嘆きに対置されている。「風見」の鳴る音には虚無的なひびきすら感じられる[5)]。

(5)「秋の絵すがた」Herbstbild

Friedrich Hebbel, 1813-1863（フリードリヒ・ヘッベル）

◆参考：1809 年、上田秋成没。1862 年、森鷗外生。

かつて見たこともないほどな　**秋らしい日**！
ほとんど息づく者もないかのように大気は静かだ。
しかしおちこちに　音たてて
どの樹からもいちばん美しい**実**が落ちる。

おお　擾(みだ)すな、自然のこの祝祭を！
これは　自然がみずから収める**収穫**(とりいれ)。
なぜなら　今日樹の枝をはなれる実は
ひたすらに　日の光のおだやかなためなのだ。　　（片山敏彦 訳）[6)]

Dies ist ein **Herbsttag**, wie ich keinen sah !
Die Luft ist still, als atmete man kaum,
Und dennoch fallen raschelnd, fern und nah,
Die schöhnsten **Früchte** ab von jedem Baum.

O stört sie nicht, die Feier der Natur !
Dies ist **die Lese**, die sie selber hält.
Denn heute löst sich von den Zweigen nur,

Was vor dem milden Strahl der Sonne fällt.

（aus : Eckart Kleßmann, *Die vier Jahreszeiten*, Reclam, S.152）

この詩は秋の詩の中ではもっともよく知られた詩のひとつで、とくにその1行目の「かつて見たこともないほどな　秋らしい日」（„Dies ist ein Herbsttag, wie ich keinen sah !"）は「格言」や「名言」にもなり得るとされ、本稿のテーマには恰好の資料である。すなわち、詩の表題の「秋の絵すがた」ということばが、この作品の1行目ないしは「秋らしい日」を想起させるからである。なお、この詩は夏の項目で引用した「夏の絵すがた」（21番目の作品）と一対をなしている。

成立したのは1852年10月のウィーン、詩人が39歳の時で、かれもまた「生のなかば」にさしかかっている。季節は霧が立つ11月になる前で、暖かさを残してはいるがどことなくもの憂い太陽の光がさしている。一見したところ、おだやかな秋の風景の描写のように見えるが、詩の内実はそう単純ではない。3行目の「音たてて」（rascheln）は2行目の「息づく」（atmen）と関連して肺結核を連想させ、その音はあまり健康な音ではないという。ここでの「収穫」は同時にまた「剥落」と「喪失」でもあって、この詩は成長の停止がはかなさへと移行する一瞬をとらえたものである。そして、詩人がここに描き出したものは、何よりもウィーンという都会に200年間にわたって刻み込まれたバロック風の「無常感」であるといわれる[7]。

眼を都会から田舎に転じてみよう。秋はなによりも収穫の時である。10月には各地で「**収穫感謝祭**」（Erntedankfest）が催され、教会ではたくさんの穀物や野菜が祭壇に供えられ、ミサがとり行われる。村や町の広場には屋台や音楽隊もでて、歌と踊りのにぎやかな祭となる。葡萄の産地では「**ワイン祭**」（Weinfest）が、ビールの名所ミュンヘンでは世界的に有名な「**十月祭**」（Oktoberfest）が催される。葡萄の収穫とワインを歌った詩は数多くある。

（6）「葡萄摘み」Weinlese

Ernst Stadler, 1883-1914（エルンスト・シュタードラー）

◆参考：1885 年、「硯友社」結成。1910 年、吉井 勇、『酒ほがひ』。

枝はたわわに実った果実で垂れさがっている。**葡萄の香り**が
丘の道を越えてこぼれてくる。車には樽の層ができる。
収穫する人たちが見える。かれらは褐色の秋の日ざしから頭を守るために布で覆い
かがみ込んではまた誇らしげな黄金の乳房へと籠をかかげる。

眼下の町は忙しげだ。タールを塗った桶が列をなして新たな荷が容れられるのをはやくも待ちうけている。
やがてあちこちの路地で足踏みの音が響き
やがてどの**葡萄搾り器**にも黄金色の果汁が溢れてししたり落ちる。

Die Stöcke hängen vollgepackt mit Frucht. **Geruch von Reben**.
Ist über Hügelwege ausgeschüttet. Bütten stauen sich auf Wagen.
Man sieht **die Erntenden**, wie sie, die Tücher vor der braunen Spätjahrsonne übern Kopf geschlagen,
Sich niederbücken und Körbe an die strotzendgoldnen Euter heben.

Das Städtchen unten ist geschäftig. Scharen reihenweis gestellter,
Beteerter Fässer harren schon, die neue Last zu fassen.
Bald klingt Gestampfe festlich über alle Gassen,
Bald trieft und schwillt von gelbem Safte jede **Kelter**.

（aus : Eckart Kleßmann, *Die vier Jahreszeiten*, Reclam, S.160）

スイスの詩人フォン・ザリス＝ゼーヴィス（Johann Gaudenz von Salis = Seewis, 1762-1834）の収穫の喜びを歌った詩はフリードリヒ・ライヒァルト（Friedrich Reichardt）によって作曲（1799 年）もされて人々に親しまれ、今日でも歌い継がれている。しかもこの詩からは多くの季節のことばを取り出

すことができる。

◆参考：1801年、本居宣長没。1831年、良寛没。

(7)「秋の歌」Herbstlied

(i) 森はもう色づいて
刈り取られた畑が黄色くなると
秋がはじまる。
紅い木の葉が舞い
霧は灰色にふくれて
風が冷たい。

(ii) 葡萄葉の繁みから　ほら
たわわに実った葡萄の房が
紫色に光っている。
下の畑では
赤白の縞模様に
桃が熟している。

(iii) ごらん　ここでは娘たちが
せっせとスモモや梨を
かわいい籠に摘んでいる。
むこうでは　足どりも軽く
金色のマルメロの実が
農家に運ばれる。

(iv) 若者の敏捷なうごき
娘たちの歌声
どこをみても喜びのいろ。
色とりどりのリボンが揺れる
葡萄畑に
麦わら帽子の上に。

(v) ヴァイオリンや笛の音が

夕焼けとそして
月光の中にひびく。
葡萄摘みの乙女が
合図をし　そしてはじめる
楽しい収穫の踊り。

(i) Bunt sind schon die Wälder,
Gelb **die Stoppelfelder** ;
Und der Herbst beginnt !
Rote Blätter fallen,
Graue **Nebel** wallen,
Kühler weht der Wind.

(ii) Wie **die volle Traube**
Aus dem Rebenlaube
Purpurfarbig strahlt !
Am Geländer reifen
Pfirsiche mit Streifen,,
Rot und weiss bemalt !

(iii) Sieh ! wie hier die Dirne
Emsig **Pflaum'** und **Birne**
In ihr Körbchen legt ;
Dort, mit leichten Schritten,
Jene goldne **Quitten**
In den Landfof trägt !

(iv) Flinke Träger springen,
Und die Mädchen singen,
Alles jubelt froh !
Bunte Bänder schweben,
Zwischen hohen Reben,
Auf dem Hut von Stroh !

(v) Geige tönt und Flöte
Bei der Abendröte
Und im Mondenglanz ;
Junge **Winzerinnen**
Winken und beginnen
Deutschen **Ringeltanz**.

（aus : *Das Herbstbuch*, Seite, 92-93）

（口絵参照）

果物、野菜、葡萄とともにドイツではジャガイモの収穫は重要である。かつてはこの頃には収穫を手伝うために農村の学校は休みになったという。掘りたてのジャガイモを畑で焼いて食べることは、子供たちの季節感に富んだ楽しい行事になっている。「ジャガイモの収穫」を描写した次の詩はしかし決して明るいものではなく、どこかの貧しい農村を髣髴とさせる。あるいは暗い時代を反映したものか。「**ジャガイモの葉を焼く火**」（Kartoffelfeuer）は重要な秋の季語である。

（8）「秋」Herbst

Hermann Lenz, 1913-1998（ヘルマン・レンツ）

◆参考：1913 年、萩原朔太郎、『青猫』。
1968 年、川端康成、ノーベル文学賞受賞。
1994 年、大江健三郎、ノーベル文学賞受賞。

ぼくらは**ジャガイモの葉を焼く火**の間を跳んだ。
煙が目にしみて痛かった。
苔の付いた石積みの下で
ぼくの口は煙でとても赤かった。

ぼくらは束ねたくすぶる枝を
すっぱい匂いのする青白い煙の方に掻き集めた。

残ったジャガイモの葉を焼いて決して腐らせないことが
ぼくらの火の祭のやりかただった。

遊びと風に乱れて
ほてった子供たちの髪は
長い帰路の間も帰宅した夜更けまで
煙の匂いがした。

Wir sprangen durchs **Kartoffelfeuer**,
Es beizte Rauch die Augen wund,
Und unter moosigem Gemäuer
War bitterrot von Rauch mein Mund.

Wir rückten dicht ans duftend herbe
Milchblau gewundne Rauchgeäst.
Daß nirgends faul ein Kraut verderbe,
Besorgte unser Feuerfest.

Es war noch lang im Heimwärtsfahren
Und duftete bis tief in Nacht
Aus vielen warmen Kinderhaaren,
Die Spiel und Wind verwirrt gemacht.

（aus : *Das Herbstbuch*, S.137）

秋にはときおり「**小春日和**」（Altweibersommer）の日が訪れる。このことばにはもうひとつ「**秋の空に漂う蜘蛛の糸**」という意味がある。もとのことばを直訳すると「老女の夏」となり、これがなぜこうした二つの意味を持つようになったかは明らかではないが、蜘蛛の糸を「老女の白髪」にみたてたという解釈や[8)]、ゲルマンの神話で「老女」と呼ばれる運命の女神が蜘蛛の糸を紡ぐからだという説もある[9)]。

(9)「小春日和」あるいは「初秋の空に漂う蜘蛛の糸」Altweibersommer

Albrecht Goes, 1908-2000（アルブレヒト・ゲース）

◆参考：1908 年、夏目漱石、『草枕』。中原中也（1907-1937）。大岡 信（1931-2017）。

女たちは片づけた夏の品物を
もう一度取り出してみる。
家の前のベンチに
並木の道端に
彼女らはすわって編み物をしながら笑っている。
強い日ざしを気づかうことはもうない。
ひとりの女がつぶやく — おや
青い空の真中に銀の糸が漂っている、と。

その間にも少年たちは凧糸を
どこまでもどこまでも長くのばす。

Die Weiber packen ihre Sommersachen
Noch einmal aus.
Auf der Bank vor dem Haus
Und am Rand der Allee
Sieht man sie sitzen und stricken und lachen.
Nun tut die Sonne nimmer weh.
Eine sagt vor sich hin : ich seh
Silberne Fäden inmitten des Blaus –

–Während die Buben die Schnur an dem **Drachen**
Immer länger und länger machen.

（aus : *Das Herbstbuch*, S.79）

季節を描写したなんでもないような詩に見えて、じつは含蓄のある作品である。天気のよい秋の一日を描写しながら、空中に漂う「凧糸」を「銀の糸」に見たて、そこから「蜘蛛の糸」を連想させる。事実、「**凧揚げ**」(Drachensteigen) はドイツでは伝統的には、先のフォン・ザリス＝ゼーヴィスの「秋の歌」の中にも見えた「**麦を刈ったあとの畑**」(Stoppelfeld) で行われた。

干し草刈り取り
(aus Jahreszeiten, Mira Verlag, S.41)

秋たけなわから季節は晩秋に移る。

(10)「枯れたといわれる公園に来て」komm in den totgesagten park und schau

Stefan George, 1868-1933（シュテファン・ゲオルゲ）

◆参考：1933 年、詩誌『四季』創刊。

枯れたといわれる公園に来て　見渡したまえ
微笑みをたたえた遠い岸べのかがやきが
きよらかな雲に　はからずも兆した青が
池に映え　目もあやな小径を照らしている

摘み取りたまえ　そこに　濃い黄を
白樺や黄楊（つげ）の淡い灰色も　風はおだやか
まだ凋み果てぬ**遅咲きの薔薇**を

選んでは　口づけし　花環を編みたまえ

さらにまた　これをかぎりの**えぞ菊**も忘れずに
野葡萄の蔓に巻きつくむらさきと
いまもなお　緑の生命をとどめたものを
秋のおもわに　そっと絡みあわせておきたまえ　　（西田英樹 訳）[10]

Komm in den totgesagten park und schau :
Der schimmer ferner lächelnder gestade.
Der reinen wolken unverhofftes blau
Erhellt die weiher und die bunten pfade.

Dort nimm das tiefe gelb, das weiche grau
Von birken und von buchs. Der wind ist lau.
Die späten rosen welkten noch nicht ganz.
Erlese küsse sie und flicht den kranz.

Vergiß auch diese letzten **astern** nicht.
Den purpur um die ranken **wilder reben**.
Und auch was übrig blieb von grünem leben
Verwinde leicht im herbslichen gesicht.

（aus : *Das Herbstbuch*, S.66）

1897 年に発表された詩集『魂の四季』に収められた連作『葡萄摘みののちに』の中のひとつである。「枯れたといわれる」のはそう「いわれている」だけであって、詩人は実際に「公園に来てみたまえ、そして見渡してみたまえ」と読者、あるいは友人か恋人（原詩では「君」du にたいする命令法が使われている）に呼びかけている。そうすれば、そこには秋が謙虚な色どり（「濃い黄」、「淡い灰色」、「白」、「むらさき」、「緑」）をもってまだ生きているのである。しかし、ここに描かれた風景は開かれた自然のそれではなく、閉ざされた、美しくしつらえられた自然、つまり、「公園」である。主題も秋の情景の単なる描写ではなく、詩全体に流れる情感は「別れの悲しみ」である —「忘れずに」、(思い出に)「そっと絡みあわせておきたまえ」[11)]。色彩のない冬を前にして、秋は末期のはなやかさを燃えあがらせる。「枯れたといわれる公園」(der totgesagte Park)、「**遅咲きの薔薇**」(die späten Rosen)、「**えぞ菊**」(Aster)、「**野葡萄**」(wilde Rebe) を季節のことばとして抽出できるだろう。

(11)「きょらかな秋」Verklärter Herbst

Georg Trakl, 1887-1914 (ゲオルク・トラークル)

◆参考：1882 年、『新体詩抄』。1914 年、高村光太郎、『道程』。

こうして年はおごそかに終わる
金いろの葡萄と**果樹園の実り**にみち。
森はあたりに深い沈黙をひろげ
孤独な者の伴侶となる。

すべていい — と農夫がいう。
長く静かにながれる晩鐘は
冬にのぞんで明るい勇気をあたえる。
旅をゆく鳥の列が遙かに訣れをつげる。

愛のこのやさしい時の訪れ。
青い流れを小舟に乗ってくだると
ああ　景色は景色に美しくならんで
すべてが休らいと沈黙のなかに沈む。　　(平井俊夫 訳)[12)]

Gewaltig endet so das Jahr
Mit **goldnem Wein und Frucht der Gärten**.
Rund schweigen Wälder wunderbar

Und sind des Einsamen Gefährten.

Da sagt der Landmann : Es ist gut..
Ihr Abendglocken lang und leise
Gebt noch zum Ende frohen Mut.
Ein **Vogelzug** grüßt auf der Reise.

Es ist der Liebe milde Zeit.
Im Kahn den blauen Fluß hinunter
Wie schön sich Bild an Bildchen reiht –
Das geht in Ruh und Schweigen unter.

（aus : *Das Herbstbuch*, S.68）

この詩でまず目をひくのは第 2 連の「すべていい」（Es ist gut）である。これは明らかに聖書の『創世記』の中の神の言葉をふまえている。しかし、この詩の中でそう言っているのは自然とともに生きる「農夫」であって、「孤独な者」の伴侶となるのは収穫のよろこびではなく、「沈黙」である。リルケの孤独（『秋の日』）とは異なり、トラークルのそれには死のにおいがまとわりついている。タイトルの「きよらかな」（verklärt）とは、キリスト教では「浄化」、「変容」の意味をもっている。ここに描かれた秋の風景は現実そのものではなく、詩人の心の中で「浄化された」風景である。また、トラークルの詩には「青」ということばがよく使われるが、それは「神聖かつ超現実的な清浄の領域」を意味するといわれる[13)]。「青い流れ」とは「冥府の川」であり、「小舟」は冥府の川の渡し守り「カローンの小舟」であろうか[14)]。とすると、「沈黙」は永遠の沈黙、すなわち、「死」を意味する。「**渡り鳥**」（Vogelzug）は重要な秋の季語である。

やがて 11 月になると、1 日が「**万聖節**」（Allerheiligen）、その翌日が「**万霊節**」（Allerseelen）である。前者はカトリックの地域の祝日で、キリスト教のために生命を捧げた聖人たちを記念する日である。「万霊節」はすべての死者を追悼する日で、この日に人々は墓参りをする。墓に蝋燭をともし、亡き人をしのびながら、これから続く長い寒い冬に思いを馳せる。「万霊節」は重要な冬の季語である。

2．冬の詩

「聖マルチンが白馬に乗ってやってくる。マルチン祭がすむと冬はふざけていない」15)

St. Martin kommt auf einem Schmmel geritten.
Nach Martin scherzt der Winter nicht.

（aus : *Das Herbstbuch*. S.237）

ドイツの冬はいつ頃からはじまるのだろうか。12月の冬至をとくに「冬のはじめ」（Winteranfang）と呼ぶが、実際の冬のはじまりは11月11日の**「聖マルチンの日」**（Martinstag）とされているようである。秋の収穫もすっかり終わり、この日が一年の生活を締め括る日とされているからである。すなわち、「生活習慣上、地代や家賃、貸借の決算、雇用の更新も、このマルチン祭を期限としておこなわれる。ヨーロッパの人びとはこの祭を境い目に新しいクリスマスの準備にかかるのである」。16)

慈悲深い聖マルチンはニコラウス（サンタクロース）とともに子供たちに人気があり、「聖マルチンの日」は子供たちの季節感に富んだ祭りとなっている。この祭りには**「提灯行列」**（Martinszug）がつきもので、この時に歌われるごく一般的な童謡をひとつ引用してみよう。

（12）

わたしは提灯と　提灯はわたしといっしょに進みます。
空の上ではお星さま　地上を照らすのはわたしたち。
提灯の火が消えると家に帰ります。
ラビメル、ラバメル、ラブム。
にわとりコケッコウ、猫はミャオ、

ラビメル、ラバメル、ラブム。

Ich geh' mit meiner Laterne und meine Laterne mit mir,
Da oben leuchten die Sterne und unten da leuchten wir.
Mein Licht ist aus, ich geh' nach Haus ;
rabimmel, rabammel, rabumm.
Der Hahn. der kräht, die Katz' miaut :
rabimmel, rabammel, rabumm. [17)]

11月末から12月はじめにはクリスマスを準備するための**「待降節」**（Advent）がはじまる。街の広場には森から伐り出された大きな樅の木で**「クリスマス・ツリー」**（Weihnachtsbaum）（口絵参照）が立てられ、クリスマス用のさまざまな飾りを売る屋台が軒を連ねる。夜ともなれば、電灯で明るく照らし出された**「クリスマス市」**（Weihnachtsmarkt）は家族連れで賑わい、路上では冷えた体を温めるために**「グリュー・ワイン」**（Glühwein：赤ワインに香辛料や砂糖を入れて暖めたもの）を飲む人も見かける。

家庭ではモミの木の枝で編んだ**「アトヴェンツ・クランツ」**（Adventskranz）（口絵参照）に4本の蝋燭が立てられ、日曜日ごとに1本ずつに灯がともされる。そして、4本の蝋燭すべてに灯がともった時にクリスマスがやって来る。主婦はクリスマス用のお菓子やケーキ**「シュトレン」**（Stollen）づくりに忙しくなる。「待降節」はクリスマスに向けて徐々に人々の期待がふくらんでゆくひと月で、家の内外ともに独特な雰囲気に包まれる期間である。

12月4日は若くして殉教を遂げた**「聖女バルバラの日」**（Barbaratag）で、この日、桜、桃、杏、林檎の枝を切って瓶に挿し、暖かい部屋においておくとクリスマスの頃に蕾がほころび開花する。これを**「バルバラの枝」**（Barbarazweige）と呼んで、願いごとを託して春の先どりをする。カロッサの次の詩はこの日にちなんだ季節感に富んだ詩である（口絵参照）。

（13）「聖女バルバラ祭日」Barbaratag

Hans Carossa, 1878-1956（ハンス・カロッサ）

◆参考：1890 年、森鷗外『舞姫』。1956 年、三島由紀夫『金閣寺』。

枯れた冷たい野を越えて
少女が一人かかえて通る、桜の枝を。
曇った一日が夜になる。
小さな村が向こうで光る、まるで光の宝玉のよう。

天使の声が空から歌う —
「暗い小枝よ、召されるがいい、
お前の花はとっくに散って、
庭も畠も、凍てついている。

地に草も木も枯れた今頃
お前たちだけが青葉をお出し。
神聖な夜が花を咲かすと
みんなの心に幸福が来る。

森に夕日の名ごりが消える。
空に天使の歌も消えて、
夕影の濃い広野の上を
山から颪(おろ)す風が吹く、もうじき雪になりそうな。　　(片山敏彦 訳)[18]

Kirschenzweige bringt ein Mädchen
Über kahle kalte Heide.
Dämmertag ist Nacht geworden
Dörfchen blinkt wie Lichtgeschmeide.

Engelstimme singt vom Himmel :
Dunkle Reiser, seit erkoren,
Staubverweht sind lang die Blumen,

Feld und Garten eingefroren.

Ihr nur wedet grünend leben.
Wenn der Erde Pflanzen fehlen.
Heilige Nacht wird Blühten treiben,
Und ein Glück kommt in die Seelen.

Letztes Rot verlischt am Walde.
Ton in Lüften bebt entschwindend.
Über die verhüllte Heide
Haucht der Bergwind, Schnee verkündend.

（aus: *Herz tröste dich.* Herder Freiburg・Basel・Wien. 1984. S.233
oder, aus : *Das Winterbuch.* S.41）

12 月 6 日には「聖ニコラウス」（Nikolaus）が家庭にやって来る。ドイツ版サンタクロースである。小さな子供たちにとって「ニコラウス」は楽しみと恐れが相なかばした存在で、それはかれが威厳に満ちたキリスト教の司祭の姿をしていて、居並ぶ子供たちを前に、自分の手帳からその年のかれらの行状を読みあげ、よい子にはお菓子を、悪い子には罰を与えるからである。ニコラウスにちなんだ詩はもちろん数多くあるが、次の詩は一般的なニコラウス像をよく伝えている。

（14）「聖ニコラウス」Ich bin der heilige Nikolaus

Joseph Georg Oberkofler, 1889-1962（ヨーゼフ・ゲオルク・オーバーコフラー）

◆参考：1889 年、訳詩集『於母影』。1962 年、北杜夫、『楡家の人々』。

わたしは聖ニコラウス
天の家からやって来た
道は遠く　風は冷たい
そしてわたしの齢(よわい)は千年

天にはわたしの王国と玉座がある
笏も王冠ももっている
けれどもクリスマス前の
嵐と雪のこの頃は
毎年この世を見回りにやって来て
よい子の家を訪ね歩く
お前たちに神の祝福を、こわがることはない
諮問はやさしく　すぐに済むから

Ich bin **der heilige Nikolaus**,
Ich komm herab von Himmelshaus.
Der Weg ist weit, der Wind ist kalt,
Und ein Jahrtausend bin ich alt.
Im Himmel hab ich Reich und Thron,
Ein Zepter und eine goldne Kron.
Doch jedes Jahr um diese Zeit
Vor Weihnachten, wenns stürmt und schneit,
Da mach ich durch die Weld die Rund
Und tu mich braven Kindern kund.
Gott grüße euch und seid nit bang.
Leicht ist Prüfung und nit lang.

（aus : *Herz tröste dich*, Herder Freiburg・Basel・Wien. 1984. Seite, 248-249）

ニコラウスのプレゼントは林檎や胡桃といったごく簡素なものであるが、本当のプレゼントは両親がクリスマスの晩に家の中に飾られたクリスマス・ツリー（「樅の木」Tannenbaum）の下に置いておく。

樅の木　樅の木　いつも緑よ
かがやく夏の日　雪降る冬にも
樅の木　樅の木　いつも緑よ

O Tannenbaum, o Tannenbaum, wie treu sind deine Blätter !
Du grünst nicht nur Sommerzeit, nein auch im Winter, wenn es schneit.
O Tannenbaum, o Tannenbaum, wie true sind deine Blätter.

ものみなが枯れた果てた中にあって、ひとり「樅の木」だけがいつも変わらずにあおあおと繁っていてくれる。それを見ていると無上のなぐさめと喜びの気持に満たされる、というのがこの歌の原意である。クリスマスに寄せるドイツ人の心情をもっともよく表した季語で[19)]、この歌の歌詞どおり、風雪に耐え抜き、年輪を経た**季題**と言える。ドイツのクリスマスは家庭で静かに祝われる。

(15)「クリスマス」Weihnacht

Joseph Eichendorff, 1788-1857（アイヒェンドルフ）

◆参考：1783 年、与謝蕪村没。1862 年、森鷗外生。

広場や通りには人のけはいもない。
どの家もひっそりと明るく灯(ひ)がともっている
わたしは思いに沈みながら小路をゆく
なにもかもがおごそかに見える

窓べで女の人たちが
色とりどりのおもちゃをつつましく飾っている
たくさんの子どもらが立ちどまってながめている
彼らは幸福でものも言えないくらい

わたしは塀のうちから外に出て
ひろびろとした野原へ歩いてゆく
荘厳なかがやき　神聖なおののきよ！
世界はなんと広く　なんと静かなことだろう！

星は空たかくむらがり
雪の静寂のなかから
神秘な歌ごえが高まってくる —
おお　いつくしみ深いときよ！　　（石丸静雄 訳）[20]

Markt und Straßen stehn verlassen,
Still erleuchtet jedes Haus,
Sinnend geh ich durch die Gassen,
Alles sieht so festlich aus.

An den Fenstern haben Frauen
Buntes Spielzeug fromm geschmückt,
Tausend Kindlein stehn und schauen,
Sind so wunderstill beglückt.

Und ich wandre aus den Mauern
Bis hinaus ins freie Feld,
Hehres Glänzen, heil'ges Schauern !
Wie so weit und still die Welt !

Sterne hoch die Kreise schlingen,
Aus des Schnees Einsamkeit
Steigt's wie wunderbares Singen –
O du gnadenreiche Zeit !

（aus : *Herz tröste dich*, Herder Freiburg・Basel・Wien. 1984. S.251）

あるエッセーによれば、この詩はナチスが台頭してくる国粋主義的な時代の中にあって、民族的なものを鼓吹する内容に満ちた小学校の教科書にも掲載され、子供心に静かなクリスマスの情緒を刻んだという。この記憶は時を経てもこのエッセーの書き手の心に残り、戦時下のクリスマスの夜に歩哨に立っている時に思い出され、なぐさめられたという[21]。つまり、この詩は時代を越えて、クリスマスに寄せるドイツの人々の心情をよく伝える作品と言える。

この詩とは雰囲気がまったく異なる詩であるが、次の詩もクリスマスの様子を描いた作品であろう。

(16)「冬の夕べ」Ein Winterabend

Georg Trakl, 1887-1914（ゲオルク・トラークル）

雪が窓辺に降りつみ
入相（いりあい）の鐘がながく響くころには
多くの人びとの晩餐がととのい
家のなかは心地よくしつらえられている。

いくたりもの旅の人らが
暗い小径を戸口へ訪ねてくる。
御恵みの樹が金いろにかがやいている
大地の冷たい液にうるおされて。

さすらい人が静かに歩み入ると
苦しみが敷居を石にかえてしまう。
けれどきよらかな明るさのなかで
パンと葡萄酒が卓上に光っている。　（平井俊夫 訳）[22]

Wenn der Schnee aus Fenster fällt,
Lang die Abendglocke läutet,
Vielen ist der Tisch bereitet
Und das Haus ist wohlbestellt.

Mancher auf der Wanderschaft
Kommt ans Tor auf dunklen Pfaden.
Golden blüht **der Baum der Gnaden**
Aus der Erde kühlem Saft.

Wanderer tritt still herein ;
Schmerz versteinerte die Schwelle.
Da erglänzt in reiner Helle
Auf dem Tische Brot und Wein.

（aus : *Das Winterbuch*, S.45）

トラークルの詩の引用は春・夏の詩を含めてこれで3度目になる。第2連の「**御恵みの樹**」（der Baum der Gnaden）、第3連の「パンと葡萄酒」（Brot und Wein）から、ここに描かれた情景はクリスマスのそれを髣髴とさせる。しかし、それは明るく暖かな家庭的なクリスマスではなく、冷たく透明である。「大地の冷たい液」（der Erde kühler Saft）は「葡萄酒」から連想される「赤」に照応するが、生命感に乏しい。「旅人」、「さすらい人」（Wanderer）とは死者ではないか。その中には詩人自身も混じっている。

クリスマスに比べると「**大晦日**」（Silvester）の夜はにぎやかである。「**新年**」（Neujahr）を祝うため、この日ばかりは子供たちも夜の12時まで起きていることが許される。時計が12時を打つと、家々では花火を上げ、爆竹が鳴らされ、シャンパンの栓が抜かれる。年が明けた翌日はゆっくりと休むが、2日からは平常どおりの生活がはじまる。しかしクリスマスの期間はまだ続いていて、12月25日から数えて12番目の日（この間は「十二夜」Zwölfnächte と呼ばれる）、つまり、1月6日の「**三王礼拝の日**」（Drei Könige）をもって終わる。

「十二夜」には冬の魔物が徘徊するとされた。寒く鬱陶しい冬を死の世界にみたてたのである。ペーター・フーヘルの次の詩は、この季節を何ともおぞましいことばの数々によって描き出している。ただし、そこには単なる自然の情景だけではなく、詩人が生きた当時（東西ドイツ）の政治的な状況も詠み込まれている。

（17）「十二夜」Zwölf Nächte

Peter Huchel, 1903-1981（ペーター・フーヘル）

◆参考：1901年、与謝野晶子、『みだれ髪』。
1989年、東西ドイツ統一。統一後もフーヘルは東ドイツに踏み留まって詩を書いた。

十二夜が白い衣装を着けて近づく、
骨壺から雪が舞い上がる。
幽霊たちの灰が降り積もる、
霧で暗い湖一面に。

鵲（かささぎ）は黒と白の羽毛を見せてぱたぱたと飛ぶ、
影のない風の中を。
ずたずたに切り裂かれた松の木が凍てついて音を立て、
この国は土竜（もぐら）の見えない眼をして横たわる。

貨幣や指輪や酒瓶を脇にして憩うのではない、
石の下の死者たちは。
月は白い物の怪（け）のように漂い、
荒涼たる光景が死者たちを包む。

薄暮にはさまざまな声が反響し合うが、
その声を聴き取る人はいない。
死者たちは去り行き、森一面に
冷たい灰がざわめく。

そしてきみが夜の氷を割って穴を掘れば、
（言い伝えがそうせよと教えるままに）、

きみのシャベルは坑道を開き、竪穴の中で
腐敗した鈍色(にびいろ)の金髪を掘り当てるだろう。

きみが見出すのは時代の痛みばかり、
大地は血でじくじくしている。
そして瓦礫の下には、今にも咬(か)みつこうとする
蛇族の純血の親族(うから)たち。

その頭を踏み砕け、咬まれぬように用心せよ、
風の音に耳を澄ませ、沈黙を守れ。
いまなお暗黒の輝きが支配している、
いまなお扼殺(やくさつ)者がうろついている。

だが夜の暴力(ちから)も窒息させることはできぬ、
静かな魂の光を。
吹き通う灰の吐息は冷たくとも、
暗黒は砕け散るのだ。

（小寺昭次郎 訳『ペーター・フーヘル詩集』績文堂、2011、pp.126-129）

Zwölf Nächte nahen weiß verhüllt,
aus Urnen stäubt der Schnee.
Die geisterhafte Asche füllt
den nebelgrauen See.

Die Elster flattert schwarz und weiß
im schattenlosen Wind.
Zerfetzte Kiefern knarren im Eis,
das Land liegt maulwurfsblind.

Nicht ruhn bei Münzen, Ring und Krug

die Toten unterm Stein.
Der Mond weht wie ein weißer Spuk
Die Öde hüllt sie ein.

Die Dämmerung von Stimmen hallt.
die nie ein Ohr erlauscht.
Die Toten gehn, wo überm Wald
die kalte Asche rauscht.

Und gräbst du durch das Eis der Nacht,
wie es der Spruch gewollt.
dein Spaten schürft und hebt im Schacht
der Fäulnis fahles Gold.

Du findest nur den Schmerz der Zeit,
die Erde feucht von Blut.
Und unterm Schutt, zum Biß bereit,
der Schlangen nackte Brut.

Zertritt ihr Haupt und scheu den Biß.
Horch in den Wind, bleib stumm.
Noch herrscht der Glanz der Finsternis,
noch geht der Würger um.

Doch nicht erstickt der Nacht Gewalt
der Seele stilles Licht.
Weht auch der Hauch der Ache kalt,
die Finsternis zerbricht.

(aus : *Das Winterbuch*, Seite, 131-132)

「十二夜」の最終日は「**公現節**」（Epiphanie ）である。この日は「**三王礼拝の日**」（Dreikönig）でもあって、星の導きによってイエスの誕生の地を探りあてた東方の三博士の扮装をした子供たちが家々を祝福してまわり、褒美やお菓子をもらう。

（18）「三人の王」Dreikönige

Hans Leifhelm, 1891-1947（ハンス・ライフヘルム）

◆参考：1895 年、樋口一葉、『たけくらべ』。1948 年、谷崎潤一郎、『細雪』。

三人の王たちが国を通り国を抜け
毎年の習わしどおりにやってくる
家のないさまよえる王たち —
誰も知らない星を探し求めて

道に迷えば明かりがともるところ
そこが一夜の宿となる
かれらが歌う聞き慣れぬ忘れられた歌が
ひとをあまい郷愁へと誘う

首につけた三つのお守りの輪で
時の波はくだけ散る
三様の贈り物をかれらは捧げ奉る
乳香（にゅうこう）と没薬（もつやく）と黄金を。

かれらは去ってゆく　それぞれが別々に
心よ　この寂しい夜に耳をすましてごらん
多くの足音が聞こえる　戸口を開けておきなさい
それはたぶん三人の王だろうから

『大辞林』より――
乳香：北アフリカの原産。樹脂には芳香があり、古代エジプト時代からの薫香料。
没薬：熱帯産のカンラン科の低木コミフォラからとれるゴム樹脂。堅い塊状をなし、黄黒色で臭気が強い。エジプトでミイラ製造の防腐剤や薫香料に用いた。

Drei Könige ziehen landein, landaus,
Und kehren wieder im jährlichen Kreis,
Drei wandernde Könige ohne Haus –
Sie suchen den Stern, den niemand weiß.

Wo irgend verloren ein Licht erglüht,
Da sind sie nächtlicher Weile zu Gast,
Sie singen ein fremdes, vergessenes Lied,
Daß dich ein süßes Heimweh erfaßt.

Sie ziehen drei schützende Ringe ums Haus,
Daran die Welle der Zeit zerbricht,
Und spenden die dreifache Gabe aus
Von Weihrauch, von Myrrhen, von goldenem Licht.

Sie scheiden, sie wanderen für und für –
Horch, Herz, in die einsame Nacht hinein,
Es gehen viel Füße, laß offen die Tür :
Es werden vielleicht die drei Könige sein.

（aus : *Herz tröste dich*, Herder Freiburg・Basel・Wien. 1984. Seite, 283-284）

『図説　ドイツ民俗学』同学社、1985、p.39.

やがて来る2月の行事は何といっても「カーニヴァル」(Karneval。南ドイツでは「ファスナハト」Fasnacht、「ファストナハト」Fastnacht、「ファッシング」Fasching と呼ばれる) である。

(19)「カーニヴァル」Fastnacht

Friedrich Bischoff, 1896-1976 (フリードリヒ・ビショッフ)

作者はシュレージエン (Schlesien。旧ドイツ領、現在はポーランド) の郷土作家 (Heimatliteratur)。

◆参考:1897年、俳誌『ホトトギス』創刊。1976年、小林秀雄、『本居宣長』。

あのカーニヴァルだ、そうだったよな、皆の衆
融けた氷が川でとどろき、
戯言(たわごと)やキッスの音に混じって
ひしめく氷が (あの世からの音のように) ギシギシと響き渡った。

太鼓やラッパに笛の音:
飲み屋は陽気で賑やか、
川の流れは休みなく
岸から溢れそうだった。

やがて怪奇な水の精の国の小舟 (黄泉の国へ人を運ぶ) から
スッポリと雪に包まれて、緑色の (ギザギザの) 醜い歯を持った、
化け物 (カーロン、Charon) が現れた。
皆は青ざめてそれを観ていた……

いったい誰があの馬鹿踊りに加わっていたかは
今となってはわからない。
(化け物にさらわれた) 仮面がひとつ下流へと流れていった、
霧氷がその後を追って行った。

（訳注）

テーマ：生と死、人間と自然の混交。悪（Böse）には無力（machtlos）な人間存在。

（Thema）：Leben und Tod, Mensch und Natur, Gute und Böse。

第 1 連：自然が出す音は彼岸（あの世、Jenseits）の響きを持っているのに、馬鹿騒ぎをしている人間はそれに気づかない。

第 2 連：「死の舞踏」（Totentanz）を思わせる。

Jene **Fastnacht**–ja, so wars, ihr Leute,
Eisgang donnerte im Fluß,
Klang wie geisterndes Geläute
Zwischen Scherz und Kuß.

Pauke, Waldhorn, Klarinette :
Lustig gings im Wirtshaus zu,
Bis der Strom aus seinem Bette
Aufstand ohne Ruh.

Schneevermummt, mit grünem Zapfenzahne,
Aus des Wassermannes Reich,
Stieg dann einer aus dem Kahne,
Alle schauten bleich ...,

Wen der sich zum Tanz genommen,
Keiner weiß es heute mehr,
Eine Larve ist hinabgeschwommen,
Rauhreif hinterher.

（aus : *Das Winterbuch*, Insel, S.192）

行事や習俗とは関連しない冬の詩を二つ引用してみる。

（20）「冬の夜」Winternacht

Gottfried Keller, 1819-1890（ゴットフリート・ケラー）

◆参考：1891 年、幸田露伴、『五重塔』。

ひとつのはばたきすらも夜の空気をそよがさない
しずかに　まばゆく　白い雪は横たわっている
ひと片の雲すらも星空にかかっていない
ひとつの波も凍りついたみずうみに打ちよせぬ

水底から一本の木がのびて
その梢は氷の中にこびりついている
枝をつたって人魚が這いのぼる
緑の氷を透して上の世界を眺める

うすい氷の上にわたしは立っていた
その一枚のうすい氷がわたしを黒い深淵からへだてていた
すぐわたしの足の下に
人魚の美しいからだが見えた　白い手のうごきが見えた

息をころした悲しみで
人魚はかたい天井を　あちこち　さわっていた —
その暗い顔がいつまでも忘れられない
いつもいつもわたしの心からはなれない　　　　（堀内 明 訳）[23)]

Nicht ein Flühgelschlag ging durch die Welt.
Still und blendend lag der weiße Schnee,
Nicht ein Wölklein hing am Sternenzelt,
Keine Welle schlug im starren See.

Aus der tiefe stieg der Seebaum auf,

Bis sein Wipfel in dem Eis gefror ;
An dem Ästen klomm die Nix herauf.
Schaute durch das grüne Eis empor.

Auf dem dünnen Glase stand ich da,
Das die schwarze Tiefe von mir schied ;
Dicht ich unter meinen Füßen sah
Ihre weiße Schöhheit Glied für Glied.

Mit ersticktem Jammer tastet' sie
An der harten Decke her und hin.
Ich vergaß das dunkle Antlitz nie,
Immer, immer liegt es mir im Sinn.

（aus : *Das Winterbuch*, S.87）

この詩はアンソロジーに採られた頻度が第2位の詩だから、冬の詩としてはよく知られた詩である。しかし、いかにも謎めいた内容の詩である。そして、その謎は冬のさなかに「人魚」（Nix）を見るという点にあるようだ。そもそもケラーの自然詩は、純粋に自然の観照のみを歌ったものではなく、つねに自然の姿に託して自分自身と人間の生と死を歌ったものだといわれる[24)]。人魚は「死の冬」に対する「生命の春」の化身で、作者自身の春への憧れを象徴したものと解釈すれば、あまりにも平凡に過ぎるだろうか。「人魚」は作者の創造的無意識の所産で、詩人の造形への衝動を象徴するという見解もある。第1連が冷たい現実の世界を、第2連、第3連は作者の心の世界を、そして、第4連は創造の苦しみを表現したものだという解釈がある[25)]。

寒い冬を讃えた詩もある。日本ではあまり知られていないようであるが、かつてのドイツでは子供でも知っていた有名な詩のようで、アンソロジーに採られた頻度が最も高かった詩である。作者マティアス・クラウディウスはゲーテとほぼ同時代の詩人である。

(21)「暖炉の影で歌う歌」Ein Lied, hinterm Ofen zu singen

Matthias Claudius, 1740-1815（マティアス・クラウディウス）

◆参考：1748 年、『仮名手本忠臣蔵』初演。1814 年、『南総里見八犬伝』初編。

冬こそまことの男子です
堅忍不抜の持続力
からだは硬い鉄のよう
酸いも甘いも分け知った

服を着るのは家の外
暖とることもいたしません
歯痛　腹痛
なんのその

花や鳥にも
かかわらぬ
熱い飲みもの部屋ごもり
そんなものには目もくれぬ

でも狐らが吠えたてて
暖炉に薪が燃える頃
主人もお伴（とも）も手をこすり
ぶるぶるふるえている時は

身を切る寒さが音たてて
池も湖も凍る頃
その音（ね）に冬は上機嫌
腹から冬は笑うだろ

冬のお城は北極の

氷の海の岸にある
夏のお家を冬はまた
愛するスイスに持っている

きのうはあちら　今日はここ
冬はきちんとその力
僕らに見せて
凍えさす

Der Winter ist ein rechter Mann,
Kernfest und auf die Dauer ;
Sein Fleisch fühlt sich wie Eisen an
Und scheut nicht Süß noch Sauer.

Er zieht sein Hemd im Freien an
Und läßt's vorher nicht wärmen,
Und spottet über Fluß im Zahn
Und Kolik in Gedärmen.

Aus Blumen und aus Vogelsang
Weiß er sich nichts zu machen,
Haßt warmen Drank und warmen Klang
Und alle warmen Sachen.

Doch wenn die Füchse bellen sehr,
Wenn's Holz im Ofen knittert,
Und an dem Ofen Knecht und Herr
Die Hände reibt und zittert.

Wenn Stein und Bein vor Frost zerbricht,

Und Teich und Seen krachen,
Das klingt ihm gut, das haßt er nicht,
Dann will er sich totlachen –

Sein Schloß von Eis liegt ganz hinaus
Beim Nordpol an dem Strande ;
Doch hat er auch ein Sommerhaus
Im lieben Schweizerlande.

Da ist er denn bald dort, bald hier,
Gut Regiment zu führen.
Und wenn er durchzieht, stehen wir
Und sehn ihn an und frieren.

（aus : *Das Winterbuch*, Seite, 34-35）

＊最後に、詩ではないが、我が青春の書であり、日本の作家たちにも大きな影響を与えたトーマス・マン（Thomas Mann, 1875-1955）の『トニオ・クレエゲル』（*Tonio Kröger*）の冒頭部分を引用してこの項を締めくくりたい。北ドイツ（リューベック）の冬の情景が描かれていると思う —

「冬の太陽は僅かに乏しい光となって、層雲に蔽（おお）われたまま、白々と力なく、狭い町の上にかかっていた。破風（はふ）屋根の多い小路小路はじめじめして風がひどく、時折、氷とも雪ともつかぬ、柔らかい霰（あられ）のようなものが降って来た」　（実吉捷朗 訳『トニオ・クレエゲル』岩波文庫、1967、p.5）

Die Wintersonne stand nur als armer Schein, milchig und matt hinter Wolkenschichten über der engen Stadt. Naß und zugig war's in den giebeligen Gassen, und manchmal fiel eine Art von weichem Hagel, nicht Eis, nicht Schnee.

（aus: Thomas Mann, *Tonio Kröger*, Fischer 1952, S.3）

まとめ

以上、前稿を含めて四季の詩から引用した詩の数は、春が10、夏が14、秋が11、冬が10の全部で45編、そして、これらの詩の中から探し出した季節のことばは春が10、夏が24、秋が31、冬が22で総計87になった。

これらの季節のことばはおおむね「現代ドイツ俳句選集」でブアーシャーパーによって選ばれた季節のことばの中に含まれる。この章はそれらの季節のことばを詩の中に確認しようとしたものである。しかし、果たしてこれらのことばが日本の季題・季語のような「季節の本意」を担った「美的形成物」となり得るかどうかは分からない。それどころか、日本の季語の概念を風土や自然観を異にする外国の俳句に「強制する」ことには否定的な意見もすでに見られる[26)]。

しかし、少なくともドイツ語俳句界では季語への関心がたかまりつつあり、季語選定への動きが見られる現状を考える時、今回の試みがあながち無意味なことだとは思わない。日本の俳人の海外詠も盛んとなり、海外での「ハイク」熱がたかまっている今日、俳句が単なる自然を詠んだ短詩にならないためには、季語の問題を含めた俳句の文芸性についての国際的な考察と討論が必要になってきている。

〈付記〉

民謡や「農事に関する諺」の中からも季節のことばを抽出することができる。それについて少し触れておきたい。

植田重雄『ヨーロッパの心――ゲルマンの民俗とキリスト教』（丸善ライブラリー、1994、pp.168-177）より

「日本の短詩型文学と称している短歌は、世界の詩の中でも短いものであり、五七五の音字を基調とする**俳句**に至っては、もっとも短い特異な詩型として現在ヨーロッパ、アメリカでも採り入れられ、同好のグループが創作し合ったりしており、小学校、中学校でも児童、生徒にハイクと呼ぶ

短い詩を作らせている。このような短い詩型ならば、子供たちの負担になることもなく、詩的能力を養い発揮させるのに適切である。しかしヨーロッパに短詩型の詩が皆無であるかといえば、そうでもない。ギリシア、ローマの**墓碑銘**（エピタフ）の詩は、多くは短きをよしとしており、言語の性格による制約があるとはいえ、2 行詩、1 行詩もある。一般にヨーロッパの詩は、日本のそれに比べ長いと思われている。一つには詩人が詩才を競い、延々と長く歌うことを自慢し合ったのである。日本語の構造では脚韻を踏むことは殆どない。ヨーロッパの詩型はさまざまの韻を踏んで詩を展開する。物語風の叙事詩にまでこれを行っている。日本の詩には韻は重要ではない。内的なしらべによって詩であるか否かを決定する。この相違があることを前提にしながら、彼らの諺詩を考えてみることにする。

ヨーロッパでもっとも短い詩型は何かといえば、農民の間に伝えられてきた**諺詩**であるとわたしは考えている。農耕にたずさわる人々は、大方は大地や自然を相手としているので、あまり口をきかない。口をきくとすれば、牛や羊を呼んだり、静止させようとするとき、一緒に農耕をしている仲間に必要なことを伝達するとき位である。完全な沈黙ではないが、寡黙になりがちである。とくに近世から中世へと遡れば、文字を読むことはなく、文盲者が多かった。文学、文字（書物）などは農民の生活ではあまり必要ではなかった。教会では公用語としてラテン語が用いられ、典礼もラテン風であった。

……（中略）……

農民（一般庶民）は自国語で語り合っていた。文字に書き記さず、人間が親から子へ、長老から若者へ語り伝える口伝えの最小の単位の知識（知恵）は何かといえば、それは**諺**である。口伝えには、冗漫で長々しいものは不適切である。短くて覚えやすく、記憶にとどめうるものは、せいぜい 2 行から 4 行、極端には 1 行になる語句である。また、詩の型をとり、一定の韻を踏むことにより滑らかになり、口ずさむにふさわしいものとなる」

いくつかの「農事の諺詩」を列挙してみよう —

1. 白い衣装のバルバラは
よい夏の季節を予告する。
2. 三月の雪は心配しなくてよい
その下に温かい心が脈打っている。
3. 太陽が沈むとき赤い雲があれば
次の日は晴れとなる。
4. 月は農民の暦である。
5. 四月の小雪は
五月の鈴蘭を運んでくる。

Aprilflöcklein
bringen Maiglöcklein.

6. 五月がひどく湿っぽければ
コガネムシも冗談を言っていられない。
7. 五月に蜜蜂がブンブン唸れば
農民は喜びはしゃぐ。
8. おお無骨者のウルバン様
せめて正気はお持ち下され！
9. 庭園のおそ咲きの薔薇は冬を待たせている。
10. 聖ヴェンデリンよ、われらを見捨てるな！
家畜小屋をかばい、家畜を守りたまえ！

「以上の諺詩は厖大な数量の農事に関わるものの中から、とくに詩情を感じさせるもの諧謔味のあるものなどを選んでみた。農民は天候、気象、花、樹木、昆虫、鳥、野生の動物などをよく観察し、季節毎の変化や推移を見て、『A であるから、B となるだろう』、『A が B ならば、C は D である』といった推論形式をとっている。これらは、詩的な韻を踏んで覚えやすくしてはいるが、経験からの因果関係を語ったものであり、実用を主としているので純粋な詩ではない。詩的直観が働いているものが乏しい。しかし乏しいのであって皆無ではない。ここにあげた十数の諺詩は自然の機微を捉え、ユーモアもあり、詩情が感ぜられるものである。ここから一歩すすめて、**俳句**や**短歌**のような短詩型の文学が展開してもよさそうであるが、民衆の間では生長しなかった。最初に述べたように、日本の短歌、俳句の、不思議な象徴性、比喩性をもった文学表現に刺激を得て、多くの人々の参加する短詩型文学へのとりくみはようやくはじまったといってよい。

団結してオーストリアから独立したり、劔（つるぎ）をとって農民戦争を起こしたりと、スイス・ドイツの農民たちは自ら歴史をきりひらいてゆく主体的な行動力を持っていた。その彼らがなぜ筆をとって自己の文学性を表現する短詩型をつくりあげなかったのか、一つの問題と提起したい。農事暦の中の諺詩は、天候、農凶の予想からはじまり、いつしか精密な自然観察への道を拓いていったように思われる。むろん中部ヨーロッパの地域で生まれたものだけではなく、地中海の領域、ギリシア、ローマから伝わった諺もあり、ヘブライの詩篇、箴言、雅歌その他からの流入もあるが、諺詩から民衆的な抒情詩を萌芽させる土壌は広く深く存在していたことはたしかである」。

[秋・冬 注]

以上は次の拙論による —

ドイツ歳時記試論II —季節の詩（秋・冬）より —

（神戸学院大学『人文学部紀要』第12号、1996年、3月15日発行）

Noch ein Versuch zum Deutschen Jahreszeitenlexikon

– Anhand deutscher Lyrik des Herbstes und Winters –

1）参考にした文献は次の2書である。
- Robert Hippe, *Die Jahreszeiten im deutschen Gedicht*. C. Bange Verlag. 1973.
- Marcel Reich–Ranicki, *1000 Deutsche Gedichte und ihre Interpretationen*. 10 Bde. Insel Verlag. 1995.

2）『メーリケ詩集』三修社、1993、p.86。

3）『リルケ詩集』岩波文庫、1986、pp.114-115。

4）『手塚富雄全訳詩集II』角川書店、1971、pp.136-137

5） Marcel Reich–Ranicki, a. a. O., Bd.3, S.108-109.

6）『世界名詩集大成6　ドイツ篇I』平凡社、1960、p.409。

7）Marcel Reich–Ranicki, a. a. O., Bd.4, S.262-264.

8）ドイツ俳句協会会長ブアーシャーパー女史の説。
9）佐藤通次、『独和言林』白水社、1971、p.53。
10）シュテファン・ゲオルゲ著、西田英樹 訳『魂の四季』東洋出版、1993、p.12。
11） Marcel Reich–Ranicki, a. a. O., Bd.5, S.118-120.
12）『トラークル詩集』筑摩書房、1967、pp.41-42。
13）ノイベルト・ホルムート、栗崎 了、瀧田夏樹（訳注）：『トラークル詩集』同学社、1985、p.302。
14）Robert Hippe, a. a. O., S.62.
15） Hans Bender : *Das Herbstbuch*, S.237. Insel Verlag. 1982.
16）植田重雄『ヨーロッパ歳時記』岩波新書、1983、p.26。
17） Roland W. Pison : *Deutscher Liederschatz*. S.519. Gondrom. 1980.
18）『世界名詩集大成第 8　ドイツ篇Ⅲ』平凡社、1963、pp.145-146。
19）ハーバート・ツァヘルト著、手塚杜美王 訳「詩作する国民」『誹諧』第 2 号、1938、p.51。
20）『愛の四季』彌生書房、1976、pp.110-111。
21）Marcel Reich–Ranicki, a. a. O., Bd.3, S.314-316.
22）『トラークル詩集』筑摩書房、1967、pp.152-153。
23）『世界名詩集大成 6　ドイツ篇Ⅰ』平凡社、1960、pp.420-421。
24） 石井不二雄「ケラーにおける『自然』」十九世紀ドイツ文学研究会編『十九世紀ドイツ文学の展望』郁文堂、1981、pp.103-114。
25）Marcel Reich–Ranicki, a. a. O., Bd.4, S.372-374.
26）尾形 仂「国際化時代の俳句」『世界大歳時記』角川書店、1995 年、p.14。
同趣旨のことは次の書の中にも述べらている —
尾形 仂『俳句の可能性』角川書店、1996、p.22。

季語・季節の詞・索引

Liste der Jahreszeitenwörter

季題・季語の概念がそもそもドイツ語圏の国々にはないので、それらの分類は日本のようにはできない。そこで、項目の分類はドイツ俳句協会・初代会長のブアーシャーパーの分類に依り、季語の順番はおおむね時系列にしたがった。これらの季節の詞がドイツ語圏の人々に承認されるかどうかは分からない。ただし、『俳句歳時記』を未だ持たない彼らへの日本側からのひとつの提案としては多少の意義はあると思う。

（1）天文（Gestirne）・時候（Wetterelemente）
（2）地理（Geographie）
（3）行事（Feste）・習俗（Bräuche）・生活（Leben）
（4）動物（Tiere）・鳥（Vögel）・虫（Insekten）
（5）植物（Blumen, Pflanzen）

1．春

（1）天文（Gestirne）・時候（Wetterelemente）

März	3月
Märzmond	3月の月
Frühling	春
Frühlingsanfang	春のはじまり
Vorfrühling	早春
Frühlingsregen	春の雨
April	4月
Aprilwetter	4月の天気
Wandelmonat	うつろい月
Grasmonat	草の月
Mai	5月
wunderschöhner Monat Mai	妙なる5月
Vollfrühling	春たけなわ

Föhn	フェーン
Juni	6 月
Juniregen	6 月の雨
der verjüngte Strahl der Sonne	若返った日ざし
Donner	雷
wohlbekannte Düfte	なつかしい香り
die linden Lüfte	そよかぜ
frischer Duft	さわやかな香り
Frühlingswind	春風
Frühjahrssturm	春の嵐
Nachtfrost	遅霜
Morgentau	朝露

(2) 地理（Geographie）

Sturzbach	雪融けの急流
Firnschnee	根雪
die Flur lacht	野は笑う
Weizenfelder	麦畑

(3) 行事（Feste）・習俗（Bräuche）・生活（Leben）

Gertrud の命日	3 月 17 日（農作業の開始。Storch〈こうのとり〉がアフリカから帰って来る日）
Joseph の祝日	3 月 19 日（木こりや大工といった、木材を相手にする職業の人たちの守護聖人）
Aprilscherz, Aprilnarr	エイプリル・フール
Fastenzeit	四旬節（聖灰の水曜日から復活祭まで）
Aschermittwoch	聖灰の水曜日（4 旬節の第 1 日）
Karwoche	受難の週
Karfreitag	悲しみの金曜日

Palmsonntag	枝の主日（復活祭直前の日曜日）
Ostern	復活祭
Osterhase	復活祭の兎
Ostereier	復活祭の卵
Konfirmation	堅信礼（プロテスタント）
Erstkommunion	聖体拝受（カトリック）
Walpurgisnacht	ヴァルプルギスの夜(4月30日の夜)
Maifeier	5月祭
Maibaum	5月柱
Maien	5月の枝
Bändertanz	リボンのダンス
Eisheiligen	氷の3聖人
Maibock, Maibowle	5月のパンチ
Almauftrieb	牧開く（→ Almabtrieb、牧閉ず）
Heuernte	干し草刈り
Himmelfahrt Christi	キリスト昇天祭
Pfingsten	聖霊降臨祭（復活祭から50日目。現在は復活祭から後の第7日曜日）
Frühjahrsputz	春の大掃除

（4）動物（Tiere）・鳥（Vögel）・虫（Insekten）

Vogellied	(鳥の歌)：「囀り」(日本)
Nestbau	巣づくり
Amsel	アムゼル、クロツグミ
Lerche	雲雀、ヒバリ
Küken	ひよこ
Fink	鶸、ヒワ
Frosch	蛙
Lamm	仔羊
Kitz	仔山羊
Kalb, Kälbchen	仔牛
Regenwürmer	蚯蚓、ミミズ

Falter	蝶

（5）植物（Blumen, Pflanzen）

Apfelblüten	リンゴの花
Kirschblüten	桜の花
Lindenbaum	菩提樹
Flieder	ライラック
Akazienblühten	アカシアの花
Kirschen	サクランボ
Erdbeeren	イチゴ
Spargel	アスパラガス
Kastanie の花	マロニエの花
Maiglöckchen	ズズラン
Veilchen	すみれ
Sumpfdotterblumen	立金花、リュウキンカ
Fuchsienblüten	ツリユキ草
Magnolien	木蓮（モクレン）の花
Tränende Herzen	ケマン草
Heckenrosenstrauch	野イバラの茂み
Johannisbeeren	スグリの実

2．夏

（1）天文（Gestirne）・時候（Wetterelemente）

Juni	6月
Rosenmonat	バラの月、6月
Sommeranfang	夏のはじまり（6月22日のSonnenwende〈「夏至」の頃〉とする）
Lange Tage	永い日（日本の「日永」は春）
Sommersonnenwende	夏至
Gewitter	雷雨
Regenbogen	虹

Tautropfen	露（日本では「露」は秋の季語）
Morgentau	朝露
Jili	7月（Jilius Cäsar［ジュリアス・シーザー］の名前に由来。昔はHeumonat〈「干し草の月」〉とも呼ばれた）
August	8月
Hochsommer	真夏
Sonnenglast	太陽の輝き（日本の「炎帝」）
Flimmelnde Hitze	ギラギラする暑さ、酷暑
Wolke	雲
Sommerwind	夏の風

(2) 地理（Geographie）

Rinnsal	渓流
bühende Bergwiese	花咲く山の牧場
Rauschendes Bach	小川のせせらぎ
Rauschen der Bäume	木々のさやぎ
Schatten der Bäume	木陰
flüsterndes Schiff	葦のささやき
das wogende Getreidefeld	波打つ穀物畑（日本では「麦の秋」、「麦秋」）
Mohnblumenwiese	芥子の花咲く草原
strahlender Himmel	光輝く空
Weizenfelder	麦畑

(3) 行事（Feste）・習俗（Bräuche）・生活（Leben）

Johannisfest	洗礼者ヨハネの祝日（6月24日）
Getreideernte	穀物の収穫（『ベリー公の時祷書』によれば、7月は「穀物の収穫」の月）
Roggen	（ライ麦）の取り入れ。
Sommerferien	夏休み

Schrebergarten	シュレーバーの庭。都会住民が郊外に所有、借地する家庭菜園。
Mariä Himmelfahrt	マリア昇天祭
Mariä Kräuterweihe	マリアの薬草祭
Frauendreißg	聖母の 30 日（「マリア昇天祭」後の 30 日間）
Bartholomästag	聖バルトロメーの祝日（8 月 24 日）
Kirmes, Kirchweihe	教会創立日
Gurke	（木瓜、キウリ）の酢づけ作業
Michaelistag	聖ミヒャエルの日（9 月 30 日）
Sonnenuhr	日時計
Himmelfahrt Christi	キリスト昇天祭（復活祭から 40 日目）
Pfingsten	精霊降臨祭（復活祭から 50 日目）
Fronleichnam	聖体拝受（カトリック）
Heuernte	干し草刈り
Wiesenduft	刈り取った草の香り
Sensengeläut	干し草刈りの大鎌の音
Roggenmuhme	麦おばさん
Feldgeit	麦の精

（4）動物（Tiere）・鳥（Vögel）・虫（Insekten）

Schmetterling	蝶
Motte	蛾
Biene	蜜蜂
Hummel	マルハナバチ
Wespe	スズメバチ
Fliege	ハエ
Libelle	トンボ
Grille	コオロギ
Grillenkonzert	虫たちのコンサート
Heuschrecke	バッタ

Junikäfer	コフキコガネ
Raupe	毛虫
Schnecke	カタツムリ
Eidechse	トカゲ
Salamander	イモリ、サンショウウオ
Viper	マムシ
Leuchtkäfer	蛍
Glühwürmchen	蛍、ホタル。口語的。
Nachtigall	ナイチンゲール
Lerchenschwingen	ヒバリの羽音
Glucke, Kücken	ヒヨコ
Taub	鳩
Storch	コウノトリ
Kuckuck	カッコウ
Schwalbe	燕
Hirsch, Reh	鹿

(5) 植物（Blumen, Pflanzen）

Beerenernte	イチゴ類の収穫
Himbeeren	キイチゴ
Walderdbeeren	シロバナヘビイチゴ
Heidelbeeren	コケモモ
Blaubeeren	ブルーベリー
Jonannisbeeren	スグリの実
Pilze	きのこ
Kornblumen	矢車菊
Rittersporn	ひえん草
Rose	バラの花
Seerose	睡蓮
Kamille	カミルレ、カミツレ
Narziß	水仙
Turpe	チューリップ

Johanniskraut	おとぎり草
Mohn	芥子（ケシ）の花
Jasmin	ジャスミンの花
Pusteblume	タンポポ
Glockenblume	釣鐘草、ホタルブクロ
Heidekraut	ヒース、エリカ
Gänseblümchen	ヒナギク、デージー
Heckenrosenstrauch	野イバラの茂み

3．秋

(1) 天文（Gestirne）・時候（Wetterelemente）

Herbst	秋（英語の harvest〈収穫〉と語源が同じ。
Herbsttag	秋日
Herbstbild	秋のすがた
Herbstsonne	秋の陽
Herbstwind	秋風
Oktober	10 月
Weinmonat	ワインの月
Dachsmonat	10 月は（穴熊の月）とも呼ばれる。
Gilbhart	Gilbhartholz「黄葉樹」にちなむ
Altweibersommer	小春日和（原意は「老女の夏」）
Sonnenuntergang	日没
Sternschnuppen	流星
Sternhimmel	星空
Nebel	霧
Septembernebel	9 月の霧
Morgennebel	朝霧
Sturm	嵐
Frost	霜

(2) 地理 (Geographie)

bizarre Bergwelt	奇怪な山の稜線
hoher Wellengang	高い波のうねり
Rebhang	葡萄の斜面
abgeerntetes Feld	収穫のすんだ畑
Stoppelfeld	切り株だけの畑
Spätherbstfarben	晩秋の色
herbstliche Schatten	秋の影

(3) 行事 (Feste)・習俗 (Bräuche)・生活 (Leben)

Weinlese	葡萄摘み
Wein	ワイン
Weinfest	ワイン祭り
Winzer	葡萄摘みの人、葡萄農園主
Münchener Oktoberfest	ミュンヘンの 10 月祭
Erntedankfest	収穫感謝祭（10 月の第 1 日曜日）
Kartoffel	ジャガイモ
Kartoffelferien	じゃがいもの収穫を手伝うための休暇
Kartoffelfeuer	じゃがいもの葉を焼く煙
Drachensteigenlassen	凧揚げ
St. Gallus Tag	聖ガルスの日（10 月 16 日。南ドイツの山岳地方では、この日に Almabtrieb〈「牧閉ず」〉を行う）
Almabtrieb	牧閉ず（羊や牛を山の牧場から里の村に連れもどす） （→ Almauftrieb（「牧開く」）
Aussaat	種蒔き（10 月。『ベリー公の時祷書』による）
Herbstlied	秋の歌

（4）動物（Tiere）・鳥（Vögel）・虫（Insekten）

Hirsch	（雄鹿が）雌鹿を呼ぶ声
Igel	はりねずみ
Eichhörnchen	リス
Haselmaus	ヤマネ
Hamster	ハムスター
Spinnennetz	蜘蛛の囲
Vogelzug	鳥帰る（Gans〈雁〉、Schwan〈白鳥〉、Storch〈コウノトリ〉など）
Mücke	羽虫

（5）植物（Blumen, Pflanzen）

Obsternte	果物の収穫（Apfel〈りんご〉、Birne〈洋ナシ〉、Pflaume〈スモモ〉の収穫）
Welkblatt	枯葉
fahle Blätter	枯葉
verwelkte Blätter	枯葉
Buntlaub	紅葉
gelbe Blätter	黄葉
laubentblößte Bäume	枯木
Aster	アスター
Chrysantheme	菊（「アスター」と同じく「別れと終末」を象徴する）
Pilz	茸
Kastanie の実	トチの実、カスターニエの実
Nuß	クルミ
Früchte von Bäumen und Sträuchern	木の実
braunen Früchte	木の実
späte Rose	遅咲きのバラ
wilde Rebe	野葡萄
Mais	トウモロコシ

4．冬

（1）天文（Gestirne）・時候（Wetterelemente）

Winter	冬
November	11月（Nebelmonat〈「霧の月」〉、Nebelungとも呼ばれる。「灰色の11月」、「死者を回顧する月」）
Winteranfang	冬のはじまり（12月22日の冬至の頃）
Schnee	雪
schneien	雪降り
Schneematsch	ぬかるみ（北ドイツでは冬、南ドイツでは春の季語）
vereisen	凍る
kalter Mond	寒月
kalter Wind	寒風
eisiger Wind	氷の風
Winterwind	冬の風
Eis	氷（同じことばで「アイスクリーム」は夏）
Eisblumen	氷の花
Rauhreif	霧氷
kurzer Tag	短日
Silvester	大晦日（ローマ教皇ジルヴェステルI世の祝日）
Neujahr	新年
Januar	1月（ローマの神Janus［ヤーヌス］に因む）
Fröhlicher Gesell	宴の月（『ベリー公の時祷書』による。皆で食事をともにし、楽しく語り合う月。これはどの「時祷書」にも共通した図柄である。日本の

	「睦月」に通じる）
Februar	2月（Hornung〈Althochdeutsch で Barstard「私生児」の意〉。2月が他の月に比べて日数が少ないから。また、februare〈ラテン語〉は「掃除する、片付ける」の意。1年の総決算をする月。つまり、シーザーによる暦の改革以前は、2月が最終月であった）
Winterabend	冬の夕べ
Winternacht	冬の夜

（2）地理（Geographie）

farblose See	灰色の海
Februarsonne	2月の太陽

（3）行事（Feste）・習俗（Bräuche）・生活（Leben）

Allerheiligen	万聖節（11月1日。カトリックの地域の祝日。キリスト教の信仰のために生命を捧げた聖者たちの記念日）
Allerseelen	万霊節（11月2日。すべての死者を追悼する日。墓参りをする。「万聖節」と「万霊節」が、実質的には「冬のはじまり」となる）
Hubertustag	フベルトゥスの命日（11月3日。狩人の守護神。大規模な狩をする）
Buß und Betttag	懺悔祈祷日（「死者慰霊日」の前の水曜日）
St.Leonhardstag	聖レオンハルトの祝日（11月6日。オーストリア、南ドイツ。収穫のために奉仕してきた家畜に感謝す

	る。聖レオンハルトは家畜の守護聖人）
Martinstag	聖マルティンの日（11 月 11 日）
Martinszug	聖マルティンの行列、子供たちの提灯行列
Eichelnsammeln	ドングリ〈ナラの実〉を集める『ベリー公の時祷書』〈11 月〉。（中世では集められたドングリが豚の飼料となった。太った豚は塩漬けにしたり、ハム、ソーセージにして冬の保存食にする）→（Wild）Schweineschlachten）
Totensonntag	死者慰霊日（11 月下旬にプロテスタントの地域で行われる）
Volkstrauertag	国民哀悼日（11 月なかば）
Seelenwoche	霊の週（10 月 30 日〜 11 月 8 日〈南ドイツやオーストリア〉。オーストリアの一地方では、暖炉に火を入れて霊たちを暖める）
（Wild）Schweineschlachten	（イノシシ）豚の屠殺。『ベリー公の時祷書』〈12 月〉。（農民たちはとくにクリスマスや新年のご馳走、また長い冬の保存食料のために行った）
Barbartag	聖バルバラの日（12 月 4 日）
Nikolaustag	聖ニコラウスの日（12 月 6 日。呼び名はさまざまで、Weihnachtsmann〈北ドイツ〉、Nickel〈東ドイツ南部〉、Niglo〈南ドイツ、オーストリア〉、Klaus〈ライン川周辺〉などがある）
Advent	待降節（11 月 26 日の後の最初の日

	曜日にはじまる4週間）
Adventskranz	アトヴェンツ・クランツ、クリスマスのリース
Adventskalender	アトヴェンツ・カレンダー（12月1日から24日まで）
Weihnachtsmarkt	クリスマス・マーケット（クリスマス用の飾り物を売る屋台）
Glühwein	グリュー・ワイン、ホット・ワイン
Weihnachtsplätzchen	クリスマス時期独特の焼き菓子
Stollen	シュトレン、クリスマスの時期の焼き菓子
Vorweihnachtsrummel	クリスマス前の賑わい
Weihnachten	クリスマス
Weihnachtsbaum	クリスマス・ツリー（12月24日に飾りつける）
Tannenbaum	樅（モミ）の木
Krippe	クリッペ（ベツレヘムの馬小屋でのキリスト誕生の様子を再現した模型で、クリスマスに飾る。
Silvester	大晦日、おおみそか
Karpfessen	鯉を食べる（Silvester〈大晦日〉に食べる）
Zwölfnächte	十二夜
Schornsteinfeger	煙突掃除屋さん、煤払い
Neujahr	新年
Neujahrsfeuerwerk	新年の花火
Dreikönig	主の公現の日（1月6日。東方の三人の博士〈Caspar, Melchior, Balthasar〉の日）
Epiphanie	公現節
Mariä Lichtmäß, Mariä Reinigung	聖母マリアのお清めの祝日（2月2

	日）
Karneval, Fastnacht, Fasching, Fasnacht	謝肉祭、カーニバル（2月下旬から3月はじめの火曜日。ケルン、マインツ、ミュンヘンが有名。カーニバルの一連の行事は、Rosenmontag〈「狂乱の月曜日」〉、Fastnacht〈「懺悔の火曜日」〉、Aschermittwoch〈「灰の水曜日」〉と続き、Fastenzeit〈「4旬節」〉を迎える）
Beschneiden der Weinstücke, Pfülgen	葡萄の木の剪定、畑に鋤を入れる『ベリー公の時祷書』〈3月〉による。Roggen〈ライ麦〉、Hafer〈からす麦〉、Gerste〈大麦〉の種を蒔く）
Schneemann	雪ダルマ

（4）動物（Tiere）・鳥（Vögel）・虫（Insekten）

Drosselsang	ツグミ鳴く
Reiher	アオサギ
hungernde Tier	飢えた動物
Reh	鹿
Hase	野ウサギ
Kaninchen	飼いウサギ
Futterhaus	鳥の餌小屋
Standvogel	留鳥（渡らずにその土地に留まった鳥）
Krähe	カラス（鳥の啼き声は、死、悲しみ、寒さ、孤独を表す）

（5）植物（Blumen, Pflanzen）

Christrose	クリスマスローズ
Weihnachtsstern	ポインセチア
Zaubernuß	マンサク

kahler Baum
nackter Zweig
blätterloser Ast

枯れ木
裸の枝
葉のない枝

西欧における俳句関係略年表（ドイツ語圏を中心に）
Zeittafel über das Haiku in den deutschsprachigen Ländern

＊はエポック・メイキング的な事項。個人の句集も同様

年	
1884（明 17）	Goutier, J.（仏）: *Poèmes de la Libellule.* (Paris)『蜻蛉集』（万葉・古今の短歌。西園寺公望、1869-1880 在パリ、翻訳補助）
1888（明 21）	サミュエル・ビング「芸術の日本」創刊。 森鷗外、ドイツから帰国 。
1889（明 22）	パリ万博、エッフェル塔。 K. フローレンツ来日（東大、1914 年まで）。
1894（明 27）	＊Florenz, K.（独）: *Dichtegrüße aus dem Osten.* (Leipzig / 東京)『東洋からの詩人の挨拶』（守武、其角、北枝のみ）
1899（明 32）	Hearn, L.（英）: *In Ghostly Japan.* (Boston)『霊の日本』（俳句論 Bits of Poetry） Aston, W. G.（英）: *A History of Japanese Literature.* (London)『日本文学史』（英訳俳句 18 句）
1902（明 35）	＊B. H. Chamberlain（英）: *Basho and the Japanese Poetical Epigram.*『芭蕉と日本の叙情的エピグラム』。正岡子規、没。
1904（明 37）	Reiser, A.（独）: *Alte japanische Frühlingsgedichte.*『古代日本の春の詩』（アストン『日本文学史』の中の万葉集からの重訳） Hauser, O.（独）: *Die japanische Dichtung.* (Berlin)『日本の詩』（芭蕉の三句のみ）。 P. L. クーシュー、来日 。
1905（明 38）	＊Couchoud, P. -L.（仏）: *Au fil de l'eau.* (Paris)『流れのままに』（ハイカイ試作、限定 30 部）。 日露戦争終結。 上田　敏：『海潮音』。
1909（明 42）	Florenz, K.（独）: *Geschichte der japanischen Litteratur.* (C. F. Amelangs Verlag, Leipzig)『日本文学史』。 W. グンデルト来日。 Kurth, J.（独）: *Japanische Lyrik aus vierzehn Jahrhunderten.* (R. Piper & Co. München / Leipzig)（短歌、俳諧）
1910（明 43）	＊Revon, M.（仏）：*Anthologie de la litterature japonaise des origins au XXe siécle.* (Paris)（仏訳俳句 72 句） 本書については次の論考がある―畠中敏郎「ミシェル・ルボンと『日本文芸抄』」（「大阪外国語大学学報」13、1963 年）

1913（大 2）	＊エズラ・パウンドのイマジズム宣言。
1916（大 5）	＊Couchoud, P. - L.（仏）: *Sages et Poètes d'Asie.* (Paris)『アジアの賢人と詩人』（1920、英語版）
1920（大 9）	＊Paulhan, J. 他（仏）: N. R. F. (Nouvelle Revue Francaise, Sept. Nr.) (Paris)「新フランス評論」（12人、80句のハイカイ特集号）
1915（大 14）	堀口大学：『月下の一群』（フランス・ハイカイの訳詩あり）
1926（昭 1）	Adorf Barghoorn, Ernst Keyssner, Heinz van der Laan, Gustav Rudorf, Erich Simons (hrsg.)（独）: *Das Jahr im Erleben des Volkes*,（「国民年中行事」）in：Mittteilungen der Gesellschaft für Natur–und Völkerkunde Ostasiens, Band XX. (Verlag der Asia Major, Leipzig.)
1927（昭 2）	＊Schwartz, W. L.（米）: *The Imaginative Interpretation of the Far East in Modern French Literture 1800-1925*. Paris
1929（昭 4）	Gundert, W.（独）: *Die Japanische Literatur.*『日本文学史』(Akademische Verlagsgesellschaft Athenaion,Wildpark–Potsdam) エイゼンシュテイン、モンタージュ理論。
1932（昭 7）	＊Miyamori, A.（宮森麻太郎）（日）: *An Anthology of Haiku Ancient and Modern.*『古典現代俳句選集』
1935（昭 10）	Ueberschaar, H.（独）: *Basho und sein Tagebuch Oku No Hosomichi.* (Tokyo) (MOAG 29/A)『奥の細道』(MOAG : Mitteilungen und Nachrichten der Deutschen Gesellschaft für Natur und Völkerkunde Ostasiens.)
1936（昭 11）	＊虚子渡欧、フランス・ハイカイ派と交流。
1937（昭 12）	Zachert, H.（独）: *Die Haikudichtung von der Meijizeit bis zur Gegenwart*. (Tokyo). (MOAG-30 / C)
1938（昭 13）	＊鈴木大拙：『禅と日本文化』（英語版）
1939（昭 14）	＊Rottauscher, A.（墺）: *Ihr gelben Chrysanthemen.*『黄菊』(Scheuermann, Wien)
1942（昭 15）	Lüth, P.（独）: *Frühling, Schwerter, Frauen.* (Paul Neff Verlag,Berlin)『春、剣、婦人』（短歌、俳句）
1943（昭 16）	Kurth, J.（独）: *Japanische Lyrik.* (R. Piper & Co. München)『和歌集』
1949（昭 24）	Kurth, J.（独）: *Japanische Dichtung.*（『日本詩歌集』）(Müller & Kiepenheuer. Bergen）

1949（昭 24）	Blyth. R. H.（日）：*Haiku*.（ -1952),（Hokuseido).（『俳句』全 4 巻、北星堂）
1951（昭 26）	Hausmann, M.（独）: *Liebe, Tod und Vollmondnächte*. (Frankfurt am Main)『愛、死、満月の夜』（短歌、俳句）
1952（昭 27）	Gundert, W.（独）: *Lyrik des Ostens*. (München)『東洋の叙情詩』（詞華集）
1955（昭 30）	Debon, G.（独）: *Im Schnee die Fähre*. (R. Piper & Co Verlag, München)『雪の中の渡し舟』（短歌、俳句） Coudenhove, G.（独）: *Vollmond und Zikadenklänge*. (C. Bertesmann Verlag, Gütersloh)『満月と虫の聲』（俳句） Keen, D.（米）: *Japanese Literature*. (Lutland / Vermond / Tokyo)『日本の文学』
1956（昭 31）	ギンズバーグ（米）：『吠える』。 スナイダー（米）、京都大徳寺に参禅。
1957（昭 32）	Yasuda, K.（米）: *The Japanese Haiku*. (Lutland / Vermond / Tokyo)『日本の俳句』
1958（昭 33）	Henderson, H. G.（米）: *An Introduction to Haiku*. (New York)『俳句入門』 Miner, E：*The Japanese Tradition in British and American Literture*. (Princeton University Press, Princeton)（『西洋文学の日本発見』） 高浜虚子（日）（手塚富雄 訳）: *Neuzeitliche Haiku-Gedichte*. (Tokyo)『虚子俳句集』 ケルアック（米）：『ダルマ行者たち』 Sanki Ichikawa, Isoji Aso, Kochi Doi 他：*Haikai and Haiku*, The Nippon Gakujyutsu Shinkokai. 市河三喜、麻生磯次、土居光知 他 編、『俳諧と俳句』（日本学術振興会、東京）
1959（昭 34）	マイナー. E. :『西洋文学の日本発見』（筑摩書房、東京）（深瀬基寛、村上至孝、大浦幸雄 訳）
1960（昭 35）	Ulenbrook, J.（独）: *Haiku. Japanische Dreizeiler*. (Wiesbaden)『俳句・日本の三行詩』
1961（昭 36）	Hausmann, M. / 高安国世（独・日）: *Ruf der Regenpfeifer*. (München)『千鳥の呼び聲』（短歌、俳句）
1962（昭 37）	＊Bodmershof. I.（墺）: *Haiku*. (München)『俳句』
1963（昭 38）	Coudenhove, G.（墺）: *Japanische Jahreszeiten*. (Zürich)『日本の四季』（詞華集）。

1963（昭 38）	Jappe, H.（独）: *Tages – und Jahreszeiten im deutschen Gedicht.* (Ferdinant Schöningh, Padeborn.) 俳句雑誌・「アメリカン・ハイク」発刊。 Naumann. W : *Hitorigoto*（鬼貫・『ひとりごと』）、in, Studien zur Japanonogie. Bd.4. Wiesbaden.
1965（昭 40）	Lewin, B. : *Japanische Chrestomathie.*（日本詩文選）*Von der Nara-Zeit bis zur Edo-Zeit.* (Otto Harrassowitz, Wiesbaden) Benl, O. (hrsg.) : *Der Kirschblütenzweig.* (Nymphenburger Verlagshandlung, München) Wilhelm. G. / Schimmel. A. /Schubring,W. (hrsg.) : *Lyrik des Ostens* (Carl Hanser, München)
1966（昭 41）	高橋邦太郎:「蜻蛉集 考」、共立女子大学、紀要一二輯、（Goutier, J.（仏）: *Poemes de la Libellule* の研究論文）.
1967（昭 42）	Henderson, H. G.（米）: *Haiku in English.* (Lutland / Vermond / Tokyo) Naumann. W : *Shinkei*（「心敬」）in, Studien zur Japanonogie. Bd.8. Wiesbaden.
1968（昭 43）	Jahn. E.（独）：*Fallende Blüten.* (Zürich) 『散りゆく花』（俳句）
1970（昭 45）	Krusche, D.（独）: *Haiku. Bedingungen einer lyrischen Gattung.* (Edition Erdmann,Tübingen)『俳句 抒情詩の緒条件』
1971（昭 46）	＊シュワルツ・W. L.『近代フランス文学にあらわれた日本と中国』北原道彦 訳（東京大学出版会、東京）。 本書は下記の書の日本語訳である— Schwartz, W. L.（米）: *The Imaginative Interpretation of the Far East in Modern French Literture* 1800-1925 (Paris. 1927)
1972（昭 47）	高安国世：『リルケと日本人』（第三文明社、東京） Gary L. Brower : *Haiku in Western Languages.* (The Scarecrow Press)
1973（昭 48）	Klinge, G.（独）:（柳田知常 訳）: *Wiesen im Herbstwind.*（風媒社、名古屋）『秋風の牧場』（クリンゲ氏処女句集） Hippe, R.（独）: *Die Jahreszeiten im deutschen Gedicht.* (C. Bange Verlag, Hollfeld)
1975（昭 49）	Koc, Robert J. (hrsg.)（墺）: *HAIKU.* (Blaetter für das Wort. Heft.16. Wien)
1976（昭 51）	Keen, D.（米）: *World within Walls.* (Lutland / Vermond / Tokyo)『日本文学史』（近世） Ueda, M.（上田 真）（日）: *Modern japanese Haiku. An Anthology.*（東京大学出版会、Tokyo）『現代日本俳句選集』 Hisamatsu Sen'ichi：*Biographikal Dictionary of Japanese Lieteature.*

1976（昭 51）	（Kodansha International. 東京）（久松潜一、『日本文学人名辞典』）
1977（昭 52）	＊Schuster. I.（独）: *China und Japan in der deutschen Literatur. 1890-1925.* (Francke Verlag, Bern und München) 高安国世：『わがリルケ』（東京、新潮社） 白石悌三、尾形 仂 編：『俳句・俳論』（角川書店、東京）
1978（昭 53）	佐藤和夫：『菜の花は移植できるか』（桜楓社、東京） 「特集　俳句、海を渡る」:『翻訳の世界』（10 月号）（バベル・プレス、東京）
1979（昭 54）	＊坂西八郎 / Fussy, H. 他（日・独）: *Anthologie der deutschen Haiku.* (Sapporo)　『ヨーロッパ俳句選集』 上田 真：『蛙飛びこむ』（明治書院、東京）
1980（昭 55）	Hausmann, M.（独）: *Liebe, Tod und Vollmondnächte.* (Zürich)（1951 年版の新版） 高橋信之：『比較俳句論序説』（青葉図書、松山）
1981（昭 56）	＊坂西八郎 / *Hammitzsch* 他（日・独）: ISSA. (Nagano)『一茶』 Heinrich, R.（独）: *Blätter im Wind.* (Heilbronn)『風の中の葉』（ハインリヒ氏処女句集） Klinge, G.（独）: *Der Zukunft vertaruen.* (Jan Thorbecke Verlag, Sigmaringen)
1982（昭 57）	Groissmeier, M. / 坂西八郎 他（日・独）: *Haiku.* (Pfullingen)『俳句』（日本画と書とドイツ語俳句） Hans Kasdorff（独）: *Jahreszeiten in Deutschland. Haiku.*（俳句　ドイツの四季』今泉準一 訳）(Göttingen) Klinge, G.（墺）: *Im Kreis des Jahres.* (Pinguin–Varlag, Innsbruck) 高安国世：『詩の近代』（東京、沖積社） 「特集　世界の中の俳句」:『俳句』（9 月号）（角川書店、東京）
1983（昭 58）	Dombrady, G. S.（独）: *Mein Frühling.* (Manesse, Zürich)『一茶、おらが春』 神品芳夫：『詩と自然──ドイツ詩史考』（小沢書店、東京） Klinge, G.（墺）: *Lebe den Tag.* (Pinguin–Varlag, Innsbruck)
1984（昭 59）	Sommerkamp, S. : *Der Einfluss des Haiku auf Imagisumus und jüngere Moderne.* Studien zur englischen und amerikanischen Lyrik. (Hamburg)（博士論文）
1986（昭 61）	＊Dombrady, G. S.（独）: *Auf schmalen Pfaden durchs Hinterland.* (Dieterichsche Verlagsbuchhandlung, Mainz)『奥の細道』 Dombrady, G. S.（独）: *Die letzten Tage meines Vaters.* (Dieterichsche

1986（昭 61）	Verlagsbuchhandlung,Mainz)『一茶、父の終焉日記』 Dietrich Krusche, *Das japansche Haiku in Deutschland*. In : *Literatur und Fremde*. (München. iudicium) Higginson, W.（米）: *The Haiku Hand Book*. (New York) 牧野踏生（日）：独訳・俳句精選集（永田書房、東京） Inahata. T.（稲畑汀子）(日) : *Erste Haiku–Schritte–eine Fibel*.（鈴木正治、Hammiitzsch, H. 独訳） 平川祐弘：『西洋の詩　東洋の詩』（東京） Kurz, C. H. (hrsg.)（独）: *Weit noch mein Weg. Jahreszeiten-Haiku. Anthologie*.（四季別俳句。40 人の作者、各 5 句。200 句）(Im Graphikum, Göttingen)
1987（昭 62）	Buerschaper. M.（独）: *Das deutsche Kurzgedicht in der Tradition japanischer Gedichtformen, Haiku, Senryu, Tanka, Renga*. (Im Graphikum, Göttingen) Kurz, C. H.（独）: *Das große Buch der Renga–Dichtung*. (Im Graphikum, Göttingen)『独逸連歌大鑑』 佐藤和夫：『俳句から HAIKU へ』（南雲堂、東京）
1988（昭 63）	＊ドイツ俳句協会設立
1989（昭 64）	小谷幸雄（日）：『遠心と求心』（校倉書房、東京）
1990（平 2）	Kurz, C. H.（独）: *Das große Buch der Haiku–Dichtung*. (Im Graphikum, Göttingen)『独逸俳句大鑑』 Hausmann, M. / 高安国世（日・独）: *Ruf der Regenpfeifer*. (Theseus, Zürich / München)『千鳥の呼び聲』（1961 年の同書と高安国世の独訳短歌 *Herbstmond* を合本） Debon, G.（独）: *Am Gestade ferner Tage. Japanische Lyrik der neueren Zeit*. (R. Piper, München / Zurich)（1955 年の改訂版） ＊May, E. / Schonbein. M（独）: *Blütenmond. Japanische Lesebuch. 1650-1900*. (Piper, München / Zürich)（芭蕉、去来、嵐雪、鬼貫、其角、蕪村、一茶、子規） Naumann.Nelly und Wolflam: *Die Zauberschale*. (dtv, Carl Hanser Verlag, München,Wien.) Sommerkamp. S. : *Die Sonnensuche*. (Christophorus. Freiburg)（『お日さま探し』。俳句のメルヘン。）
1991（平 3）	佐藤和夫：『海を越えた俳句』（丸善、東京）
1992（平 4）	Dombrady, G. S.（独）: *Dichterlandschaften. Eine Anthologie*. (Dieterichsche Verlagsbuchhandlung, Mainz)（蕪村作品集） ＊Araki,T（荒木忠男 編）(独) : *Deutsch–Japanische Begegnung in Kurzgedichten*. (iudicium, München)（俳論、連句論、連句）

1992（平 4）	＊Heller, F. (hrsg.)（墺）: *Das Haiku in Österreich.* (St.Georges Presse. Wien) ＊日本独文学会でシンポジウム、テーマは「ドイツ文学における Haiku」。 Kurz, C. H.（独）: *Das Kleine Buch der Haiku-Dichtung.* (Im Graphikum, Göttingen)『独逸俳句小鑑』 Kurz, C. H.（独）: *Das Dritte Buch der Haiku-Dichtung.* (Im Graphikum, Göttingen)『独逸俳句参鑑』
1993（平 5）	Buershaper. M.（独）: *Schnee des Sommers.* (Im Graphikum, Göttingen)（個人俳句集・季語別、川柳、短歌集） Hammitzsch. H.（H. ハミッチュ）（日）:『ドイツ語俳句集』（尾関英正　訳編、そうぶん社）
1994（平 6）	Krusche, D.（独）: *Haiku. Japanische Gedichte.* (dtv klassik, (München)（1970 年と同書の新版） Dombrady, G. S.（独）: *Sarumino. Das Affenmantelchen.* (Dieterichsche Verlagsbuchhandlung, Mainz)『猿蓑』 日本文体論学会 編:『俳句とハイク』（花神社、東京） 川本皓嗣 編:『歌と詩の系譜』（中央公論社、東京）
1995（平 7）	Ulenbrook, J.（独）: *Haiku. Japanische Dreizeiler.* (Reclam, Stuttgart)（1960 年と同書の新版） Buerschaper. M.（独）: *Haiku 1995.* (Im Graphikum,Göttingen)（俳句アンソロジー） May, E / Waltermann, C.（独）: *Bambusregen.*（『竹の雨』）(Insel, Frankfurt am Main / Leipzig) ＊星野慎一:『俳句の国際性――なぜ俳句は世界的に愛されるようになったのか』（博文館新社、東京） ＊ Heller. F.（墺）: *Jenseits des Flusses,* (EditionDoppelpunkt,Wien)（『かわむこう』、日・墺の俳人・34 人、136 句の句集） 夏石番矢:『俳句　百年の問い』（講談社、東京）
1996（平 8）	Ulenbrook, J.（独）: *Tanka. Japanische Fünfzeiler.* (Reclam, Stuttgart)（万葉、古今、新古今からの独訳） Dombrady, G. S.（独）: *Mein Frühling.* (manesse im dtv, München)『一茶、おらが春』 ＊加藤慶二（日）:『ドイツ俳句小史』（永田書房、東京）
1997（平 9）	＊渡辺　勝（日）:『比較俳句論』（角川書店、東京）
1998（平 10）	Ulenbrook, J.（独）: *Haiku. Japanische Dreizeiler.* Neue Folge. (Reclam, Stuttgart)
1999（平 11）	Wittbrodt. A.（独）: *Deutschsprachige Lyrik in traditionellen*

1999（平 11）	*japanischen Gattungen.* (Shaker, Aachen)（独訳、日本詩歌文献目録、1849-1998） 川本皓嗣：『日本詩歌の伝統──七と五の詩学』（岩波書店、東京） Inahata, T.（稲畑汀子）(独)：*Welch eine Stille. Die Haiku-Lehre des Takahama Kyoshi.*（übersetzt von Zerssen, T. 独訳）(Hamburger Haiku Verlag, Hamburg) ＊ポール＝ルイ・クーシュー：『明治日本の詩と戦争』（金子美都子、柴田依子　訳）（みすず書房、東京）（*Sages et Poetés d'Asie,* 『アジアの賢人と詩人』、1916 の翻訳）
2000（平 12）	May. E.（独）: *Shômon I* (Dieterichische Verlagsbuchhandlung, Mainz)（Kikaku, Kyorai, Ransetsu）（其角、去来、嵐雪）
2001（平 13）	Du Pont. L. H.（独）: *Haiku schreiben.*（個人句集、俳論） ハルオ・シラネ（米）：『芭蕉の風景　文化の記憶』（角川書店、東京） Martina Schönbein（独）: *Jahreszeitenmotive in der japanischen Lyrik, Zur Kanonisierung der kidai in der formativen Phase des haikai im 17. Jahrhundert,* (Harrassowitz Verlag,Wiesbaden) 星野慎一、小磯　仁：『リルケ　人と思想』（清水書院、東京）
2002（平 14）	May. E.（独）: *Shômon II* (Dieterichische Verlagsbuchhandlung, Mainz)（Joso, Izen, Boncho, Kyoriku, Sanpu, Shiko, Yaba）（丈草、惟然、凡兆、許六、杉風、野坡） Bodmershof. I.（墺）: *Haiku.* (München) (dtv)『俳句』（1962 年の再版） 星野恒彦：『俳句とハイクの世界』（早稲田大学出版部、東京） 芳賀　徹：『ひびきあう詩心──俳句とフランスの詩人たち』（TBS ブリタニカ、東京）
2003（平 15）	Wübbena. E.（編）(独): *Haiku mit Köpfchen 2003.* Anthologie zum 1. Deutschen Internet Haiku–Wettbewerb. (Hamburg)（第 1 回インターネット・ハイク・コンテスト。81 句。季語の指摘あり） Haiku heute（編）(独): *Gepiercte Zungen. Haiku–Jahrbuch 2003.* (Tübingen)（俳句年鑑。37 人の作家による 153 句）
2004（平 16）	Blyth. R. H.（日）: *Haiku.*『俳句』の第 I 巻の訳（松村友次・三石庸子　共訳）（永田書房、東京） ＊Kyoshi. T.（日）: *Singen von Blüte und Vögel.*（高浜虚子、『新歳時記』の独訳）（加藤慶二、Schauman. W. 共訳）（永田書房、東京） 小谷幸雄：『世界を結ぶ　こころ　と　ことば』（近代文芸社、東京）
2005（平 17）	Wittbrodt. A.（独）:*Tiefe des Augenblicks. Essays des deutschsprachigen*

2005（平 17）	*Haiku.* (Hamburger Haiku Verlag)（20 人のドイツ語俳句作者による俳論） Wittbrodt. A.（独）: *Das blaue Glühen des Rittersporn …*（7 編の俳論）(Hamburger Haiku Verlag) ＊ 内田園生：『世界に広がる俳句』（角川書店、東京）
2006（平 18）	May. E.（独）: *Chûkô.*（中興）*Die neue Blüte. (Shomon III)* (Dieterichische Verlagsbuchhandlung, Mainz)（乙由、巴人、吏登、千代尼、也有、太祇、蓼太、召波、樗良、暁台、几董、白雄、蘭更） 佐藤和夫：『佐藤和夫俳論集』（角川書店、東京）
2007（平 19）	Keen. D.：*The Narrow Road to Oku.*（『奥の細道』）（講談社、東京）
2008（平 20）	太田靖子：『俳句とジャポニスム――メキシコ詩人タブラーダの場合』（思文閣出版、京都）
2009（平 21）	内藤恵子：『境界の詩歌』（エディット・パルク、京都）
2011（平 23）	日本比較文学会 編：『越境する言の葉』（彩流社、東京）
2012（平 24）	東 聖子・藤原マリ子 編：『国際歳時記における比較研究――浮遊する四季のことば』（笠間書院、東京） 川本皓嗣・上垣外憲一 編：『比較詩学と文化の翻訳』（思文閣、京都）
2015（平 27）	May. E.（独）: *Matsuo Bashô, Haibun.*（芭蕉、『俳文』）(Dieterichische Verlagsbuchhandlung, Mainz) 金子美都子：『フランス二〇世紀詩と俳句――ジャポニスムから前衛へ』（平凡社、東京） 田澤佳子：『俳句とスペインの詩人たち――マチャード、ヒメネス、ロルカとカタルーニャの詩人』（思文閣、京都）
2017（平 29）	＊Klopfenstein. E. O–Feller.（独）: *Haiku, Gedichte aus fünf Jahrhunderten. Japanisch / Deutsch.* (Reclam, Stuttgart)
2018（平 30）	*Singen von Blüte und Vögel.*（高浜虚子、『新歳時記』の独訳）（加藤慶二、Schauman. W. 共訳）Deutsche Gesellschaft für Natur– und Völkerkund Ostasiens, Tokyo, im iudicium （2004 年の書の新版） Ulenbbrook, J.（独）: *Das Buch der klassischen Haiku.*（日本の古典俳句）(Reklam, Stuttgart.)
2019（令 1）	川本皓嗣：『俳諧の詩学』（岩波書店、東京） Michael Revon (übersetzt von Paul Adler)（独）: *Japanische Literatur., Geschichte und Auswahl von den Anfängen bis zur neuesten*

2019（令　1）	*Zeit.* (Lunata, Berlin)（初版は 1926 年。1910 年のフランス語原典からの独訳）
2020（令　2）	ハルオ・シラネ（米）（北村結花 訳）:『四季の創造　日本文化と自然観の系譜』（角川書店、東京）
2021（令　3）	Sabine Sommerkamp, *17 Ansichten des Berges Fuji.*–Bilder und Tanka. (iudicium Verlag, München.) ザビーネ・ゾマーカンプ、『富士 17 景』絵と短歌。（イウディツイウム 社、ミユンヒェン） Ono–Feller, M.（独）: *Haiku der Liebe. Japanische Kurzgedichte und Farbholzschnitte.* (Reclam, Stuttgart)

参考文献一覧

Literatur-Verzeichnis

序論

1）星野慎一『俳句の国際性――なぜ俳句は世界に知られるようになったか』（博文館新社、1995）

2）渡辺 勝『比較俳句論』（角川書店、1997）

3）東 聖子・藤原マリコ 編『国際歳時記における比較研究――浮遊する四季のことば』（笠間書院、2012）

第1章

クルーシェ教授の講義で紹介された文献一覧Ⅰ－Ⅲ（第1章の最後に掲載）も参照されたい。

1）Dietrich Krusche : *Literatur und Fremde*,（iudicium, 1985）

2）Manfred Hausmann : *Liebe,Tod und Vollmondnächte*.（Arche, 1980）

3）Dietrich Krusche : *Haiku, Bedingungen einer Lyrische Gattung*.（Erdmann, 1970）

4）Ingrid Schuster : *China und Japan in der deutschen Literatur* 1890-1925.（Franke, 1977）

5）Gerolf Coudenhove : *Japanische Jahrezeiten*.（Manesse, 1963）

6）坂西八郎・H. フッズィ・窪田薫・山蔭白鳥（編）『ヨーロッパ俳句選集』（デーリィマン社、1979）

7）内山貞三郎『バロック時代の先駆者たち』（三修社、1973）

8）神品芳夫『詩と自然――ドイツ詩史考』（小沢書店、1983）

第2章

1）富士川英郎（編）『東洋の詩　西洋の詩』（朝日出版社、1969）

2）「第5回国民文化際・愛媛 '90」国際 HAIKU 大会記念誌

3）加藤慶二『ドイツ俳句小史』（永田書房、1996）

4）荒木忠男『フランクフルトのほそ道』（サイマル出版会、1991）

5）佐藤和夫『菜の花は移植できるか――比較文学的俳句論』（桜楓社、1978）

6）佐藤和夫『俳句から HAIKU へ、英米における俳句の受容』（南雲堂、1987）

7）高安国世『リルケと日本人』（第三文明社、1977）

8）内田園生「日独俳句大会に出席して」
荒木忠男「満身創痍の大勝―ホンブルク城日独俳句大会を顧みて―」
ともに『俳句研究』平成2年、12月号に所収。

渡辺 勝「異風土と俳句──日独俳句比較」『山火』平成3年3月号。
竹田賢治「バート・ホンブルクの月」『has』（神戸学院大学「人文学会誌」）No.1. 1991.（本書、コラム1に所収）
9）荒木忠男『フランクフルトの細道』（サイマル出版会、1991）
10）星野慎一『俳句の国際性──なぜ俳句は世界的に愛されるようになったのか』（博文館新社、1995）。
11）松尾邦之助「真珠の発見、1–13」『俳句』Vol.13, 1-12, Vol.14,1（角川書店、1964-1965）
12）中根美都子「俳句・ハイカイ・エリュアール─ 比較詩法の試み─」『講座比較文学』第3巻（東京大学出版会、1973、pp.337-364.）
13）富士川英郎『西東詩話』（玉川大学出版部、1974）
14）ディートリヒ・クルーシェ（小沢万記 訳）「ドイツにおける日本俳句」『比較文学研究』第43号（東京大学比較文学会、1983、p.111）
15）神品芳夫『詩と自然―ドイツ詩史考』（小沢書店、1983）
16）Sabine Sommerkamp: „Die deutschsprachige Haiku–Dichtung: Von den Anfängen bis zur Gegenwart“, in : „Deutsch– Japanische Begegnung in Kurzgedichten“., herausgegeben von Tadao Araki , iudicium, Verlag,1992, S. 79-91.

＝欧文の文献＝
1）Karl Florenz : *Dichtergrüße aus dem Osten*. 1984. Geschichte der japanischen Litteratur. 1906.
2）Wilhelm Gundert : *Die Japanische Literatur*. 1929.
3）Manfred Mausmann : *Liebe, Tod und Vollmondnächte*. 1951.
4）Wilhelm Gundert : *Lyrik des Ostens*. 1952.
5）Gerolf Coudenhove : *Vollmond und Zikadenklänge*. 1955.
6）Jan Ulenbrook : *Haiku, Japanische Dreizeiler*. 1960.
7）Gerolf Coudenhove : *Japanische Jahreszeiten*. 1963.
8）Erwin Jahn : *Fallende Blüten*. 1968.
9）Dietrich Krusche : *Haiku, Bedingungen einer lyrischen Gattung*. 1970.
なお、日本独文学会の学会誌『ドイツ文学』では、日本詩歌の翻訳に関する論考がこれまでに二編ある ―
・Einosuke Takeuchi: Japanische Gedichte im Spiegel der modernen deutschen, Dichter, unter besonderer Berücksichtigung von W. Bergengrün und M. Hausmann. Nr. 22, 1959.

・Keiko Matsumaru: Zur Formenfrage beim Übersetzen von Lyrik. An Hand der deutschen Übersetzungen japanischer Kurzgedichte. Nr.41, 1968.

10）Sabine Sommerkamp, *Der Einfluß des Haiku auf Imagismus und jüngere Moderne.* Studien zur englischen und amerikanischen Lyrik. Dissertation. Hamburg 1984.
ザビーネ・ゾマーカンプ『イマジズムとビート・ジェネレーションに与えた俳句の影響——英米抒情詩の研究』博士論文。ハンブルク、1984。（冊子）
＊なお、本書は同名の新刊書として出版される予定である。
Neu aufgelegter und um ein Nachwort erweiterter Druck der Ausgabe 1984.
iudicium Verlag München 2023.

11）W. G. Aston, *Grammar of the Japanese Written Language*. 1877. London / Yokohama.
B. H. Chamberlain, *Things Japanese.* 1890. London.

12）W. Gundert, *Die Japanische Literatur.* Akademische Verlagsgesellschaft Athenation, 1929.

13）G. S. Dombrady, *Issa Mein Frühling*. Manesse. 1983.
Ders., *Issa Die letzte Tage meines Vaters*. Dieterich. 1985.
Ders., *Basho Auf schmalen Pfaden durchs Hinterland*. Dieterich. 1985.

14）Vierteljahresschrift der Deutschen Haiku–Gesellschaft. Jhg.5, Nr.3. S.10. 1992.（ドイツ・俳句協会、DHG、会報 Nr.3. 1992, p.10）

15）Erwin Jahn, *Fallende Blüten*. Arche, 1968.

16）Imma von Bodmershof, *Sonnenuhr,* Stifterbibliothek Salzburg. 1970.

17）Fujita Shoen（藤田昌園 編）(hrsg.), *Löwenzahn*, Itadori Hakkosho in Matsuyama（松山）, 1979.

18）Margret Buerschaper, *Schnee des Sommers*. Im Graphikum, 1993.

19）M. Buerschaper, *Formen deutscher Haiku–Dichtung an ausgewählten Beispielen.* Haiku–Seminar am 26.10.1991 in Frankfurt.
in: Tadao Araki (hrsg.), Symposium zur Haiku–und Renku–Dichtung 23. Mai 1992.

第 3 章

1）植田重雄『ヨーロッパ歳時記』（岩波新書、1983）

2）谷口幸男・福嶋正純・福居和彦『図説 ドイツ民俗学小辞典』（同学社、1985）

3）H・レーマン（川端豊彦 訳）『ドイツの民俗』（岩崎美術社、1974）

4）稲畑汀子 編『ホトトギス　新歳時記』（三省堂、1986）

5）山本健吉編『最新俳句歳時記』全 5 巻（文春文庫、1977）

6）『英語歳時記』（研究社、1974）

7）Keiji Kato, Werner Schaumann, übersezt : *Singen von Blüte und Vogel.* Takahama Kyoshis

Jahreszeitenwörterbuch. Nagata Shobo, Tokyo. 2004.
加藤慶二（ウェルナー・シャウマン 訳）『花鳥諷詠』（永田書房、2004）
本書は虚子 編：『新歳時記』（三省堂）の独訳である。
ウェルナー・シャウマン（1948-2015）。

8）Wilhelm Gundert, *Die Japanische Literatur*.（Wildpark–Potsdam Akademische Verlagsgesellschaft Athenation M. B. H. 1929.）

9）Anna von Rottauscher: *Ihr gelben Chrysanthemen*.（Walther Scheuerman, 1958, 8. Auflage）

10）Jan Ulenbrook : *Haiku. Japanische Dreizeiler*.（Wilhelm Heyne, 1981）

11）Erwin Jahn : *Fallende Blüten*.（Arche, 1968）

12）Teiko Inahata（übersetz von Masaji Suzuki / Horst Hammitzsch）: *Erste Haiku–Schritte–eine Fibel*,（Günther Klinge HAIKU–Verlag, 1986）
（本書は『自然と語りあうやさしい俳句』新樹社、1978 年の独訳版である）

13）Tadao Araki（hrsg.）: *Deutsch–Japanische Begegnung in Kurzgedichten*.（iudicium, 1992）

14）Carl Heinz Kurz（hrsg.）: *Weit noch ist mein Weg*... Jahreszeiten–Haiku. Anthologie.（Graphikum, 1986）
カール・ハインツ・クルツ 編『我が道はなお遠く……。四季の俳句』。アンソロジー。

15）坂本明美「ドイツ歳時記」『基礎ドイツ語』（三修社、1982 年度版）

16）宮下啓三「ドイツ文化歳時記」（NHK テレビ・ドイツ語講座テキスト、1987 年度版）

17）早川東三「ドイツの暮らし」『基礎ドイツ語』（三修社、1987 年度版）

18）Edmond Pognon（Text）: *Das Stundenbuch des Herzogs von Berry*.（parkland, 1983）
『ベリー公の時祷書』以外に参考にしたのは次のものである —
・『ピーテル・ブリューゲルの月暦絵』（フランドル、16 世紀）
・『シモン・ベニングの時祷書』（ベルギー、16 世紀）
・サン・ドニ修道院の南入口に描かれた農事暦（フランス、12 世紀）—
　これに関しては、木村尚三郎：「西欧文明の原像」（講談社、1974、pp.208-225）を参考にした。

第 4 章

1）ミヒャエル・グロイスマイアー　Michael Groißmeier（1935-　）: *Haiku*, S.45, Neske, 1982.

2）*Bio–Bibliographie der Mitglieder der DHG 1994*（ドイツ俳句協会・会員名簿、1994 年）

3）*Dichtertreffen, Bio-Bibliographie der Mitglieder der DHG*, 2010.（「詩人たちの出会い」ドイツ俳句協会編、2010）

4）フランドリーナ・フォン・ザーリス（Flandrina von Salis）: *Mohnblühten, –* Abendländische Haiku –（1955）（Vereinigung Oltner Bücherfreunde VOB）

第5章

1）ペーター・パンツァー・ユリア・クレイサ（佐久間穆訳）『ウィーンの日本』（サイマル出版会、1990）

2）ペーター・パンツァー（竹内精一・芹沢ユリア訳）『日本オーストリア史』（創造社、1984）

3）Daisetz Suzuki（鈴木大拙）: *Zen and Japanese Culture,* Pantheon（『禅と日本文化』）（New York 1959）

4）Gary L. Brower : *Haiku in Western Languages.* The Scarecrow Press, 1972.

5）Karl Petit : *La poésie japonaise*. Edition Syers, Paris 1954.

6）Jan Ulenbrook : *Haiku, Japanischer Dreizeiler*. Insel, Frankfurt 1960.

7）Manfred Hausmann : *Liebe, Tod und Vollmondnächte*, S. Fischer, 1951.

第6章

1）Carl Heinz Kurz : *Burg Plesse*. Verlag Otto Zander, Herzberg（Harz）–Pöhlde, 1977.

2）Werner Manheim

・*Schatten über Blütentau*. Im Graphikum 1987.

・*Im Atem der Nacht.* Im Graphikum 1989.

・*Einsam zieht die Zeit.* Im Graphikum 1990.

3）*Plesse–Lesungen 1991.*

第7章

1）Friedrich Heller（hrsg.）: *Jenseits des Flusses*（Edition Doppelpunkt,Wien, 1995）
フリードリヒ・ヘラー編『かわむこう』

2）*Haiku, Gedichte aus fünf Jahrhunderten*, Japanisch / Deutsch.
Ausgewählt, übersetzt und kommentiert von Eduard Klopfenstein und Masami Ono-Feller, unter Mitwirkung von Kaneko Tota und Kuroda Momoko.（Reclam, 2017.）
『俳句──500年の詩』（日独）
選、訳、注釈：エドゥアルト・クロッペンシュタイン、マサミ・オノ-フェラー。
協力 : 金子兜太、黒田杏子（レクラム社、2017）

第８章

ドイツの詩アンソロジー（春・夏・秋・冬）

1）Ernst Lissauer, *Der heilige Alltag*. Im Propyläen Verlag. Berlin. 1926.

2）Heiz Kächele, *Dank den Jahreszeiten*. Verlag der Nation. Berlin. 1962.

3）Hajo Jappe, *Tages–und Jahreszeiten im deutschen Gedicht*. Schöningh. Paderborn, 1963.

4）Heinz Czechowski, *Zwischen Wäldern und Flüssen*. Mitteldeutscher Verlag. Halle, (Saale). 1965.

5）Robert Hippe, *Die Jahreszeiten im deutschen Gedicht*. C. Bange Verlag. Hollfeld / Obfr. 1973.

6）Anton Friedrich, *Geh aus mein Herz und suche Freud*. Diogenes. Zürich. 1979.

7）Anne Heseler, *Das liebe lange Jahr*. Insel. Frankfurt am Main. 1980.

8）Hans Bender, *Das Herbstbuch*. Insel. Frankfurt am Main. 1982.

9）Hans Bender / Hans Georg Schwark, *Das Winterbuch*. Insel. Frankfurt am Main. 1983

10）Constantin Rühm, *Herz tröste dich*. Herder. Freiburg/Basel / Wien. 1984.

11）F. A. Fahlen, *Ludwig Richter's Familienhausbuch*. fourier. Wiesbaden. 1984.

12）Diethard H. Klein/Heike Rosbach, *Das altdeutsche Lesebuch*. Marion von Schröder. Düsseldorf. 1984.

13）Alexander von Bormann, *Die Erde will ein freies Geleit*. Insel. Frankfurt am Main. 1984.

14）Hans Bender, *Das Sommerbuch*. Insel. Frankfurt am Main. 1985.

15）Hans Bender / Nikolaus Wolters, *Das Frühlingsbuch* Insel. Frankfurt am Main.,1986.

16）Hanspeter Brode, *Deutsche Lyrik*. Suhrkamp. Frankfurt am Main. 1990.

17）Ludwig Reiners, *Der ewige Brunnen*. C. H. Beck. München. 1990.

18）Eckart Kleßmann, *Die vier Jahreszeiten*. Philipp Reclam. Stuttgart. 1991.

1）山本健吉 編『最新俳句歳時記』（新年）（文春文庫、1977）

2）・大岡 信・トマス・フィッツシモンズ『揺れる鏡の夜明け』（筑摩書房、1982）

・大岡 信『ヨーロッパで連詩を巻く』（岩波書店、1987）

・大岡 信・カリン・ギヴス・川崎 洋、グントラム・フェスバー『ヴァンゼー連詩』（岩波書店、1987）

・Makoto Ooka / Sintarou Tanikawa / H. C. Artmann / Oskar Pastior : Vier Scharniere mit Zunge. Renner, 1988.

・大岡 信・谷川俊太郎・H. C. アルトマン・O. パスティオール『ファザーネン通りの縄ばしご ― ベルリン連詩』（岩波書店、1989）

・大岡 信・谷川俊太郎・ガブリエレ・エッカルト・ウリ・ベッカー『フランクフルト連詩』「ヘルメス」No.29（岩波書店、1991）
3）ゲーテ（手塚富雄 訳）『ファウスト』（中公文庫、1974）
4）『世界名詩大成 6 ドイツ編Ⅰ』、（平凡社、1960）
5）『手塚富雄　全訳詩集　Ⅱ』（角川書店、1971）
6）ゲーテ（手塚富雄 訳）『ゲーテ詩集』（角川書店、1967）
7）ハイネ（井上正蔵 訳）『歌の本』（岩波文庫、1971）
8）『手塚富雄　全訳詩集　Ⅱ』（角川書店、1971）
9）川村二郎 編訳『ホフマンスタール詩集』（小沢書店、1994）
10）Heinz Rölleke : *Das Volsliederbuch*, Kiepenheuer & Witsch, 1993.
11）『ゲーテ全集』第 8 巻、（人文書院、1961）
12）シュトルム（藤原 定 訳）『シュトルム詩集』（角川文庫、1974）
13）マイヤァ（高安国世 訳）『マイヤァ抒情詩集』（岩波文庫、1976）
14）植田重雄『ヨーロッパの心』（丸善ライブラリー、1994）
15）手塚富雄・神品芳夫『ドイツ文学案内』（岩波文庫、1993）
16）トラークル (平井俊夫 訳)『トラークル詩集』（筑摩書房、1967）
17）Robert Hippe, *Die Jahreszeiten im deutschen Gedicht.*（C. Bange Verlag. 1973.）
18）Marcel Reich–Ranicki, *1000 Deutsche Gedichte und ihr Interpretationen*. 10 Bde.（Insel Verlag. 1995.）
19）メーリケ（森 孝明 訳）『メーリケ詩集』（三修社、1993）
20）リルケ（星野慎一 訳）『リルケ詩集』（岩波文庫、1986）
21）佐藤通次 編：『独和言林』（白水社、1971）
22）シュテファン・ゲオルゲ (西田英樹 訳)『魂の四季』（東洋出版、1993）
23）ノイベルト・ホルムート、栗崎 了・瀧田夏樹（訳注）：『トラークル詩集』（同学社、1985）
24）Roland W. Pison : *Deutscher Liederschatz.*（Gondrom. 1980.）
25）『世界名詩集大成 8 ドイツ篇Ⅲ』（平凡社、1963）
26）ハーバート・ツァヘルト（手塚杜美王 訳）「詩作する国民」『誹諧』第 2 号、1938 年、p.51。
27）石丸静雄『愛の四季』（彌生書房、1976）
28）十九世紀ドイツ文学研究会 編『十九世紀ドイツ文学の展望』（郁文堂、1981）
29）尾形 仂『俳句の可能性』（角川書店、1996）

コラム 1

竹田賢治「バート・ホンブルクの月——日独俳句大会に参加して」(『游星』No.8. 1991 年)

Der Mond von dem Bad Homburg –ein Bericht über die Haiku–Versammlung von Japan und Deutschland, 1990 –

コラム 2

1) *Über den Hügel hinaus*. Photographien von Peter–Cornell Richter/ Haiku von Yōdō, Herder, 1983.

2) Horst Hammitzsch (hrsg.) : *Japan Handbuch.* Steiner, 1981.

3) Vierteljahresschrift der Deutschen Haiku–Gesellschaft. Jhg. 6, Nr.21. 1993.

コラム 3

竹田賢治・渡辺 勝『比較俳句論——日本とドイツ』(角川書店、1997) について (俳誌『游星』、No.20. 1998)

おわりに
Nachwort

本書は筆者にとってはじめての単著です。随分と盛りだくさんな内容になったと思いますが、知人の多くが鬼籍に入られ、今度は自分の番だと思い、ささやかな置きみやげのつもりで出版を思い付きました。

ここで、ドイツ語俳句と筆者の出会いについて少し述べさせていただきます。

40歳まではドイツ文学（トーマス・マンやゲーテ）のことをかじっていましたが、日本文学も好き。これは高校の時の国語の先生方が優れておられたからだと思います。季節感に富んだ日本文学と自然を謳った詩が多いドイツ文学、どこかでこの二つがつながらないかと思っていた時に出会ったのが、ドイツ語圏の国々で俳句がつくられているということでした。以来、30年間はこれ一筋に勉強してきたと言えます。「つゐに無能無芸にして只此一筋に繋（つなが）る」（芭蕉、『笈（おい）の小文』）。

その間には、1年間、勤務先の大学から海外研究を許され、ミュンヘン大学の日本学科で日本の俳文学のゼミや講義をドイツ語で聴き、また、折りよく、「外国語としてのドイツ語科」では、日本俳句の独訳も出版されているディートリッヒ・クルーシェ教授の講義（「ドイツにおける日本の俳句」）も聴講できました。400人くらいの聴講生がいて、時々、学生と教授の質疑応答もあって、とても充実した半年の授業でした。この1年間は私の人生の大きな転機になったと思います。クルーシェ教授（87歳）とは今でもメールのやりとりをしています。

日本でのドイツ語俳句研究者は、以前は何人かおられたのですが、今ではほとんど亡くなられてしまいました。目下、外国での俳句研究はアメリカがトップで、ヨーロッパではフランスが一番盛んなようです。フランス語ができる日本の俳人や研究者がいて、俳句研究者もフランスにはたくさんいるからです。そこでドイツ語俳句研究に少しでも新しい風をいれようと、本書を執筆しようと思った次第です。

本書が成るにあたって、特にご指導とお世話になった方々のお名前を挙げて感謝の記しとさせていただきます。

高校では1年間だけですが、甲南大学から出講されていた西田英樹先生からドイツ語の手ほどきを受け、大学では石渡均先生から授業以外に一対一でドイツ語・ドイツ文学の修行をさせていただきました。

ドイツ語俳句研究では坂西八郎、星野慎一、渡辺勝の各先生。ドイツ語俳句全般ではドイツ俳句協会の初代会長、マルグレート・ブアーシャーパー（Margret Buerschaper）さん。

筆者のドイツ語力を補ってくださった方々として、日本文化・文学研究者モニカ・マルチュケ（Monika Marutschke）夫人、スイスの詩人ペーター・ルドルフ（Peter Rudolf）氏、俳句研究家ザビーネ・ゾマーカンプ（Sabine Sommerkamp）博士の各氏。

また、筆者は俳句結社に属さず、「ホトトギス」の同人でもないのに、稲畑汀子（洗礼名、マリア・クリスティナ）先生にはドイツや中国での国際俳句大会に連れて行っていただき、30年間、俳句のご指導をたまわりました。

出版にあたっては、明石書店の大江道雅社長、制作では秋耕社の小林一郎氏からひとかたならぬご厚意を受けました。

竹田賢治

●プロフィール

竹田賢治（たけだ　けんじ）

1946 年　兵庫県生まれ
1970 年　甲南大学・文学部卒業
1977 年　関西大学・大学院、文学研究科・博士課程修了
1975–2017 年　神戸学院大学・人文学部に勤務。現在、名誉教授。
（所属機関）日本独文学会／日本比較文学会／ドイツ俳句協会（ドイツ）

（主な業績）
著書（共著）
・稲畑汀子 編『よみものホトトギス百年史』（花神社、1996）
・東 聖子、藤原マリコ 共編『国際歳時記における比較研究』（笠間書院、2012）
・浜本隆志・高橋 憲 共編『現代ドイツを知るための 67 章』（明石書店、2020）

（翻訳）
・Richard. W. Heinrich : Leise fällt ein Blatt.（自費出版、Heilbron. 1990）（『木の葉落つ』）
・Friedrich Heller : Jenseits des Flusses.（Edition Doppelpunkt. Wien. 1995）（『かわむこう』）
・Sabine Sommerkamp : *17 Ansichten des Berges Fuji*. Bilder und Tanka.（iudicium. München, 2021）（『富士 17 景』、写真と短歌）

ドイツ俳句と季節の詩

2023 年 5 月 15 日　初版第 1 刷発行

著　者　竹　田　賢　治
発行者　大　江　道　雅
発行所　株式会社 明石書店
〒101-0021 東京都千代田区外神田 6-9-5
電 話　03（5818）1171
FAX　03（5818）1174
振 替　00100-7-24505
https://www.akashi.co.jp

組　版　有限会社秋耕社
装　丁　明石書店デザイン室
印刷・製本　モリモト印刷株式会社

（定価はカバーに表示してあります）　ISBN 978-4-7503-5594-8